MonLab | L'apprentissage optimisé

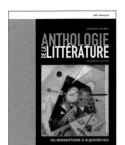

MonLab, c'est l'environnement numérique de votre manuel. Il vous connecte aux exercices interactifs ainsi qu'aux documents complémentaires de l'ouvrage. De plus, il vous permet de suivre la progression de vos résultats ainsi que le calendrier des activités à venir. **MonLab** vous accompagne vers l'atteinte de vos objectifs, tout simplement!

INSCRIPTION de l'étudiant

1. Rendez-vous à l'adresse de connexion **http://mabiblio.pearsonerpi.com**
2. Suivez les instructions à l'écran. Lorsqu'on vous demandera votre code d'accès, utilisez le code fourni sous l'étiquette bleue.
3. Vous pouvez retourner en tout temps à l'adresse de connexion pour consulter MonLab.

L'accès est valide pendant 12 MOIS à compter de la date de votre inscription.

CODE D'ACCÈS DE L'ÉTUDIANT

LR12ST-ACCAD-ALIBI-INDUE-PETRI-RISES

AVERTISSEMENT: Ce livre NE PEUT ÊTRE RETOURNÉ si la case ci-dessus est découverte.

ACCÈS de l'enseignant

Du matériel complémentaire à l'usage exclusif de l'enseignant est offert sur adoption de l'ouvrage. Certaines conditions s'appliquent. **Demandez votre code d'accès à information@pearsonerpi.com**

1 800 263-3678 option 2
pearsonerpi.com/aide

W20677 (A37873)

ERPI FRANÇAIS

DEUXIÈME ÉDITION

ANTHOLOGIE DE LA LITTÉRATURE

DU ROMANTISME À AUJOURD'HUI

MONIQUE LAPOINTE

Enseignante au Collège Lionel-Groulx

PEARSON

Montréal Toronto Boston Columbus Indianapolis New York San Francisco Upper Saddle River
Amsterdam Le Cap Dubaï Londres Madrid Milan Munich Paris
Delhi México São Paulo Sydney Hong-Kong Séoul Singapour Taipei Tōkyō

Développement de produits
Marie-Claude Côté

Supervision éditoriale
Jacqueline Leroux

Révision linguistique
Claire St-Onge

Correction d'épreuves
Sylvie Chapleau

Recherche iconographique
Chantal Bordeleau

Direction artistique
Hélène Cousineau

Coordination de la production
Estelle Cuillerier

Conception graphique et couverture
Martin Tremblay

Édition électronique
Isabel Lafleur

Photographie de la couverture

Wassili Kandinsky (1866-1944).
Harmonie silencieuse (1924).
Museum Kunstpalast, Düsseldorf,
Allemagne./© Peter Horree/Alamy.

© ÉDITIONS DU RENOUVEAU PÉDAGOGIQUE INC. (ERPI), 2016
Membre du groupe Pearson Education depuis 1989

1611, boulevard Crémazie Est, 10e étage
Montréal (Québec) H2M 2P2
Canada
Téléphone : 514 334-2690
Télécopieur : 514 334-4720
information@pearsonerpi.com
pearsonerpi.com

Dépôt légal – Bibliothèque et Archives nationales du Québec, 2016
Dépôt légal – Bibliothèque et Archives Canada, 2016

Imprimé au Canada   234567890   SO   21 20 19 18
ISBN 978-2-7613-5498-1   20677 ABCD   SA12

AVANT-PROPOS

Dans quelles circonstances les auteurs d'une époque donnée ont-ils écrit? Quelles étaient leurs préoccupations et celles de leurs contemporains? Quelles sont les grandes questions existentielles, les expériences humaines qui traversent toutes les époques et que les écrivains partagent avec nous dans leurs textes? Voilà quelques sujets que nous nous proposons d'aborder ici, afin de dégager des représentations du monde dont la dissertation explicative, ou analytique, doit rendre compte dans le cours *Littérature et imaginaire*.

Pour ce faire, nous explorerons des contextes historiques, de même que des courants et des thèmes fréquemment rencontrés dans des œuvres écrites à une même époque, mais également dans des œuvres issues d'une autre période. Ces comparaisons d'œuvres traitant d'un même thème nous permettront de voir comment certaines préoccupations sont inhérentes à notre condition humaine, mais aussi comment elles ont été vécues à différentes époques.

Remerciements

La deuxième édition de cet ouvrage n'aurait pu être réalisée sans le précieux concours de nombreux intervenantes et intervenants. Je tiens donc à remercier tout particulièrement mesdames Jacqueline Leroux, à la supervision éditoriale, et Claire St-Onge, à la révision linguistique. Leur grand professionnalisme ainsi que leurs remarquables compétences m'ont grandement facilité la tâche. Merci aussi à toute l'équipe d'ERPI: Chantal Bordeleau, Sylvie Chapleau, Marie-Claude Côté, Hélène Cousineau, Estelle Cuillerier, Julie Fortin, Isabel Lafleur et Martin Tremblay, pour l'excellence du travail accompli et la grande qualité du résultat. Un merci tout spécial à Pierre Desautels, qui a relancé ce projet de réédition avec son enthousiasme habituel. C'est grâce à la collaboration de toutes ces personnes qu'un tel ouvrage a pu voir le jour.

GUIDE VISUEL

Chaque chapitre s'ouvre sur une double page consacrée aux repères historiques. Ceux-ci couvrent plus ou moins un demi-siècle et correspondent au découpage littéraire.

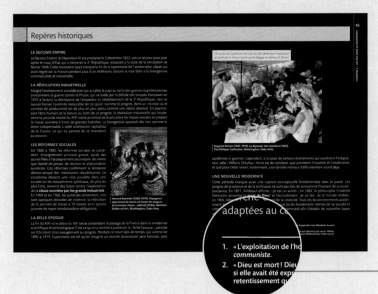

Afin d'alléger la mise en page et de faciliter ainsi la lecture du texte, nous avons tenté dans cette réédition d'éliminer le plus possible les notes de bas de page. Il en reste pourtant quelques-unes qu'on ne saurait trop recommander de lire, puisqu'elles éclairent substantiellement le propos général tout en ouvrant la lecture sur d'autres connaissances.

Chaque chapitre est consacré à un ou plusieurs courants littéraires. Ceux-ci sont traités simultanément (préromantisme et romantisme) ou isolément (postmodernité) en quatre sections.

EN THÉORIE : Il s'agit d'un bref aperçu des caractéristiques du ou des courants littéraires abordés.

Les encadrés dans les trames jaunes marquent des éléments de contenu qu'il est essentiel de retenir pour bien comprendre ce qui distingue ce courant de ceux qui le précèdent et le suivent.

EN THÈMES : Quelques thèmes récurrents dans les textes d'un même courant sont présentés dans cette section, permettant ainsi de les reconnaître dans les textes.

EN PERSONNES : Pour chacun des courants, les auteurs dont un extrait d'œuvre apparaît dans l'anthologie font l'objet d'une très brève présentation biographique.

Pour lire des extraits d'œuvres de l'auteur, reportez-vous aux pages indiquées.

EN TEXTES : C'est leur importance historique et l'intérêt qu'ils peuvent soulever chez le lecteur dans le contexte d'une anthologie du cours *Littérature et imaginaire* qui a motivé le choix des extraits. Quatre rubriques accompagnant chacun des textes :

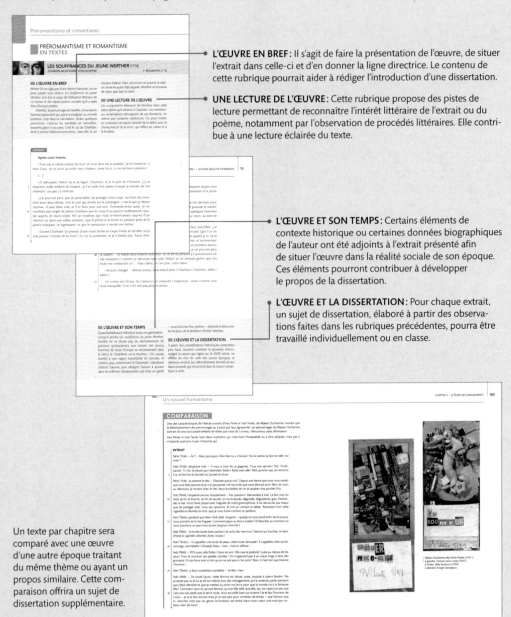

L'ŒUVRE EN BREF : Il s'agit de faire la présentation de l'œuvre, de situer l'extrait dans celle-ci et d'en donner la ligne directrice. Le contenu de cette rubrique pourrait aider à rédiger l'introduction d'une dissertation.

UNE LECTURE DE L'ŒUVRE : Cette rubrique propose des pistes de lecture permettant de reconnaître l'intérêt littéraire de l'extrait ou du poème, notamment par l'observation de procédés littéraires. Elle contribue à une lecture éclairée du texte.

L'ŒUVRE ET SON TEMPS : Certains éléments de contexte historique ou certaines données biographiques de l'auteur ont été adjoints à l'extrait présenté afin de situer l'œuvre dans la réalité sociale de son époque. Ces éléments pourront contribuer à développer le propos de la dissertation.

L'ŒUVRE ET LA DISSERTATION : Pour chaque extrait, un sujet de dissertation, élaboré à partir des observations faites dans les rubriques précédentes, pourra être travaillé individuellement ou en classe.

Un texte par chapitre sera comparé avec une œuvre d'une autre époque traitant du même thème ou ayant un propos similaire. Cette comparaison offrira un sujet de dissertation supplémentaire.

Un texte par chapitre fera l'objet d'une analyse qui permettra de constater les liens étroits entre le fond, la forme et l'interprétation du monde observée dans l'extrait. Cette analyse servira de matériel de base à la démonstration de la dissertation.

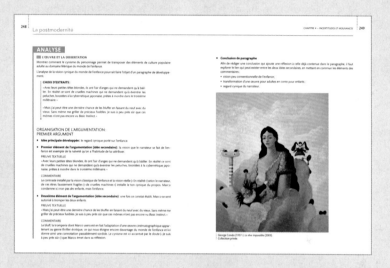

Cette anthologie comprend des extraits issus de la littérature québécoise, qui se distinguent visuellement par la teinte de fond bleue des rubriques.

Cette anthologie comporte des œuvres artistiques contemporaines aux œuvres littéraires qui y sont présentées. Comme elles, elles reflètent la réalité sociale et les préoccupations de l'artiste et de ses contemporains. C'est la raison pour laquelle nous proposons à l'occasion un commentaire qui permettra de faire le lien entre la littérature et les autres formes artistiques reproductibles dans un ouvrage papier (peinture, sculpture, photographie). Il n'est pas question ici de faire de la critique d'art, mais de constater que les arts et la littérature sont souvent indissociables.

Enfin, pour faciliter le travail de l'étudiant, nous lui proposons en **annexe** deux outils précieux: un résumé des **époques et des courants** littéraires présentés dans l'*Anthologie* et un guide méthodologique sur la **dissertation explicative**.

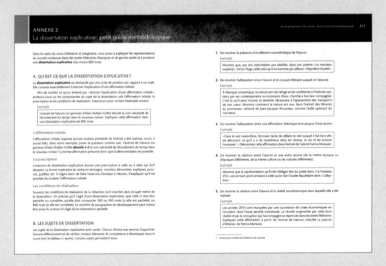

La plateforme **MonLab**, l'apprentissage optimisé

Découvrez notre plateforme MonLab, un environnement numérique conçu sur mesure pour l'enseignement et l'apprentissage. La plateforme comporte deux volets – **MonLab|exercices** et **MonLab|documents** – dont l'utilisation est simple et intuitive.

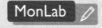

MonLab|exercices

Étudiants

- Des exercices formatifs interactifs concernant quelques extraits de chaque chapitre;
- Une correction en ligne de vos exercices.

MonLab|documents

Étudiants

- Un exemple de dissertation pour chaque chapitre.

Enseignants

- Des présentations PowerPoint réunissant les faits saillants de chaque chapitre.

Table des matières

CHAPITRE 2 UN PAS DANS LA MODERNITÉ   **63**

CHAPITRE 3	LE TEMPS DES ENGAGEMENTS	**129**

CHAPITRE 4 INCERTITUDES ET MOUVANCES **195**

CHAPITRE 1

UN DEMI-SIÈCLE DE TOURMENTE

Joseph Mallord William Turner (1775-1851). *Le soir du déluge* (vers 1843). National Gallery of Art, Washington, États-Unis.

Repères historiques

APRÈS LA PRISE DE LA BASTILLE : DES LENDEMAINS DIFFIC

Entre la prise de la **Bastille**[1], le 14 juillet 1789, et le sacre de l'empereur
le peuple français vit des heures de liesse, mais aussi de terreur et d
années qui suivront seront troubles et chaotiques. Il faudra attendre
XIXe siècle pour voir s'établir en France une certaine stabilité sociale e

L'EMPIRE DE NAPOLÉON Ier

La République, instaurée en 1792 après trois années d'instabilité et d'
place à l'Empire, imposé par Napoléon Bonaparte en 1804 après le
L'Empereur a le dessein d'envahir l'Europe entière. Depuis **Charler**
amais la France n'aura autant agrandi son territoire. Cependant, la
en **1815**[3] contre l'armée anglo-prussienne (le royaume de Prusse fai
deviendra l'Allemagne) annonce le retour de la monarchie.

LA RESTAURATION

La Restauration (c'est-à-dire le rétablissement de la monarchie en F
der trois rois : Louis XVIII, frère de Louis XVI, qui mourra en 1824 ; C

Cette œuvre est une allégorie picturale de la révolution de 1830.
Une analyse en est proposée dans la série *Palettes*, sur arte.tv.

Eugène Delacroix (1798-1863). *Le 28 juillet 1830 : la Liberté guidant
le peuple (1830). Musée du Louvre, Paris, France*

autoritaire et réactionnaire (il ramène notamment la censure de la presse et cherche à rétablir l'Ancien Régime) déclenche la révolution
de Juillet, qui durera trois journées, *Les Trois
Glorieuses*; et Louis-Philippe d'Orléans, roi des
Français, mais surtout des bourgeois, puisque
son règne permettra l'essor du libéralisme capitaliste (dont les abus seront plus tard dénon-
cés par certains penseurs tels que Karl Marx et
Émile Zola) et conséquemment l'ascension
fulgurante de la bourgeoisie. La révolution de
Février 1848 aura raison de ce troisième règne
monarchique inscrit au XIXe siècle.

VERS LA SCOLARISATION UNIVERSELLE

Bien que l'issue de la révolution de 1789 n'ait
pas répondu à toutes les attentes du peuple, il
n'en demeure pas moins que celui-ci devient un
acteur qu'on ne pourra dorénavant plus ignorer.
La nouvelle réalité sociale et culturelle en fait
foi. Dès le début du XIXe siècle, Napoléon essaie
tant bien que mal d'encourager la mise en place

Va te faire pendre ailleurs! **Collection de Vinck.**
*Un siècle d'histoire de France par l'estampe,
1770-1870,* **Bibliothèque nationale de France,
Paris, France.**

d'écoles primaires dans le pays afin de réduire l'analphabétisme. Pierre Guizot, ministre de
l'Instruction publique en 1833, fait voter une loi visant à moderniser l'enseignement primaire
et à favoriser la scolarisation universelle.

UNE LITTÉRATURE INFLUENCÉE PAR SON TEMPS

Par ailleurs, les progrès technologiques permettent une diffusion plus large des connaissances. Dans le domaine de l'imprimerie, ces innovations rendent possible l'émergence de
ce qu'on appelle la *littérature de masse*. Ainsi voit-on apparaître, à la fin des années 1830, le
roman-feuilleton, ouvrage populaire publié en épisodes dans les journaux. Cette nouvelle
réalité aura un effet considérable sur le monde des lettres au cours des décennies suivantes.
Notamment, l'accroissement notable du nombre des lecteurs engendré par ces publications
à grand tirage permettra d'assurer un revenu, parfois maigre mais régulier, à certains écrivains

---

Emblème de la Révolution française. Située au cœur de Paris, la Bastille est une prison politique qui symbolise le joug
monarchique imposé aux habitants de la ville. Au lendemain de la Révolution, elle sera entièrement rasée, ce qui était
d'ailleurs depuis longtemps l'intention du Roi.

À noter toutefois que le règne de Charlemagne se situe dans le temps bien avant qu'apparaisse la distinction claire entre
les peuples européens qu'on connaît aujourd'hui.

En 1813, l'Autriche déclare la guerre à la France et, en 1814, Paris est envahi par une coalition de nations européennes;
Napoléon doit alors capituler. Il est contraint de s'exiler sur l'île d'Elbe, qu'il quittera pour reprendre brièvement le
pouvoir. Son règne ne durera que 100 jours (d'où le nom de *Cent-Jours* donné à cette période de l'histoire), au terme

Si le romantisme est présent en Allemagne et en Angleterre dès les années 1770, en France ce n'est qu'après 1820 que l'on commence à qualifier de *romantisme précurseur* ou de *préromantisme* le courant qui va bientôt imprégner une partie importante des textes littéraires.

PRÉROMANTISME ET ROMANTISME EN THÉORIE

Paradoxalement, bien que le mouvement romantique ait pris naissance ailleurs, c'est un écrivain français, Jean-Jacques Rousseau (d'origine suisse, il s'installe très jeune en France), qui sera le principal inspirateur de **Goethe**[1]. Son œuvre épistolaire *Julie ou La nouvelle Héloïse*, considérée comme la toute première œuvre romantique, paraît dès 1761.

● À cause de ses origines étrangères, le romantisme paraît suspect en France. On l'associe aux pays ennemis que sont l'Allemagne et l'Angleterre. Par conséquent, encourager ce courant est perçu par les autorités comme un manque de patriotisme.

Après lui, François René de Chateaubriand, au tournant du siècle, puis Madame de Staël publieront des œuvres dont la facture sera résolument romantique.

L'ÉTAT D'ÂME ROMANTIQUE

Charles Baudelaire, dans ses essais sur l'art, différencie le romantisme des genres qui le précèdent en établissant une coupure distincte entre la vision romantique du monde et la vision rationaliste des XVIIe et XVIIIe siècles. Pour le poète, le romantisme n'est pas qu'un courant littéraire ou artistique ; il est, comme on l'a souvent affirmé, un « état d'âme ».

● L'**âme romantique** influence à la fois l'histoire, la politique, la musique, la peinture et la littérature. À la raison classique, elle oppose la passion ; à la vision mécaniste de l'univers, la vision organique, où le divin reprend sa place au centre d'une nature dont il est constitué.

LA LIBERTÉ DE FORME ET LA LIBERTÉ D'ÊTRE

Enfin, malgré la résistance de la forme classique en littérature, où des règles strictes régissent chacun des genres littéraires, les auteurs de certaines œuvres cherchent à libérer la forme et à manifester leurs états d'âme.

● L'être humain redevient libre et autonome, à la fois distinct et faisant corps avec une nature vivante. C'est pourquoi il semble mieux la comprendre et s'y retrouver. Comme elle, il participe au grand mystère de la Création. Comme elle aussi, il s'apaise et se déchaîne.

Le romantisme rétablit une vision du monde apparentée au **panthéisme**[2], conférant à chaque individu une valeur tout autre que celle qui était proposée aux siècles précédents, alors qu'il n'était qu'un simple rouage dans la grande mécanique universelle que Dieu avait animée par une « **chiquenaude**[3] » pour la laisser ensuite seule face à elle-même.

LE DÉCHAÎNEMENT DES PASSIONS

On comprend alors que les romantiques allemands aient nommé ce courant *Sturm und Drang* («tempête et passion») et que Victor Hugo, dans un élan digne de cet «état d'âme» exacerbé qu'est le romantisme, ait imploré ses contemporains en ces termes : «Enivrez-vous de tout! enivrez-vous, poètes![4] »

Parfois nommé *L'espoir pris dans les glaces*, ce tableau d'une nature déchaînée, puis terrassée, est bien à l'image de l'âme romantique.

Caspar David Friedrich (1774-1840). *La mer de glace* (vers 1823-1824).
Kunsthalle, Hambourg, Allemagne.

---

1. Lisez la biographie de cet auteur, p. 10.
2. Doctrine selon laquelle Dieu est en tout (*Le Robert*) ; couramment, divinisation de la nature.
3. C'est Blaise Pascal qui, au XVIIe siècle, utilise cette expression pour reprocher à Descartes le peu de pouvoir qu'il accorde à Dieu dans la création du monde.
4. Tiré du poème «Pan» dans *Les feuilles d'automne* (1831).

LE CHOIX POÉTIQUE

On a parfois associé le courant romantique à une «génération de poètes». Certains théoriciens ont même affirmé que «ce qui apparaît avec le romantisme, c'est la poésie comme existence[1].» Au début du XIXe siècle, le genre poétique marque une coupure historique avec le passé récent, ce qui caractérise fondamentalement le romantisme. La poésie apparaît donc comme le genre littéraire privilégié des romantiques.

Cette réalité ne signifie pas pour autant que les poètes romantiques sont tous contemporains. Dans les faits, Alfred de Musset (1810-1857) est beaucoup plus jeune qu'Alphonse de Lamartine (1790-1869) ou Alfred de Vigny (1797-1863). Les œuvres de Gérard de Nerval (*Les chimères*, 1854) et d'Aloysius Bertrand (*Gaspard de la nuit*, 1842) paraissent beaucoup plus tard que celles des trois premiers. Certains incluent même une partie de l'œuvre de Charles Baudelaire (*Les fleurs du mal*, 1857) dans le courant romantique.

> ● C'est la sensibilité particulière que partagent les poètes romantiques qui importe, bien davantage que leur contemporanéité. En fait, on peut prétendre que l'époque romantique est celle des poètes, le genre poétique étant en effet le lieu privilégié de l'émotion, à cause de sa forme, qui ne nécessite pas de mise en situation ni de logique du récit, mais aussi de la force évocatrice créée par la densité des images.

En un mot, le romantisme *est* poésie. Il tient de cette sensibilité qu'on dit propre au poète, dans ses transports, dans son extase. Et s'il est parfois romancier ou dramaturge, on reconnaît toujours chez l'écrivain romantique une émotivité poétique.

LE ROMANTISME AU THÉÂTRE

Bien que le théâtre soit un genre assez répandu dans cette première moitié du XIXe siècle, on ne retient aujourd'hui que très peu des œuvres de l'époque. Celles-ci sont souvent légères, et leur propos, qui en général n'atteint pas à l'universel, justifie peut-être leur absence de pérennité.

Parmi les pièces marquantes se trouvent *Lorenzaccio* (1834), d'Alfred de Musset, *La dame aux camélias* (parue d'abord sous la forme romanesque en 1848, puis adaptée pour le théâtre par l'auteur en 1852), d'Alexandre Dumas fils (1824-1895), et *Hernani* (1830), de Victor Hugo. Cette dernière est devenue célèbre à la suite de ce qu'on a appelé la «**bataille d'*Hernani*[2]**», chacune des représentations provoquant en effet de véritables affrontements. Le public, partagé entre les tenants de la forme classique et les défenseurs de la vision nouvelle présentée sur scène, passe le plus clair de son temps à vilipender la pièce — on en vient même aux coups certains soirs — ou à l'encenser.

LES DIVERSES FORMES DU ROMAN

Le roman biographique

Outre le roman autobiographique ou personnel que privilégient Chateaubriand (*Atala*, 1801, et *René*, 1802), Madame de Staël (*Delphine*, 1802, et *Corinne ou l'Italie*, 1807) et Benjamin Constant[3] (*Adolphe*, 1816), et que perpétuent Stendhal[4] (*Le rouge et le noir*, 1830),

George Sand (*Indiana*, 1832), Théophile Gautier[5] (*Mademoiselle de Maupin*, 1835) et Alfred de Musset (*La confession d'un enfant du siècle*, 1836), le genre romanesque connaît diverses formes.

Le roman-feuilleton

Grâce à l'essor de l'imprimerie dans les années 1830, la production des journaux s'accroît substantiellement et de nouvelles formes de publications apparaissent : des récits d'aventures en romans-feuilletons, tels *Les mystères de Paris* (1842-1843), d'Eugène Sue, et *Les trois mousquetaires* (1844), d'Alexandre Dumas père.

Le roman historique

L'intérêt généralisé pour l'histoire favorise l'émergence des romans historiques ou des romans qui prennent leur source dans l'histoire. Citons *Les chouans* (1829), d'Honoré de Balzac, et *La chartreuse de Parme* (1839), de Stendhal.

Le roman social

Le roman social permet, quant à lui, une analyse de la société d'alors, qui voit surgir de nouvelles entités, comme celle du peuple. Deux ouvrages de Victor Hugo, *Notre-Dame de Paris* (1831) et *Les misérables* (1862), en sont des exemples.

PRÉROMANTISME ET ROMANTISME EN THÈMES

Si l'on peut parler d'une vision romantique de la réalité, comme on l'a vu précédemment, il convient d'observer que, en littérature, cette vision s'articule autour de thèmes majeurs qui rallient la plupart des écrivains et des œuvres, et qui les situent précisément à leur époque.

À cela s'ajoute la fréquente utilisation de certains procédés littéraires d'analogie, tels que la métaphore, la comparaison et la personnification, mais aussi d'opposition, comme l'antithèse, qui contribuent à concrétiser ou à matérialiser les déchirements intérieurs de l'être.

LE PROPOS POLITIQUE

Plusieurs écrivains romantiques sentent la nécessité de s'impliquer politiquement afin d'avoir le sentiment de contribuer à l'histoire. La contestation, le témoignage lié à des événements historiques ou le parti pris dans des querelles idéologiques confèrent à certains textes une valeur historique indéniable.

---

1. Raymond Queneau (sous la direction de). *Histoire des littératures III*, « La Pléiade », Paris, Gallimard, 1978, 2109 p., p. 891.
2. Pour connaître l'histoire de la **bataille d'*Hernani*** et voir le manuscrit, consultez le blogue numérique de Gallica à l'adresse suivante : http://blog.bnf.fr/gallica/?p=1279.
3. Benjamin Constant, 1767-1830.
4. Henri Beyle, dit Stendhal, 1783-1842.
5. Théophile Gautier, 1811-1872.

LE MAL DU SIÈCLE

> «Tout me lasse. Je remorque avec peine mon ennui avec mes jours.
> Et je vais partout bâillant ma vie.»
>
> *François René de Chateaubriand*

Cette affirmation, d'un lyrisme exacerbé, illustre bien l'un des aspects morbides de l'âme romantique. Le profond ennui manifesté dans les œuvres de cette époque est le résultat du désœuvrement dans lequel est plongée la jeune génération du début du siècle. En effet, la génération montante, à la fois consciente de s'inscrire dans l'Histoire et impuissante à poursuivre la marche accélérée de celle-ci, se désespère de ne pouvoir mener à bien le grand projet de ses pères.

LE LYRISME

L'être romantique pénètre en lui-même, ausculte son âme, cherche en lui la source des maux qui le consument. Le lyrisme, comme le terme le laisse deviner (il vient du nom de l'instrument de musique symbolisant la poésie, la «lyre», qui signifie «chant»), est une complainte, voire une lamentation. Et ce qu'on entend de ce chant est la présence de forces contradictoires qui habitent le cœur de l'écrivain. Car autant sa douleur est profonde, autant l'absence de douleur plonge le romantique dans un état de désœuvrement. Et la souffrance qui l'assaille est perçue à la fois comme une fatalité et comme un privilège.

Le romantique est en quelque sorte responsable et victime de sa subjectivité exaltée. L'intensité qui caractérise sa vie fait que celle-ci s'achève souvent prématurément. En effet, les cas de suicide et de folie chez les jeunes adultes sont exceptionnellement nombreux à cette époque (nous verrons l'influence morbide qu'exerce Werther sur la jeune génération), comme si la fin tragique était l'aboutissement naturel d'une vie intérieure profondément intense.

Alexandre Séon (1855-1917). *Lamentations d'Orphée* (1896).
Musée d'Orsay, Paris, France.

L'AMOUR

« Quand j'en serais le maître,
je t'aime trop pour te posséder jamais. »

Jean-Jacques Rousseau

Parce que l'être romantique est un être de passion, il n'est pas étonnant que l'amour occupe une place de choix dans son œuvre. À l'opposé du libertinage du siècle précédent, où la frivolité caractérisait les rapports amoureux, l'amour romantique est puissant et troublant, mais tombe la plupart du temps sous le coup de la fatalité.

Qu'elle soit vouée à l'échec en raison des conventions sociales (le refus de la mésalliance du père de Julie dans *Julie ou La nouvelle Héloïse*, de Jean-Jacques Rousseau) ou des convictions religieuses (Atala, dans l'œuvre éponyme de Chateaubriand, ne pourra épouser Chactas parce qu'il n'est pas chrétien), la relation amoureuse supporte mal les impératifs de la réalité et demeure souvent au stade du désir.

LA NATURE

Loin de chercher à répertorier les éléments qui constituent la nature, comme on le faisait au XVIIIe siècle, le romantique reconnaît et apprécie en elle sa diversité infinie, sa capacité de renouvellement et son unité intrinsèque. Elle se présente ainsi affranchie de l'intervention humaine. Elle devient l'alliée du romantique : alliée dans sa révolte contre la raison qui règne sur tout, et même sur l'âme ; alliée contre la forme classique qui réglemente et assujettit les élans chaotiques de la sensibilité humaine.

Alliée, la nature l'est aussi par sa conformité avec la nature humaine. S'il arrive parfois qu'on rencontre dans les textes, comme c'était le cas avant le romantisme, une nature calme et sereine, celle-ci est plus souvent fougueuse et déchaînée, et ce n'est pas un hasard si l'automne est la saison de prédilection de l'écrivain romantique. Dans ses élans intempestifs, la nature est souvent assimilée aux sentiments humains et sert dans les textes à rendre perceptibles les bouleversements intérieurs.

L'ÉVASION

Dans l'agitation et l'incertitude qui marquent la première moitié du XIXe siècle, le romantique ressent une double inquiétude qui tient à la fois du vide existentiel et de la nécessité de donner un sens au présent. C'est ce qui l'incite à chercher des assises stables dans le passé ou l'ailleurs. L'évasion, sous de multiples formes, lui permet de lutter contre cette angoisse.

L'attrait pour les voyages en terres nouvelles, par exemple, témoigne chez le romantique autant du désir de s'évader que de celui de reprendre contact avec une terre originelle, exempte des troubles du vieux continent, dorénavant mutilé par l'intervention humaine. L'évasion dans sa propre enfance ou dans celle de la civilisation traduit d'autre part un malaise par rapport au temps présent, et c'est par l'imaginaire, dans ses rêveries ou ses fantaisies, que le romantique espère combler l'angoisse et le vide existentiel qui lui pèsent.

PRÉROMANTISME ET ROMANTISME
EN PERSONNES

Jean-Jacques Rousseau (1712-1778)

«**Citoyen de Genève**¹», comme on s'entend à l'appeler, Jean-Jacques Rousseau étonne par l'avant-gardisme de sa pensée, tant dans les domaines politique, social, philosophique et pédagogique que dans le domaine littéraire. Ses œuvres *Julie ou La nouvelle Héloïse* (1761) et *Les confessions* (terminée en 1770, mais publiée en 1782 et en 1789) influencent Goethe et le mouvement romantique allemand en général.

Rousseau s'affirme aussi comme le penseur qui inspirera le discours démocratique de la Révolution par ses ouvrages philosophiques : *Du contrat social ou principes du droit politique* (1762) et *Discours sur l'origine et les fondements de l'inégalité parmi les hommes* (1755). Par surcroît pédagogue, il publiera *Émile ou De l'éducation* (1762), qui recevra un accueil mitigé de ses contemporains.

➤ EXTRAITS, P. 16 ET 19

Johann Wolfgang von Goethe (1749-1832)

Johann Wolfgang von Goethe naît en Allemagne en 1749. Ses poèmes, rédigés antérieurement aux *Souffrances du jeune Werther* — son œuvre de jeunesse —, et quelques autres textes ont contribué au courant littéraire allemand appelé *Sturm und Drang* (tempête et passion), qui précède le romantisme français. Goethe revient ensuite au classicisme. Il meurt en 1832, laissant une œuvre essentielle dans l'histoire universelle de la littérature.

➤ EXTRAIT, P. 14

Madame de Staël (1766-1817)

Anne Louise Germaine Necker est la fille de Jacques Necker (ministre des Finances de Louis XVI, dont le renvoi après l'échec des États généraux avait précipité les troubles de 1789, qui ont mené à la Révolution). Elle devient baronne de Staël-Holstein en épousant l'ambassadeur de Suède. Très jeune, elle côtoie les **encyclopédistes**², qui fréquentent le salon littéraire tenu par sa mère. Grande intellectuelle, féministe convaincue, précurseure d'une approche nouvelle de la littérature, Madame de Staël représente le milieu intellectuel qui oppose la passion au rationalisme ambiant. Son intérêt marqué pour les systèmes démocratiques d'Allemagne et d'Angleterre la force à s'exiler de 1795 à 1800, puis à nouveau en 1804, contrainte par Napoléon.

➤ EXTRAIT, P. 22

François René de Chateaubriand (1768-1848)

Né dans une famille d'aristocrates, François René de Chateaubriand voyage beaucoup : en Amérique, en Allemagne, en Angleterre et en Orient. Monarchiste et religieux, ses premières œuvres littéraires sont imprégnées de christianisme (*Atala* en 1801, *René ou Le génie du christianisme* en 1802) et d'autres grands thèmes chers aux romantiques.

Chateaubriand est élu à l'Académie française (une institution fondée en 1635 par le cardinal de Richelieu) en 1811, mais son discours condamnant le régicide et appelant la nation française à recouvrer sa liberté lui vaut d'être exilé par Napoléon.

▶ Extraits, p. 20 et 44

Stendhal (1783-1842)

Grand admirateur de Napoléon, Henri Beyle, alias Stendhal, choisit au tout début du XIXe siècle de suivre l'empereur en Italie. Il retournera y vivre après 1814, au moment de la **Restauration**[3]. Ses ennuis financiers et ses amours malheureuses, son conflit intérieur surtout entre l'ambition et l'élan sentimental alimentent son aversion pour l'hypocrisie sociale et se répercutent dans les propos d'œuvres majeures comme *Le rouge et le noir* (1830) et *La chartreuse de Parme* (1839).

▶ Extrait, p. 30

Alphonse de Lamartine (1790-1869)

Issu de la petite noblesse, Lamartine est attaché au passé comme à un moment de calme et de stabilité. Il devient très tôt tourmenté par le désœuvrement et l'errance amoureuse. Après une carrière politique mouvementée, après la grande tristesse qui l'accable à la suite de la mort de sa fille, il trouve finalement le repos auprès de sa famille et dans une vie dorénavant consacrée à la littérature.

▶ Extrait, p. 24

---

1. Cette expression fait référence au texte politique de Rousseau intitulé *Du contrat social*, dans lequel l'auteur prend Genève comme modèle afin d'établir les conditions d'une société idéale

2. On appelle « encyclopédistes » le groupe de penseurs qui, au XVIIIe siècle, élaborèrent la première grande encyclopédie de langue française. À leur tête se trouvaient Denis Diderot, écrivain et philosophe, et Jean le Rond d'Alembert, philosophe et mathématicien.

3. Retournez au contexte historique du début du chapitre.

Alfred de Vigny (1797-1863)

Alfred de Vigny est d'origine noble. Enfant surprotégé par sa mère, son passage dans le monde adulte sera de ce fait particulièrement difficile, et ses rapports amoureux souvent décevants. Il fréquente pendant sept ans une actrice, Marie Dorval, et l'échec de cette relation le laisse profondément amer. Devant la souffrance qui émane de la condition humaine, il entreprend une quête mystique qui se solde par une perpétuelle désillusion et un antithéisme vengeur. Son œuvre est empreinte de cette douleur, à la fois individuelle et universelle, qui fait naître au cœur la compassion.

▶ Extrait, p. 60

Victor Hugo (1802-1885)

Victor Hugo se découvre très jeune une passion pour la littérature. À 15 ans, il remporte des prix littéraires, et en 1822 il publie *Odes et poésies diverses*, qui deviendront *Odes et ballades* en 1828. Tour à tour romancier, dramaturge et poète, c'est dans ce dernier genre que sa production est la plus considérable. Parallèlement à sa vocation d'écrivain, il mène une carrière politique qui s'achèvera avec l'arrivée de Napoléon III.

▶ Extraits, p. 28, 42, 50 et 56

George Sand (1804-1876)

La double origine d'Aurore Dupin, baronne Dudevant, dite George Sand, née d'un père issu de la noblesse et d'une mère paysanne, n'est sûrement pas étrangère à sa soif de liberté. Vêtue en homme, cette femme étonnamment moderne, qui veut vivre librement dans la France du XIXe siècle, choisit un pseudonyme masculin, fume la pipe et revendique l'indépendance, autant financière qu'amoureuse. Ses relations célèbres avec Alfred de Musset et le compositeur Frédéric Chopin, entre autres, ont largement contribué au mythe de cette féministe engagée, seule écrivaine française à pouvoir vivre de sa plume au XIXe siècle.

▶ Extrait, p. 32

Gérard de Nerval (1808-1855)

Gérard Labrunie, dit Gérard de Nerval, entre dans l'histoire de la littérature par la traduction qu'il fait de *Faust,* de Goethe, en 1828. L'auteur allemand ne manque pas d'ailleurs d'en faire l'éloge. Quelques *Odelettes* (1853) ont précédé ses œuvres majeures : *Les chimères* et *Sylvie* (1854), ainsi qu'*Aurélia* (1855). Atteint de crises de folie dès 1841, il est sporadiquement interné à la clinique du docteur Blanche, qui l'incite en 1855 à publier cette dernière œuvre, l'année même où il met fin à ses jours.

▶ EXTRAITS, P. 52 ET 54

Alfred de Musset (1810-1857)

À l'instar de Vigny et de Lamartine, Alfred de Musset est un aristocrate idéaliste, sans cesse déçu, à la fois par ce que la vie lui offre et par les êtres, qui ne peuvent répondre à la grandeur de ses aspirations. Sa relation amoureuse avec George Sand semble constamment réaffirmer son impossible accès au bonheur, son nécessaire échec.

▶ EXTRAITS, P. 34, 38 ET 58

Alexandre Dumas fils (1824-1895)

La vie d'Alexandre Dumas fils est marquée par une double souffrance : la reconnaissance de paternité tardive (à sept ans) par Alexandre Dumas et la magnificence de ce père qui laisse peu de place à l'émergence d'un second écrivain du même nom. L'œuvre du fils rappelle donc inlassablement les conséquences néfastes des actions des pères égoïstes. En plus de ses œuvres littéraires, Dumas fils écrit de courts ouvrages sur le divorce et la paternité. Il termine sa carrière à l'Académie française.

▶ EXTRAIT, P. 46

Antoine Gérin-Lajoie (1824-1882)

Antoine Gérin-Lajoie naît à Yamachiche. Il étudie au prestigieux séminaire de Nicolet, où il manifeste très tôt un intérêt et un talent pour la poésie. Journaliste, avocat et écrivain, il devient finalement fonctionnaire au ministère des Travaux publics après quelques actions politiques ayant mené à l'élection, en 1848, du gouvernement des réformistes. Il restera attaché à la terre et à ses origines, présentant dans ses œuvres littéraires des personnages patriotes.

▶ EXTRAIT, P. 40

PRÉROMANTISME ET ROMANTISME
EN TEXTES

LES SOUFFRANCES DU JEUNE WERTHER (1774)
JOHANN WOLFGANG VON GOETHE

► BIOGRAPHIE, P. 10

■ L'ŒUVRE EN BREF

Même s'il ne s'agit pas d'une œuvre française, on ne peut passer sous silence *Les souffrances du jeune Werther*, à la fois à cause de l'influence littéraire de ce roman et des répercussions sociales qu'il a eues dans l'Europe entière.

Werther, le personnage de Goethe, est un jeune homme passionné qui peine à s'adapter au monde extérieur, trop faux et calculateur. Seules quelques personnes, comme lui sensibles et naturelles, trouvent grâce à ses yeux. C'est le cas de Charlotte, dont il tombe follement amoureux. Sans elle, la vie n'a plus d'attrait. Mais cet amour ne pourra se réaliser, la vie les ayant déjà séparés. Werther ne trouvera de repos que dans la mort.

■ UNE LECTURE DE L'ŒUVRE

On comprend le désespoir de Werther dans cette lettre ultime qu'il adresse à Charlotte. Les nombreuses exclamations témoignent de ses émotions, de même que certaines répétitions. On peut mettre en contraste cet aspect émotif de la lettre avec le champ lexical de la mort, qui réfère au calme et à la froideur.

EXTRAIT

Après onze heures.

« Tout est si calme autour de moi ! et mon âme est si paisible ! Je te remercie, ô mon Dieu, de m'avoir accordé cette chaleur, cette force, à ces derniers instants !

[…]

« Ô silhouette chérie ! Je te la lègue, Charlotte, et je te prie de l'honorer. J'y ai 5 imprimé mille milliers de baisers ; je l'ai mille fois saluée lorsque je sortais de ma chambre, ou que j'y rentrais.

« J'ai prié ton père, par un petit billet, de protéger mon corps. Au fond du cimetière sont deux tilleuls, vers le coin qui donne sur la campagne : c'est là que je désire reposer. Il peut faire cela, et il le fera pour son ami. Demande-le-lui aussi. Je ne 10 voudrais pas exiger de pieux chrétiens que le corps d'un pauvre malheureux reposât auprès de leurs corps. Ah ! je voudrais que vous m'enterrassiez auprès d'un chemin ou dans une vallée solitaire ; que le prêtre et le lévite en passant près de la pierre marquée, se signassent, et que le samaritain y versât une larme !

« Donne Charlotte ! Je prends d'une main ferme la coupe froide et terrible où je 15 vais puiser l'ivresse de la mort ! Tu me la présentes, et je n'hésite pas. Ainsi donc sont accomplis tous les désirs de ma vie! Voilà donc où aboutissaient toutes mes espérances! toutes! toutes! à venir frapper avec cet engourdissement à la porte d'airain de la vie!

20 «Ah! si j'avais eu le bonheur de mourir pour toi, Charlotte, de me dévouer pour toi! Je mourrais courageusement, je mourrais joyeusement, si je pouvais te rendre le repos, les délices de ta vie. Mais hélas! il ne fut donné qu'à quelques hommes privilégiés de verser leur sang pour les leurs, et d'allumer par leur mort, au sein de ceux qu'ils aimaient, une vie nouvelle et centuplée.

25 «Je veux être enterré dans ces habits; Charlotte, tu les as touchés, sanctifiés: j'ai demandé aussi cette faveur à ton père. Mon âme plane sur le cercueil. Que l'on ne fouille pas mes poches. Ce nœud rose, que tu portais sur ton sein quand je te vis la première fois au milieu de tes enfants (oh! embrasse-les mille fois, et raconte-leur l'histoire de leur malheureux ami; chers enfants, je les vois, ils se pressent autour de moi: ah! comme je m'attachai à toi! dès le premier instant, je ne pouvais plus 30 te laisser)... ce nœud sera enterré avec moi; tu m'en fis présent à l'anniversaire de ma naissance! comme je dévorais tout cela! Hélas! je ne pensais guère que ma route me conduirait ici!... Sois calme, je t'en prie; sois calme.

«Ils sont chargés... Minuit sonne, ainsi soit-il donc! Charlotte! Charlotte, adieu! adieu!»

35 Un voisin vit l'éclair de l'amorce, et entendit l'explosion; mais comme tout resta tranquille, il ne s'en mit pas plus en peine.

■ L'ŒUVRE ET SON TEMPS

Quand la littérature influence toute une génération... Lorsqu'il publie *Les souffrances du jeune Werther*, Goethe ne se doute pas du déchaînement de passions qu'entraînera son roman. Les jeunes hommes de toute l'Europe se reconnaissent dans le héros et s'habillent «à la Werther». On assiste bientôt à une vague inquiétante de suicides, et certains pays, notamment le Danemark, interdisent d'abord l'œuvre, puis obligent l'auteur à ajouter dans les éditions subséquentes une mise en garde — sous la forme d'un poème — destinée à détourner les lecteurs de la tentation d'imiter Werther.

■ L'ŒUVRE ET LA DISSERTATION

À partir des considérations historiques présentées plus haut, montrez combien la jeunesse d'alors, malgré la raison qui règne sur le XVIIIᵉ siècle, ne diffère en rien de celle des autres époques et demeure encline aux débordements émotifs et aux élans excessifs qui s'inscriront dans la vision romantique à venir.

LES RÊVERIES DU PROMENEUR SOLITAIRE
(1782, ÉCRIT DE 1776 À 1778)

JEAN-JACQUES ROUSSEAU   ▶ BIOGRAPHIE, P. 10

■ L'ŒUVRE EN BREF

Depuis la parution de son *Émile ou De l'éducation*, Jean-Jacques Rousseau subit les foudres d'une partie de ses concitoyens. Chassé de France et de Genève, il fuit à Môtiers (en Suisse), qu'il devra bientôt quitter aussi. Rousseau se réfugie alors sur l'île Saint-Pierre, où il entreprend des études de botanique tout en se livrant à des réflexions intérieures.

■ UNE LECTURE DE L'ŒUVRE

Le réconfort que Jean-Jacques Rousseau ressent dans son refuge du lac de Bienne se traduit par un véritable hymne à la nature, où l'on perçoit à chaque instant la blessure infligée par la persécution dont il est l'objet. Les énumérations de cet extrait permettent au lecteur d'accompagner le narrateur dans ses promenades, ses rêveries.

EXTRAIT

De toutes les habitations où j'ai demeuré (et j'en ai eu de charmantes), aucune ne m'a rendu si véritablement heureux et ne m'a laissé de si tendres regrets que l'île de Saint-Pierre, au milieu du lac de Bienne[1]. Cette petite île qu'on appelle à Neuchâtel l'île de La Motte est bien peu connue, même en Suisse. Aucun voyageur,
5   que je sache, n'en fait mention. Cependant elle est très agréable et singulièrement située pour le bonheur d'un homme qui aime à se circonscrire ; car quoique je sois peut-être le seul au monde à qui sa destinée en ait fait une loi, je ne puis croire être le seul qui ait un goût si naturel, quoique je ne l'aie trouvé jusqu'ici chez nul autre.

Les rives du lac de Bienne sont plus sauvages et romantiques[2] que celles du lac
10   de Genève, parce que les rochers et les bois y bordent l'eau de plus près, mais elles ne sont pas moins riantes. S'il y a moins de culture de champs et de vignes, moins de villes et de maisons, il y aussi plus de verdure naturelle, plus de prairies, d'asiles ombragés de bocages, des contrastes plus fréquents et des accidents plus rapprochés. Comme il n'y a pas sur ces heureux bords de grandes routes commodes pour
15   les voitures, le pays est peu fréquenté par les voyageurs ; mais il est intéressant pour des contemplatifs solitaires qui aiment à s'enivrer à loisir des charmes de la nature, et à se recueillir dans un silence que ne trouble aucun autre bruit que le cri des aigles, le ramage entrecoupé de quelques oiseaux, et le roulement des torrents qui tombent de la montagne !

---

1. En Suisse.
2. Ici, pour la première fois, le terme « romantique » est utilisé dans la langue française.

20   […]

C'est dans cette île que je me réfugiai après la lapidation de Motiers. J'en trouvai le séjour si charmant, j'y menais une vie si convenable à mon humeur que, résolu d'y finir mes jours, je n'avais d'autre inquiétude sinon qu'on ne me laissât pas exécuter ce projet qui ne s'accordait pas avec celui de m'entraîner en Angleterre,

25   dont je sentais déjà les premiers effets. Dans les pressentiments qui m'inquiétaient j'aurais voulu qu'on m'eût fait de cet asile une prison perpétuelle, qu'on m'y eût confiné pour toute ma vie, et qu'en m'ôtant toute puissance et tout espoir d'en sortir on m'eût interdit toute espèce de communication avec la terre ferme de sorte qu'ignorant tout ce qui se faisait dans le monde j'en eusse oublié l'existence et

30   qu'on y eût oublié la mienne aussi.

■ L'ŒUVRE ET SON TEMPS

L'œuvre, de facture incontestablement romantique, est pourtant écrite plus de 10 ans avant la Révolution. Ce sont les œuvres politiques de Rousseau (*Du contrat social, Discours sur l'origine et les fondements de l'inégalité parmi les hommes*) qui sont lues davantage à l'époque et qui inspirent les révolutionnaires. Mais Rousseau est précurseur, rappelons-le, de cette nouvelle vision du monde qui sera bientôt partagée par toute une génération.

■ L'ŒUVRE ET LA DISSERTATION

À l'époque romantique, la nature sert de refuge et de confidente à l'être qui, déçu par ses contemporains ou incompris d'eux, cherche à fuir leur compagnie. C'est là qu'il peut trouver la sérénité nécessaire à l'apaisement des transports de son cœur. Montrez comment la nature est vue ici comme l'asile apaisant du narrateur.

LES CONFESSIONS (1782 ET 1789)
JEAN-JACQUES ROUSSEAU

▶ BIOGRAPHIE, P. 10

■ L'ŒUVRE EN BREF

Rédigée de 1765 à 1770, l'œuvre autobiographique de Jean-Jacques Rousseau, intitulée *Les confessions*, a notamment pour but de répondre, d'une part, à une commande de son éditeur et, d'autre part, aux propos calomnieux qui circulent à son sujet. Cette œuvre posthume, publiée en 1782 et 1789, influencera considérablement la génération suivante. Elle est à l'origine des nombreuses œuvres autobiographiques qui paraîtront à l'époque romantique.

■ UNE LECTURE DE L'ŒUVRE

Dans ce court extrait, on peut observer un changement soudain d'interlocuteur, ce qui laisse présager une proximité grandissante entre le narrateur et celui qu'il nomme l'« Être éternel » à mesure que se précise l'acte de confession. Ce texte, parce qu'il s'agit de confessions, se caractérise par l'abondance du « je » — qui souligne l'omniprésence du « moi » unique — et de sentiments intimes.

EXTRAIT

Je forme une entreprise qui n'eut jamais d'exemple, et dont l'exécution n'aura point d'imitateur. Je veux montrer à mes semblables un homme dans toute la vérité de la nature ; et cet homme, ce sera moi.

Moi seul. Je sens mon cœur, et je connais les hommes. Je ne suis fait comme aucun
5 de ceux que j'ai vus ; j'ose croire n'être fait comme aucun de ceux qui existent. Si je ne vaux pas mieux, au moins je suis autre. Si la nature a bien ou mal fait de briser le moule dans lequel elle m'a jeté, c'est ce dont on ne peut juger qu'après m'avoir lu.

Que la trompette du jugement dernier sonne quand elle voudra ; je viendrai ce livre à la main me présenter devant le souverain juge. Je dirai hautement : Voilà ce que
10 j'ai fait, ce que j'ai pensé, ce que je fus. J'ai dit le bien et le mal avec la même franchise. Je n'ai rien tu de mauvais, rien ajouté de bon ; et s'il m'est arrivé d'employer quelque ornement indifférent, ce n'a jamais été que pour remplir un vide occasionné par mon défaut de mémoire. J'ai pu supposer vrai ce que je savais avoir pu l'être, jamais ce que je savais être faux. Je me suis montré tel que je fus : méprisable
15 et vil quand je l'ai été ; bon, généreux, sublime, quand je l'ai été : j'ai dévoilé mon intérieur tel que tu l'as vu toi-même. Être éternel, rassemble autour de moi l'innombrable foule de mes semblables ; qu'ils écoutent mes confessions, qu'ils gémissent de mes indignités, qu'ils rougissent de mes misères. Que chacun d'eux découvre à son tour son cœur au pied de ton trône avec la même sincérité, et puis qu'un seul
20 te dise, s'il l'ose : *Je fus meilleur que cet homme-là.*

L'ŒUVRE ET SON TEMPS

Le sentiment de persécution chez Rousseau est à son comble à l'époque où il fait la lecture publique d'extraits de ses *Confessions*. Plusieurs auteurs des Lumières y voient un texte accusateur servant d'excuse à Rousseau, qui accuse la société de son temps de rendre l'être humain mauvais, idée qu'on retrouve par ailleurs dans son discours intitulé *Du contrat social*.

Centré sur l'individu «Rousseau», unique, singulier, le narrateur se permet ici un véritable règlement de compte avec ses contemporains. Après lui, quantité d'auteurs publieront des œuvres autobiographiques: mémoires, confessions, souvenirs...

L'ŒUVRE ET LA DISSERTATION

Le point de vue égocentrique du narrateur situe Rousseau d'entrée de jeu en marge du monde, seul face au reste des humains, ce qui lui permet à la fois de mettre en lumière son unicité et de justifier la complexité des rapports qu'il entretient avec ses contemporains. Il nous est possible de montrer que le texte se veut un plaidoyer d'innocence devant Dieu et la postérité.

COMPARAISON

Dans ses *Confessions,* Rousseau annonce d'emblée le caractère unique de son projet. Pourtant, si l'on prend connaissance de l'extrait qui suit, tiré d'une œuvre de Michel de Montaigne intitulée *Les essais* (1580), force est de constater que plusieurs similitudes nous font douter de l'affirmation de Rousseau.

L'ŒUVRE ET LA DISSERTATION

Montrez que, malgré les nombreux aspects similaires que présentent ces deux textes, l'affirmation initiale de Rousseau est tout de même vérifiable.

C'EST icy un livre de bonne foy, lecteur. Il t'advertit dés l'entree, que je ne m'y suis proposé aucune fin, que domestique et privee: je n'y ay eu nulle consideration de ton service, ny de ma gloire: mes forces ne sont pas capables d'un tel dessein. Je l'ay voüé à la commodité particuliere de mes parens et amis: à ce que m'ayans perdu (ce qu'ils ont à faire bien tost) ils y puissent retrouver
5 aucuns traicts de mes conditions et humeurs, et que par ce moyen ils nourrissent plus entiere et plus vifve, la connoissance qu'ils ont eu de moy.

Si c'eust esté pour rechercher la faveur du monde, je me fusse paré de beautez empruntees. Je veux qu'on m'y voye en ma façon simple, naturelle et ordinaire, sans estude et artifice: car c'est moy que je peins. Mes defauts s'y liront au vif, mes imperfections et ma forme naïfve, autant que
10 la reverence publique me l'a permis. Que si j'eusse esté parmy ces nations qu'on dit vivre encore souz la douce liberté des premieres loix de nature, je t'asseure que je m'y fusse tres–volontiers peint tout entier, Et tout nud. Ainsi, Lecteur, je suis moy–mesme la matiere de mon livre: ce n'est pas raison que tu employes ton loisir en un subject si frivole et si vain.

A Dieu donq.
De Montaigne, ce 12 de juin 1580.

RENÉ (1802)
FRANÇOIS RENÉ DE CHATEAUBRIAND

▶ BIOGRAPHIE, P. **11**

■ L'ŒUVRE EN BREF

René paraît au tout début du XIXᵉ siècle, d'abord seul (1802), puis précédé de l'œuvre *Atala* à partir de l'édition de 1805. Le sous-titre de 1802 (*Le génie du christianisme*) disparaît par la même occasion.

René est un être exalté qui cherche sans relâche à faire comprendre à ses compagnons, Chactas et le père Souël, la puissance de ses transports.

■ UNE LECTURE DE L'ŒUVRE

Dans l'extrait qui suit, l'usage fréquent de la personnification, la comparaison entre les sentiments humains et la nature, les figures d'opposition, même, permettent l'expression du trouble profond ressenti par le personnage. Grâce aux figures d'analogie, le **lyrisme**[1] s'exprime dans la fusion entre la plainte humaine, celle de la nature et celle de la lyre.

EXTRAIT

Mais comment exprimer cette foule de sensations fugitives que j'éprouvais dans mes promenades ? Les sons que rendent les passions dans le vide d'un cœur solitaire ressemblent au murmure que les vents et les eaux font entendre dans le silence d'un désert : on en jouit, mais on ne peut les peindre.

5 L'automne me surprit au milieu de ces incertitudes : j'entrai avec ravissement dans les mois des tempêtes. Tantôt j'aurais voulu être un de ces guerriers errant au milieu des vents, des nuages et des fantômes ; tantôt j'enviais jusqu'au sort du pâtre que je voyais réchauffer ses mains à l'humble feu de broussailles qu'il avait allumé au coin d'un bois. J'écoutais ses chants mélancoliques, qui me rappelaient que dans
10 tout pays le chant naturel de l'homme est triste, lors même qu'il exprime le bonheur. Notre cœur est un instrument incomplet, une lyre où il manque des cordes et où nous sommes forcés de rendre les accents de la joie sur le ton consacré aux soupirs.

Le jour, je m'égarais sur de grandes bruyères terminées par des forêts. Qu'il fallait peu de chose à ma rêverie ! une feuille séchée que le vent chassait devant moi,
15 une cabane dont la fumée s'élevait dans la cime dépouillée des arbres, la mousse qui tremblait au souffle du nord sur le tronc d'un chêne, une roche écartée, un étang désert où le jonc flétri murmurait ! Le clocher solitaire s'élevant au loin dans la vallée a souvent attiré mes regards ; souvent j'ai suivi des yeux les oiseaux de passage qui volaient au-dessus de ma tête. Je me figurais les bords ignorés, les climats lointains
20 où ils se rendent ; j'aurais voulu être sur leurs ailes. Un secret instinct me tourmentait ; je sentais que je n'étais moi-même qu'un voyageur, mais une voix du ciel semblait me dire : « Homme, la saison de ta migration n'est pas encore venue ; attends que le vent de la mort se lève, alors tu déploieras ton vol vers ces régions inconnues que ton cœur demande. »

25   Levez-vous vite, orages désirés qui devez emporter René dans les espaces d'une autre vie ! Ainsi disant, je marchais à grands pas, le visage enflammé, le vent sifflant dans ma chevelure, ne sentant ni pluie, ni frimas, enchanté, tourmenté et comme possédé par le démon de mon cœur.

30   La nuit lorsque l'aquilon ébranlait ma chaumière, que les pluies tombaient en torrent sur mon toit, qu'à travers ma fenêtre je voyais la lune sillonner les nuages amoncelés, comme un pâle vais-
35 seau qui laboure les vagues, il me semblait que la vie redoublait au fond de mon cœur, que j'aurais la puissance de créer des mondes.

Cette toile de Girodet illustre l'œuvre *Atala* de Chateaubriand. Peintres et écrivains s'inspirent donc pour représenter la douleur humaine.

Anne-Louis Girodet de Roussy-Trioson (1767-1824).
Atala au tombeau, dit aussi *Funérailles d'Atala* (1808).
Musée du Louvre, Paris, France.

1. Voyez l'explication de ce terme, p. 8.

◼ L'ŒUVRE ET SON TEMPS

Comme ce fut le cas pour *Les souffrances du jeune Werther* de Goethe, l'œuvre de Chateaubriand, *René*, a considérablement influencé la jeunesse romantique, en quête de modèles répondant à ses aspirations nouvelles. Pour cette raison, la jeunesse retient davantage du personnage de René son caractère passionné et son mal de vivre, que la volonté de l'auteur de faire renaître la ferveur chrétienne, comme l'annonçait le sous-titre (*Le génie du christianisme*).

◼ L'ŒUVRE ET LA DISSERTATION

Dans la *Défense du Génie du christianisme*, Chateaubriand rend ses prédécesseurs, Rousseau et Goethe en l'occurrence, responsables des excès dans lesquels se jette la jeunesse d'alors :

> C'est Jean-Jacques Rousseau qui introduisit le premier parmi nous ces rêveries si désastreuses et si coupables. En s'isolant des hommes, en s'abandonnant à ses songes, il a fait croire à une foule de jeunes gens qu'il est beau de se jeter ainsi dans le vague de la vie. Le roman de Werther (*Les souffrances du jeune Werther*) a développé depuis ce genre de poison. L'auteur du *Génie du christianisme* a voulu dénoncer cette espèce de vice nouveau, et peindre les funestes conséquences de l'amour outré de la solitude.

À partir de l'extrait de la *Défense du Génie du christianisme*, montrez que le personnage de René partage avec ses contemporains cette représentation romantique du monde.

DE L'ALLEMAGNE (1813)
MADAME DE STAËL

► BIOGRAPHIE, P. 10

▮ L'ŒUVRE EN BREF

L'essai intitulé *De l'Allemagne*, de Madame de Staël, est achevé dès 1810, mais Napoléon l'interdit parce que l'auteure y fait l'éloge d'une nation ennemie. Parue d'abord en Angleterre, en 1813, l'œuvre sera finalement éditée en France en 1814.

Ce texte est en fait un traité couvrant différents aspects essentiels d'une nation, en l'occurrence la nation allemande : les mœurs, la littérature et les arts, la philosophie et la morale, la religion et ce que l'auteure nomme « l'enthousiasme ».

▮ UNE LECTURE DE L'ŒUVRE

Ainsi, par la distinction fondamentale qu'elle établit entre littérature d'imitation et littérature d'inspiration, Madame de Staël se porte à la défense d'une littérature de son temps, romantique (d'inspiration), en rupture avec la littérature classique (d'imitation).

Karl Gustav Carus (1789-1869).
Femme sur un banc (1824), Galerie Neue Meister, Dresde, Allemagne.

EXTRAIT

[…] La poésie des anciens est plus pure comme art, celle des modernes fait verser plus de larmes ; mais la question pour nous n'est pas entre la poésie classique et la poésie romantique, mais entre l'imitation de l'une et l'inspiration de l'autre.

[…]

5 La poésie française, étant la plus classique de toutes les poésies modernes, elle est la seule qui ne soit pas répandue parmi le peuple. Les stances du Tasse sont chantées par les gondoliers de Venise ; les Espagnols et les Portugais de toutes les classes savent par cœur les vers de Calderon et de Camoëns. Shakespeare est autant admiré par le peuple en Angleterre que par la classe supérieure. Des poèmes de Gœthe et 10 de Bürger sont mis en musique, et vous les entendez répéter des bords du Rhin jusqu'à la Baltique. Nos poètes français sont admirés par tout ce qu'il y a d'esprits cultivés chez nous et dans le reste de l'Europe ; mais ils sont tout à fait inconnus aux gens du peuple et aux bourgeois même des villes, parce que les arts en France ne sont pas, comme ailleurs, natifs du pays même où leurs beautés se développent.

15 Quelques critiques français ont prétendu que la littérature des peuples germaniques était encore dans l'enfance de l'art ; cette opinion est tout à fait fausse ; les hommes les plus instruits dans la connaissance des langues et des ouvrages des anciens n'ignorent certainement pas les inconvénients et les avantages du genre qu'ils adoptent ou de celui qu'ils rejettent ; mais leur caractère, leurs habitudes et leurs 20 raisonnements les ont conduits à préférer la littérature fondée sur les souvenirs de la chevalerie, sur le merveilleux du Moyen Âge, à celle dont la mythologie des Grecs est la base. La littérature romantique est la seule qui soit susceptible encore d'être perfectionnée, parce qu'ayant ses racines dans notre propre sol, elle est la seule qui puisse croître et se vivifier de nouveau : elle exprime notre religion ; elle rappelle 25 notre histoire : son origine est ancienne, mais non antique.

◼ L'ŒUVRE ET SON TEMPS

À l'époque où l'œuvre est écrite, les conflits politiques avec l'Allemagne et la *menace* d'une infiltration des mœurs de cette nation en France n'aident en rien les relations déjà tendues entre l'auteure et l'empereur. *De l'Allemagne* paraîtra après l'abdication de Napoléon devant les troupes prussiennes et son exil sur l'île d'Elbe.

◼ L'ŒUVRE ET LA DISSERTATION

Cet extrait montre la vision nouvelle que proposent les précurseurs du romantisme : la poésie doit se détacher d'une vision classique de la littérature si elle veut devenir moderne et nationale. Expliquez.

LE LAC (1817), DANS *MÉDITATIONS POÉTIQUES* (1820)
ALPHONSE DE LAMARTINE

▶ BIOGRAPHIE, P. 11

■ L'ŒUVRE EN BREF

L'œuvre *Méditations poétiques* (1820) d'Alphonse de Lamartine est la première et la plus connue de sa production littéraire. De ce recueil, le poème intitulé «Le lac» est probablement le plus célèbre.

En 1816, Lamartine rencontre Julie Charles au lac du Bourget, en Savoie. Avec elle, il aura une relation aussi intense que brève. Il retourne au même endroit l'année suivante, mais Julie n'est pas au rendez-vous : elle est morte de tuberculose pendant l'année. Elle deviendra l'Elvire, héroïne symbolisant l'amour, des *Méditations poétiques*.

■ UNE LECTURE DE L'ŒUVRE

Le poème adopte le ton élégiaque, c'est-à-dire qu'il exprime la mélancolie et la plainte. À partir de la sixième strophe, l'être aimé manifeste son accablement devant le temps qui fuit. La longueur des vers alors change, modifiant ainsi le rythme du poème, l'accélérant, comme pour montrer cette fuite du temps.

POÈME

Ainsi, toujours poussés vers de nouveaux rivages,
Dans la nuit éternelle emportés sans retour,
Ne pourrons-nous jamais sur l'océan des âges
        Jeter l'ancre un seul jour ?

5 Ô lac ! l'année à peine a fini sa carrière,
Et près des flots chéris qu'elle devait revoir,
Regarde ! je viens seul m'asseoir sur cette pierre
        Où tu la vis s'asseoir !

Tu mugissais ainsi sous ces roches profondes ;
10 Ainsi tu te brisais sur leurs flancs déchirés ;
Ainsi le vent jetait l'écume de tes ondes
        Sur ses pieds adorés.

Un soir, t'en souvient-il ? nous voguions en silence ;
On n'entendait au loin, sur l'onde et sous les cieux,
15 Que le bruit des rameurs qui frappaient en cadence
        Tes flots harmonieux.

Tout à coup des accents inconnus à la terre
Du rivage charmé frappèrent les échos ;
Le flot fut attentif, et la voix qui m'est chère
        20 Laissa tomber ces mots :

«Ô temps, suspends ton vol, et vous, heures propices,
      Suspendez votre cours !
Laissez-nous savourer les rapides délices
      Des plus beaux de nos jours !

25 «Assez de malheureux ici-bas vous implorent ;
      Coulez, coulez pour eux ;
Prenez avec leurs jours les soins qui les dévorent ;
      Oubliez les heureux.

«Mais je demande en vain quelques moments encore,
30   Le temps m'échappe et fuit ;
Je dis à cette nuit : «Sois plus lente» ; et l'aurore
      Va dissiper la nuit.

«Aimons donc, aimons donc ! de l'heure fugitive,
      Hâtons-nous, jouissons !
35 L'homme n'a point de port, le temps n'a point de rive ;
      Il coule, et nous passons !»

Temps jaloux, se peut-il que ces moments d'ivresse,
Où l'amour à longs flots nous verse le bonheur,
S'envolent loin de nous de la même vitesse
40   Que les jours de malheur ?

Hé quoi ! n'en pourrons-nous fixer au moins la trace ?
Quoi ! passés pour jamais ? quoi ! tout entiers perdus ?
Ce temps qui les donna, ce temps qui les efface,
      Ne nous les rendra plus ?

45 Éternité, néant, passé, sombres abîmes,
Que faites-vous des jours que vous engloutissez ?
Parlez : nous rendrez-vous ces extases sublimes
      Que vous nous ravissez ?

Ô lac ! rochers muets ! grottes ! forêt obscure !
50 Vous que le temps épargne et qu'il peut rajeunir,
Gardez de cette nuit, gardez, belle nature,
      Au moins le souvenir !

Qu'il soit dans ton repos, qu'il soit dans tes orages,
Beau lac, et dans l'aspect de tes riants coteaux,
55 Et dans ces noirs sapins, et dans ces rocs sauvages
        Qui pendent sur tes eaux!

Qu'il soit dans le zéphyr qui frémit et qui passe,
Dans les bruits de tes bords par tes bords répétés,
Dans l'astre au front d'argent qui blanchit ta surface
60   De ses molles clartés!

Que le vent qui gémit, le roseau qui soupire,
Que les parfums légers de ton air embaumé,
Que tout ce qu'on entend, l'on voit ou l'on respire;
        Tout dise: «Ils ont aimé!»

■ L'ŒUVRE ET SON TEMPS

La vision mécaniste de la nature, qui se traduit par la «volonté de n'expliquer les phénomènes de la nature que par des lois des mouvements de la matière, qui est sans âme et sans vie[1]» adoptée aux XVIIe et XVIIIe siècles par les rationalistes, est abandonnée au XIXe siècle au profit d'une vision organique de celle-ci. Le romantique redonne donc à la nature son aspect autonome et vivant.

■ L'ŒUVRE ET LA DISSERTATION

Montrez l'animisme caractérisant l'interprétation que le poète fait des phénomènes naturels, leur accordant un rôle essentiel dans son expérience amoureuse.

---

1. Joseph BEAUDE, «MÉCANISME, philosophie», Encyclopædia Universalis [en ligne], consulté le 19 septembre 2015. URL: http://www.universalis-edu.com/encyclopedie/mecanisme-philosophie/

Paul Huet (1803-1869). *Une abbaye près d'un lac au crépuscule*
(détail) (vers 1831). National Gallery of Art, Washington,
États-Unis.

PRÉFACE DE *CROMWELL* (1827)
VICTOR HUGO

► BIOGRAPHIE, P. 12

■ L'ŒUVRE EN BREF

Dans la préface de sa pièce *Cromwell* (1827), Hugo présente sa vision de la dramaturgie nouvelle et encourage l'exaltation des passions au théâtre.

■ UNE LECTURE DE L'ŒUVRE

La personnification initiale que Victor Hugo fait du «vers romantique» rend celui-ci vivant, en lui conférant une autonomie et un pouvoir semblables à ceux d'un être humain, doté d'une volonté bien à lui.

EXTRAIT

[…] si nous avions le droit de dire quel pourrait être, à notre gré, le style du drame, nous voudrions un vers libre, franc, loyal, osant tout dire sans pruderie, tout exprimer sans recherche ; passant d'une naturelle allure de la comédie à la tragédie, du sublime au grotesque ; tour à tour positif et poétique, tout ensemble artiste et inspiré,

5 profond et soudain, large et vrai ; sachant briser à propos et déplacer la césure pour déguiser sa monotonie d'alexandrin ; plus ami de l'enjambement qui l'allonge que de l'inversion qui l'embrouille ; fidèle à la rime, cette esclave reine, cette suprême grâce de notre poésie, ce générateur de notre mètre ; inépuisable dans la variété de ses tours, insaisissable dans ses secrets d'élégance et de facture ; prenant, comme

10 Protée, mille formes sans changer de type et de caractère, fuyant la *tirade* ; se jouant dans le dialogue ; se cachant toujours derrière le personnage ; s'occupant avant tout d'être à sa place, et lorsqu'il lui adviendrait d'être *beau*, n'étant beau en quelque sorte que par hasard, malgré lui et sans le savoir ; lyrique, épique, dramatique, selon le besoin ; pouvant parcourir toute la gamme poétique, aller de haut en bas, des idées

15 les plus élevées aux plus vulgaires, des plus bouffonnes aux plus graves, des plus extérieures aux plus abstraites, sans jamais sortir des limites d'une scène parlée ; en un mot tel que le ferait l'homme qu'une fée aurait doué de l'âme de Corneille et de la tête de Molière. Il nous semble que ce vers-là serait bien *aussi beau que de la prose.*

Il n'y aurait aucun rapport entre une poésie de ce genre et celle dont nous faisions

20 tout à l'heure l'autopsie cadavérique. La nuance qui les sépare sera facile à indiquer, si un homme d'esprit, auquel l'auteur de ce livre doit un remerciement personnel, nous permet de lui en emprunter la piquante distinction : l'autre poésie était descriptive, celle-ci serait pittoresque.

Albert Besnard (1849-1934). *La Première d'Hernani* (1903),
Maison de Victor Hugo, Paris, France.

■ L'ŒUVRE ET SON TEMPS

L'œuvre en elle-même n'a été que très peu jouée. C'est sa préface que les contemporains d'Hugo et la postérité considèrent comme un tournant du théâtre romantique. Ce texte fondateur défend une dramaturgie qui refuse dorénavant de se confiner à la **règle des trois unités**[1] et à la distinction rigide entre comédie et tragédie.

■ L'ŒUVRE ET LA DISSERTATION

Dans cette préface, Hugo invite le dramaturge romantique au mélange des genres tragique et comique ainsi qu'au dépouillement du texte dramatique — écrit en vers jusqu'à l'époque de l'auteur — des artifices de la forme qui cachent trop souvent le propos de l'œuvre plutôt que de le renforcer.

Montrez comment, à l'instar de **Madame de Staël**[2], Victor Hugo privilégie la vision romantique de l'art à la vision classique.

---

1. La **règle des trois unités**, établie à l'époque classique (XVIIᵉ siècle), impose au théâtre qu'une pièce soit réservée à une seule action principale (unité d'action) et que celle-ci se déroule en 24 heures (unité de temps) ainsi que dans un seul endroit (unité de lieu).
2. Lisez la biographie de cette auteure, p. 10.

LE ROUGE ET LE NOIR (1830)
STENDHAL

▶ BIOGRAPHIE, P. 11

■ L'ŒUVRE EN BREF

Inspirée d'un fait divers, l'œuvre *Le rouge et le noir* est l'histoire de Julien Sorel, attiré par la vie mondaine et la reconnaissance sociale. Condamné à mort pour tentative de meurtre sur son ancienne maîtresse, il se rend compte finalement que sa quête aura servi davantage à la connaissance de lui-même qu'à sa réussite sociale.

Déchiré entre son ambition et sa sensibilité naturelle, Julien Sorel voit son avenir brisé le jour où madame de Rênal, avec qui il avait partagé un amour interdit, écrit une lettre incendiaire au père de mademoiselle de la Mole, enceinte de lui et qu'il souhaite épouser. Cette lettre trace du héros un portrait tel que son bouleversement et sa révolte l'amènent à tirer des coups de pistolet sur son ancienne amante et à accepter, presque avidement, la condamnation à mort qui en résulte. Julien profite de son incarcération pour s'interroger sur lui-même.

■ UNE LECTURE DE L'ŒUVRE

Le discours intérieur traduit l'introspection du personnage. Le style, proche du réalisme par l'analyse psychologique que celui-ci fait sur lui-même, demeure toutefois encore empreint de l'émotivité romantique.

EXTRAIT

Ce fut après avoir fait partir cette lettre que, pour la première fois, Julien, un peu revenu à lui, fut très malheureux. Chacune des espérances de l'ambition dut être arrachée successivement de son cœur par ce grand mot : Je mourrai. La mort, en elle-même, n'était pas *horrible* à ses yeux. Toute sa vie n'avait été qu'une longue
5 préparation au malheur, et il n'avait eu garde d'oublier celui qui passe pour le plus grand de tous.

Quoi donc ! se disait-il, si dans soixante jours je devais me battre en duel avec un homme très fort sur les armes, est-ce que j'aurais la faiblesse d'y penser sans cesse, et la terreur dans l'âme ?

10 Il passa plus d'une heure à chercher à se bien connaître sous ce rapport.

Quand il eut vu clair dans son âme, et que la vérité parut devant ses yeux aussi nettement qu'un des piliers de sa prison, il pensa au remords !

Pourquoi en aurais-je ? J'ai été offensé d'une manière atroce ; j'ai tué, je mérite la mort, mais voilà tout. Je meurs après avoir soldé mon compte envers l'humanité.
15 Je ne laisse aucune obligation non remplie, je ne dois rien à personne ; ma mort n'a rien de honteux que l'instrument : cela seul, il est vrai, suffit richement pour ma honte aux yeux des bourgeois de Verrières ; mais sous le rapport intellectuel quoi de plus méprisable ! Il me reste un moyen d'être considérable à leurs yeux ; c'est

20 de jeter au peuple des pièces d'or en allant au supplice. Ma mémoire, liée à l'idée de l'*or*, sera resplendissante pour eux.

Après ce raisonnement, qui au bout d'une minute lui sembla évident : Je n'ai plus rien à faire sur la terre, se dit Julien, et il s'endormit profondément.

[…]

Grand Dieu ! elle n'est pas morte ! s'écria Julien ; et il tomba à genoux, pleurant à
25 chaudes larmes.

Dans ce moment suprême, il était croyant. Qu'importent les hypocrisies des prêtres ? peuvent-elles ôter quelque chose à la vérité et à la sublimité de l'idée de Dieu ?

Seulement alors, Julien commença à se repentir du crime commis. Par une coïnci-
30 dence qui lui évita le désespoir, en cet instant seulement, venait de cesser l'état d'irritation physique et de demi-folie où il était plongé depuis son départ de Paris pour Verrières.

Ses larmes avaient une source généreuse, il n'avait aucun doute sur la condamna-tion qui l'attendait.

35 Ainsi elle vivra ! se disait-il… Elle vivra pour me pardonner et pour m'aimer…

■ L'ŒUVRE ET SON TEMPS

LA PETITE HISTOIRE L'œuvre de Stendhal aurait été inspirée d'un fait divers survenu en 1827 dans sa région natale. Il s'agit de l'affaire Berthet. Séminariste et précepteur chez le maire du village de Brangues, Berthet s'amourache de madame Michoud de la Tour, l'épouse du maire, sur qui il tire au cours d'une messe. Le procès se termine par une condamnation à mort. Les similitudes sont frappantes. L'histoire est rapportée par Jean Prévost, dans un récit historique intitulé *L'affaire Berthet*.

■ L'ŒUVRE ET LA DISSERTATION

Montrez comment l'approche imminente de la mort fait naître chez le narrateur du roman *Le rouge et le noir* des sentiments parfois similaires et parfois très différents de ceux du narrateur de Camus, dans **L'étranger**[1].

_____

1. Lisez l'extrait au chapitre 3, p. 180.

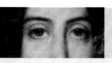

INDIANA (1832)
GEORGE SAND

► Biographie, p. 12

■ L'ŒUVRE EN BREF

Indiana est la première œuvre d'Aurore Dupin que l'auteure signe du pseudonyme de George Sand. Ce roman lui permet de se faire connaître et de s'engager dans une carrière littéraire qui va durer plus de 45 ans. Mariée à monsieur Delmare, homme rustre et beaucoup plus vieux qu'elle, Indiana voit sa vie bouleversée par l'arrivée de Raymon, qu'on amène un jour blessé et inconscient auprès d'elle.

■ UNE LECTURE DE L'ŒUVRE

Dans la déclaration amoureuse de Raymon à Indiana, on retrouve à la fois l'amour interdit, qu'on repousse tout en le désirant ardemment, et l'image quasi irréelle de l'être aimé, qui, par les procédés d'analogie constants, prend davantage l'aspect sublime de l'ange ou de la déesse, que de la femme.

EXTRAIT

[…] Indiana, vous m'eussiez trouvé là, à vos pieds, vous gardant en maître jaloux, vous servant en esclave, épiant votre premier sourire, m'emparant de votre première pensée, de votre premier regard, de votre premier baiser…

— Assez, Assez ! dit Indiana toute éperdue, toute palpitante ; vous me faites mal.

5   Et pourtant, si l'on mourait de bonheur, Indiana serait morte en ce moment.

— Ne me parlez pas ainsi, lui dit-elle, à moi qui ne dois pas être heureuse ; ne me montrez pas le ciel sur la terre, à moi qui suis marquée pour mourir.

— Pour mourir ! s'écria Raymon avec force en la saisissant dans ses bras ; toi, mourir ! Indiana ! mourir avant d'avoir vécu, avant d'avoir aimé !… Non, tu ne

10 mourras pas ; ce n'est pas moi qui te laisserai mourir, car ma vie maintenant est liée à la tienne. Tu es la femme que j'avais rêvée, la pureté que j'adorais ; la chimère qui m'avait toujours fui, l'étoile brillante qui luisait devant moi pour me dire : « Marche encore dans cette vie de misère, et le ciel t'enverra un de ses anges pour t'accompagner. » De tout temps, tu m'étais destinée, ton âme était fiancée à la

15 mienne, Indiana ! Les hommes et leurs lois de fer ont disposé de toi ; ils m'ont arraché la compagne que Dieu m'eût choisie, si Dieu n'oubliait parfois ses promesses. Mais que nous importent les hommes et les lois, si je t'aime encore au bras d'un autre, si tu peux encore m'aimer, maudit et malheureux que je suis de t'avoir perdue ! Vois-tu, Indiana, tu m'appartiens, tu es la moitié de mon âme, qui

20 cherchait depuis longtemps à rejoindre l'autre. Quand tu rêvais d'un ami à l'île Bourbon, c'était de moi que tu rêvais ; quand, au nom d'époux, un doux frisson de crainte et d'espoir passait dans ton âme, c'est que je devais être ton époux. Ne me

reconnais-tu pas? ne te semble-til pas qu'il y a vingt ans que nous ne nous sommes vus? Ne t'ai-je pas reconnue, ange, lorsque tu étanchais mon sang avec ton voile,
25 lorsque tu plaçais ta main sur mon cœur éteint pour y ramener la chaleur et la vie? Ah! je m'en souviens bien, moi. Quand j'ouvris les yeux, je me dis : «La voilà! c'est ainsi qu'elle était dans tous mes rêves, blanche, mélancolique et bienfaisante. C'est mon bien, à moi, c'est elle qui doit m'abreuver de félicités inconnues.» Et déjà la vie physique que je venais de retrouver était ton ouvrage. Car ce ne sont pas des
30 circonstances vulgaires qui nous ont réunis, vois-tu; ce n'est ni le hasard ni le caprice, c'est la fatalité, c'est la mort, qui m'ont ouvert les portes de cette vie nouvelle. C'est ton mari, c'est ton maître qui, obéissant à son destin, m'a apporté tout sanglant dans sa main, et qui m'a jeté à tes pieds en te disant : «Voilà pour vous.» Et maintenant, rien ne peut nous désunir…

▆ L'ŒUVRE ET SON TEMPS

L'alphabétisation, encouragée par le ministre Guizot dès 1833, change le profil des lecteurs. Dorénavant, les ouvriers et les femmes de chambre savent lire et s'intéressent à une littérature qui les rejoint davantage que ce qu'on peut appeler la «littérature savante», c'est-à-dire reconnue par l'institution. On assiste à la naissance d'une littérature populaire qui touche ce nouveau lectorat. Le roman *Indiana*, paru en 1833, gagne la faveur de celui-ci par son histoire d'amour impossible dont on se berce volontiers.

▆ L'ŒUVRE ET LA DISSERTATION

Montrez comment la stratégie amoureuse de Raymon, qui ne cherche qu'à séduire Indiana, renvoie à cette femme une image d'elle-même idéale et parfaitement romantique.

 **LA CONFESSION D'UN ENFANT DU SIÈCLE** (1836)
ALFRED DE MUSSET

▶ BIOGRAPHIE, P. 13

■ L'ŒUVRE EN BREF

Ce roman d'Alfred de Musset raconte la difficile relation amoureuse que l'auteur a vécue avec **George Sand**[1]. Toutefois, les trois premiers chapitres présentent davantage la réalité dans laquelle la génération du héros évolue, réalité qui expliquera les malheurs qui attendent celui-ci.

■ UNE LECTURE DE L'ŒUVRE

L'instabilité du présent s'incarne ici dans les procédés d'analogie (la comparaison, la métaphore et la personnification) ayant trait au monde marin (l'*Océan*), en rupture avec les espaces terrestres que sont le passé (le *vieux continent*) et l'avenir (la *jeune Amérique*).

EXTRAIT

Trois éléments partageaient donc la vie qui s'offrait alors aux jeunes gens : derrière eux, un passé à jamais détruit, s'agitant encore sur ses ruines, avec tous les fossiles des siècles de l'absolutisme ; devant eux l'aurore d'un immense horizon, les premières clartés de l'avenir ; et entre ces deux mondes… quelque chose de
5 semblable à l'Océan qui sépare le vieux continent de la jeune Amérique, je ne sais quoi de vague et de flottant, une mer houleuse et pleine de naufrages, traversée de temps en temps par quelque blanche voile lointaine ou par quelque navire soufflant une lourde vapeur ; le siècle présent, en un mot, qui sépare le passé de l'avenir, qui n'est ni l'un ni l'autre et qui ressemble à tous deux à la fois, et où l'on
10 ne sait, à chaque pas qu'on fait, si l'on marche sur une semence ou sur un débris.

Voilà dans quel chaos il fallut choisir alors ; voilà ce qui se présentait à des enfants pleins de force et d'audace, fils de l'Empire et petit-fils de la Révolution.

Or, du passé, il n'en voulait plus, car la foi en rien ne se donne ; l'avenir, ils l'aimaient, mais quoi ! Comme Pygmalion Galathée : c'était pour eux comme une
15 amante de marbre, et ils attendaient qu'elle s'animât, que le sang colorât ses veines.

Il leur restait donc le présent, l'esprit du siècle, ange du crépuscule qui n'est ni la nuit ni le jour ; ils le trouvèrent assis sur un sac de chaux plein d'ossements, serré dans le manteau des égoïstes, et grelottant d'un froid terrible.

---

1. Lisez la biographie de cette auteure, p. 12.

Le naufrage du navire nommé *La méduse*, en 1815, a nourri l'imaginaire romantique de l'époque, et Géricault en témoigne dans ce tableau mettant en scène la détresse des rares survivants de cette catastrophe.

Théodore Géricault (1791-1824). *Le radeau de la Méduse* (1819).
Musée du Louvre, Paris, France.

■ L'ŒUVRE ET SON TEMPS

L'enthousiasme né des bouleversements sociaux au lendemain de la Révolution, alimenté ensuite par les changements radicaux qu'imposait le nouvel Empire à la société française et à toute l'Europe, s'effrite bientôt devant la restauration de la monarchie, en 1814. Musset a alors 4 ans. Il vivra donc sa jeunesse dans une sorte de vide historique, en comparaison des années précédentes et de celles qui suivront.

■ L'ŒUVRE ET LA DISSERTATION

Cette œuvre expose au départ le mal du siècle que partagent les jeunes de la génération de Musset, leur sentiment d'avoir été trahis par l'Histoire. Montrez comment, pour toute une génération, le mal du siècle se traduit par le sentiment d'être né au mauvais moment.

ANALYSE

Afin de répondre adéquatement à la prescription incluse dans le sujet de dissertation (voyez les notions sur la dissertation explicative en annexe), il serait approprié de commencer par une analyse formelle et symbolique du texte.

LA CONFESSION D'UN ENFANT DU SIÈCLE

Trois éléments partageaient donc la vie qui s'offrait alors aux jeunes gens : derrière eux, un passé à jamais détruit, s'agitant encore sur ses ruines, avec tous les fossiles des siècles de l'absolutisme ; devant eux l'aurore d'un immense horizon, les premières clartés de l'avenir ; et entre ces deux mondes... quelque chose de
5 semblable à l'Océan qui sépare le vieux continent de la jeune Amérique, je ne sais quoi de vague et de flottant, une mer houleuse et pleine de naufrages, traversée de temps en temps par quelque blanche voile lointaine ou par quelque navire soufflant une lourde vapeur ; le siècle présent, en un mot, qui sépare le passé de l'avenir, qui n'est ni l'un ni l'autre et qui ressemble à tous deux à la fois, et où l'on
10 ne sait, à chaque pas qu'on fait, si l'on marche sur une semence ou sur un débris.

Voilà dans quel chaos il fallut choisir alors ; voilà ce qui se présentait à des enfants pleins de force et d'audace, fils de l'Empire et petit-fils de la Révolution.

Or, du passé, il n'en voulait plus, car la foi en rien ne se donne ; l'avenir, ils l'aimaient, mais quoi ! Comme Pygmalion Galathée : c'était pour eux comme une
15 amante de marbre, et ils attendaient qu'elle s'animât, que le sang colorât ses veines.

Il leur restait donc le présent, l'esprit du siècle, ange du crépuscule qui n'est ni la nuit ni le jour ; ils le trouvèrent assis sur un sac de chaux plein d'ossements, serré dans le manteau des égoïstes, et grelottant d'un froid terrible.

Dans l'extrait qui précède, il s'agira, dans un premier temps :

1. d'établir un champ lexical caractérisant le passé (en bleu dans le texte) ;

2. d'établir un champ lexical caractérisant l'avenir (en vert dans le texte).

Dans un deuxième temps, il s'agira :

3. de présenter ces champs lexicaux sous forme dichotomique (voyez ce terme) ;

4. de commenter les deux visions du monde qui s'en dégagent.

Dans un troisième temps, il s'agira :

5. d'établir un champ lexical du présent (en rouge dans le texte) ;

6. de situer la vision du présent par rapport aux visions du passé et de l'avenir.

3 DICHOTOMIE

Opposition binaire entre des éléments représentant deux réalités opposées

PASSÉ	AVENIR
derrière (l. 1)	devant (l. 3)
passé (l. 2)	aurore (l. 3)
détruit (l. 2)	immense horizon (l. 3)
ruines (l. 2)	clartés de l'avenir (l. 4)
fossiles (l. 3)	jeune Amérique (l. 5)
absolutisme (l. 3)	blanche voile (l. 7)
vieux continent (l. 5)	avenir (l. 9)
navire soufflant une lourde vapeur (l. 7)	semence (l. 10)
passé (l. 8)	Galathée (l. 14)
débris (l. 10)	amante de marbre (l. 15)
nuit (l. 18)	jour (l. 18)
ossements (l. 18)	

4 COMMENTAIRE

Champ lexical à connotation péjorative.

Le passé, associé au vieux continent, est entièrement perçu comme ruines, mort, ravages du temps et des luttes.

Champ lexical à connotation méliorative.

L'avenir présente une vision idéalisée, celle d'un monde nouveau (jeune Amérique) et prometteur.

5 PRÉSENT

Océan (l. 5)/vague (l. 6)/flottant (l. 6)/mer houleuse (l. 6)/pleine de naufrages (l. 6)/siècle présent (l. 8)/ chaos (l. 11)/présent (l. 17)/esprit du siècle (l. 17)/ange du crépuscule (l. 17)/manteau des égoïstes (l. 19)/grelottant (l. 19) froid terrible (l. 19)

6 COMMENTAIRE

Le présent est davantage associé à la fluidité, menaçante, à cause de la houle et des naufrages qui habitent cet océan, cette mer agitée. Les deux autres moments historiques étant comparés aux continents européen et américain, le présent est moins stable: non seulement plus chaotique, mais aussi moins consistant, puisqu'il est de l'ordre de l'immatériel, ce qu'on reconnaît par l'«esprit», l'«ange» et le «crépuscule».

NUIT D'OCTOBRE, DANS *LES NUITS* (1837)
ALFRED DE MUSSET

► BIOGRAPHIE, P. 13

■ L'ŒUVRE EN BREF

La «Nuit d'octobre» est la dernière de quatre nuits (après «Nuit de mai», «Nuit de décembre» et «Nuit d'août») qui composent l'ensemble d'un long discours que le poète entretient avec sa muse. Ces *Nuits* sont aussi un côtoiement avec la souffrance et la solitude.

■ UNE LECTURE DE L'ŒUVRE

La forme inusitée du poème lui donne l'aspect narratif de la prose. En effet, non seulement le poète échange-t-il avec sa muse sous forme de dialogue, mais la narration qui suit se transforme en monologue adressé à la femme infidèle.

POÈME

La muse
L'image d'un doux souvenir
Vient de s'offrir à ta pensée.
Sur la trace qu'il a laissée
Pourquoi crains-tu de revenir ?
5 Est-ce faire un récit fidèle
Que de renier ses beaux jours ?
Si ta fortune fut cruelle,
Jeune homme, fais du moins comme elle,
Souris à tes premiers amours.

Le poète
10 Non, — c'est à mes malheurs que je prétends sourire.
Muse, je te l'ai dit : je veux, sans passion,
Te conter mes ennuis, mes rêves, mon délire,
Et t'en dire le temps, l'heure et l'occasion.
C'était, il m'en souvient, par une nuit d'automne,
15 Triste et froide, à peu près semblable à celle-ci ;
Le murmure du vent, de son bruit monotone,
Dans mon cerveau lassé berçait mon noir souci.
J'étais à la fenêtre, attendant ma maîtresse ;
Et, tout en écoutant dans cette obscurité,
20 Je me sentais dans l'âme une telle détresse,
Qu'il me vint le soupçon d'une infidélité.
La rue où je logeais était sombre et déserte ;
Quelques ombres passaient, un falot à la main ;
Quand la bise sifflait dans la porte entrouverte,
25 On entendait de loin comme un soupir humain.
Je ne sais, à vrai dire, à quel fâcheux présage
Mon esprit inquiet alors s'abandonna.

Je rappelais en vain un reste de courage,
Et me sentis frémir lorsque l'heure sonna.
30 Elle ne venait pas. Seul, la tête baissée,
Je regardai longtemps les murs et le chemin, —
Et je ne t'ai pas dit quelle ardeur insensée
Cette inconstante femme allumait en mon sein ;
Je n'aimais qu'elle au monde, et vivre un jour sans elle
35 Me semblait un destin plus affreux que la mort.
Je me souviens pourtant qu'en cette nuit cruelle
Pour briser mon lien je fis un long effort.
Je la nommai cent fois perfide et déloyale,
Je comptai tous les maux qu'elle m'avait causés.
40 Hélas ! au souvenir de sa beauté fatale,
Quels maux et quels chagrins n'étaient pas apaisés !
Le jour parut enfin. — Las d'une vaine attente,
Sur le bord du balcon je m'étais assoupi ;
Je rouvris la paupière à l'aurore naissante,
45 Et je laissai flotter mon regard ébloui.
Tout à coup, au détour de l'étroite ruelle,
J'entends sur le gravier marcher à petit bruit…
Grand Dieu ! préservez-moi ! je l'aperçois, c'est elle ;
Elle entre. — D'où viens-tu ? Qu'as-tu fait cette nuit ?
50 Réponds, que me veux-tu ? qui t'amène à cette heure ?
Ce beau corps, jusqu'au jour, où s'est-il étendu ?
Tandis qu'à ce balcon, seul, je veille et je pleure,
En quel lieu, dans quel lit, à qui souriais-tu ?
Perfide ! audacieuse ! est-il encor possible
55 Que tu viennes offrir ta bouche à mes baisers ?
Que demandes-tu donc ? par quelle soif horrible
Oses-tu m'attirer dans tes bras épuisés ?
Va-t'en, retire-toi, spectre de ma maîtresse !
Rentre dans ton tombeau, si tu t'en es levé ;
60 Laisse-moi pour toujours oublier ma jeunesse,
Et, quand je pense à toi, croire que j'ai rêvé !

■ L'ŒUVRE ET SON TEMPS

La relation déchirante qu'il a entretenue avec **George Sand**[1] a inspiré à Musset des vers profondément douloureux. Cette célèbre relation deviendra pour les générations à venir un véritable symbole romantique.

■ L'ŒUVRE ET LA DISSERTATION

« Rien ne nous rend si grand qu'une grande douleur. » Cette phrase d'Alfred de Musset pourrait bien être mise en exergue du poème « Nuit d'octobre ». Démontrez cette affirmation.

---

1. Lisez la biographie de cette auteure, p. 12.

UN CANADIEN ERRANT (1842)
ANTOINE GÉRIN-LAJOIE

▶ BIOGRAPHIE, P. 13

■ L'ŒUVRE EN BREF

Ce poème d'Antoine Gérin-Lajoie a été composé à la mémoire des Patriotes canadiens-français déportés à la suite de la rébellion de 1837-1838.

■ UNE LECTURE DE L'ŒUVRE

Le champ lexical de la plainte et de la douleur confère au poème la tonalité lyrique chère aux romantiques. La répétition du « Hélas ! » souligne le caractère irréversible du châtiment. La répétition du « Ô » connote aussi le poème, puisque l'interjection témoigne de sentiments exacerbés.

POÈME

Un Canadien errant,
Banni de ses foyers,
Parcourait en pleurant
Des pays étrangers.
5 Un jour, triste et pensif,
Assis au bord des flots,
Au courant fugitif,
Il adressa ces mots :
Si tu vois mon pays,
10 Mon pays malheureux,
Va dire à mes amis
Que je me souviens d'eux.
Ô jours si plein d'appas,
Vous êtes disparus…
15 Et mon pays, hélas !
Je ne le verrai plus.
Plongé dans les malheurs,
Loin de mes chers parents,
Je passe dans les pleurs
20 D'infortunés moments.

Pour jamais séparé
Des amis de mon cœur,
Hélas ! oui je mourrai,
Je mourrai de douleur.
25 Non, mais en expirant,
Ô mon cher Canada,
Mon regard languissant,
Vers toi se portera.

Lord Charles Beauclerk (1813-1842). *Attaque contre Saint-Charles* (1840).
Musée McCord, Montréal, Canada.

■ L'ŒUVRE ET SON TEMPS

La rébellion des Patriotes, ainsi qu'on désigne les troubles politiques ayant marqué ce qu'on appelait alors le Bas-Canada, a été durement réprimée. Une douzaine de Patriotes seront exécutés et près d'une centaine seront exilés, d'abord aux Bermudes et aux États-Unis, en 1837, puis en Australie, en 1838.

Célébrés d'abord au séminaire de Nicolet, collège où étudie l'auteur, puis dans tout le Bas-Canada, ces vers empreints d'un lyrisme individuel et patriotique imprègnent dorénavant l'imaginaire québécois de la nostalgie liée à l'exil. Le Canada d'alors, celui dont parle le poète, est celui des Canadiens français.

■ L'ŒUVRE ET LA DISSERTATION

Montrez comment la plainte de l'exilé présente une vision profondément nostalgique du réel.

 **DEMAIN, DÈS L'AUBE** (1847), DANS *LES CONTEMPLATIONS* (1856)
VICTOR HUGO ▶ BIOGRAPHIE, P. 12

■ L'ŒUVRE EN BREF

L'œuvre magistrale intitulée *Les Contemplations* est autobiographique et typique du lyrisme romantique. Elle couvre la vie entière du poète. L'extrait présenté ici est tiré de la deuxième partie, essentiellement composée après 1843, et marquée par les événements tragiques survenus dans la vie d'Hugo.

■ UNE LECTURE DE L'ŒUVRE

L'impatience du poète de retrouver la tombe se perçoit par le rejet du deuxième vers et par l'absence de césure du quatrième. La souffrance et le recueillement se traduisent bientôt par le repliement du poète sur lui-même, reconnaissable à la coupure qu'il fait entre lui et le monde aux vers 5 et 6, par la gradation des vers suivants ainsi que par les négations des vers 9 et 10. Le poète s'isole, pour ne garder finalement contact qu'avec l'être cher.

POÈME

Demain, dès l'aube, à l'heure où blanchit la campagne,
Je partirai. Vois-tu, je sais que tu m'attends.
J'irai par la forêt, j'irai par la montagne.
Je ne puis demeurer loin de toi plus longtemps.

5   Je marcherai les yeux fixés sur mes pensées,
Sans rien voir au dehors, sans entendre aucun bruit,
Seul, inconnu, le dos courbé, les mains croisées,
Triste, et le jour pour moi sera comme la nuit.

Je ne regarderai ni l'or du soir qui tombe,
10 Ni les voiles au loin descendant vers Harfleur,
Et quand j'arriverai, je mettrai sur ta tombe
Un bouquet de houx vert et de bruyère en fleur.

John Everett Milais (1829-1896). *Ophélie* (1851-1852).
Tate Britain Museum, Londres, Royaune-Uni.

■ L'ŒUVRE ET SON TEMPS

L'ACCIDENT TRAGIQUE DE VILLEQUIER En 1843, la fille d'Hugo, Léopoldine, se noie avec son mari dans la Seine. L'auteur en restera profondément meurtri, et la suite de son œuvre sera marquée par cet événement. Hugo dédie plusieurs poèmes à sa fille, dont celui présenté ici.

■ L'ŒUVRE ET LA DISSERTATION

Jean-Jacques Rousseau, le premier à avoir manifesté dans ses œuvres l'état d'âme romantique, plus répandu dans les générations qui lui succèdent, parle de « l'art de concentrer ses sentiments autour de son cœur ». Montrez comment le poème d'Hugo correspond à cette affirmation.

LES MÉMOIRES D'OUTRE-TOMBE (1848-1850)
FRANÇOIS RENÉ DE CHATEAUBRIAND

▶ BIOGRAPHIE, P. 11

■ L'ŒUVRE EN BREF

Cette dernière œuvre de Chateaubriand, divisée en quatre grandes parties, est autant la présentation des souvenirs de l'auteur que le récit d'une véritable épopée de la France contemporaine. L'extrait proposé ici décrit l'entrée triomphale de Louis XVIII à Paris en 1814, cependant que Napoléon Ier, empereur déchu, est conduit en exil à l'île d'Elbe.

■ UNE LECTURE DE L'ŒUVRE

Les énumérations, les contrastes ainsi que la description détaillée de la posture des soldats de Napoléon, de leur faciès et de leur maintien général montrent avec force la frustration, l'amertume et la rancœur de ces hommes habitués à la victoire.

EXTRAIT

J'ai présent à la mémoire, comme si je le voyais encore, le spectacle dont je fus témoin lorsque Louis XVIII, entrant dans Paris le 3 mai, alla descendre à Notre-Dame : on avait voulu épargner au Roi l'aspect des troupes étrangères ; c'était un régiment de la vieille garde à pied qui formait la haie depuis le Pont-Neuf jusqu'à
5 Notre-Dame, le long du quai des Orfèvres. Je ne crois pas que figures humaines aient jamais exprimé quelque chose d'aussi menaçant et d'aussi terrible. Ces grenadiers couverts de blessures, vainqueurs de l'Europe, qui avaient vu tant de milliers de boulets passer sur leurs têtes, qui sentaient le feu et la poudre ; ces mêmes hommes, privés de leur capitaine, étaient forcés de saluer un vieux roi,
10 invalide du temps, non de la guerre, surveillés qu'ils étaient par une armée de Russes, d'Autrichiens et de Prussiens, dans la capitale envahie de Napoléon. Les uns, agitant la peau de leur front, faisaient descendre leur large bonnet à poil sur leurs yeux comme pour ne pas voir ; les autres abaissaient les deux coins de leur bouche dans le mépris de la rage ; les autres, à travers leurs moustaches, laissaient
15 voir leurs dents comme des tigres. Quand ils présentaient les armes, c'était avec un mouvement de fureur, et le bruit de ces armes faisait trembler. Jamais, il faut en convenir, hommes n'ont été mis à une pareille épreuve et n'ont souffert un tel supplice. Si dans ce moment ils eussent été appelés à la vengeance, il aurait fallu les exterminer jusqu'au dernier, ou ils auraient mangé la terre.

: Adolphe Yvon (1817-1893). *Le maréchal Ney soutenant l'arrière-garde*
: *de la Grande Armée pendant la Retraite de Russie* (1856).
  Manchester Art Gallery, Manchester, Royaume-Uni.

■ L'ŒUVRE ET SON TEMPS

Après sa défaite à Paris, au printemps 1814, Napoléon Ier signe le traité de Fontainebleau, qui confirme son abdication entière. Il fait ses adieux à la vieille garde (garde d'élite de l'empereur) le 20 avril et doit s'installer sur l'île d'Elbe, alors que Louis XVIII rétablit le pouvoir monarchique. Le choc est considérable : après le plus grand empire ayant existé en Europe depuis Charlemagne, le retour à la monarchie est perçu comme un cuisant échec.

■ L'ŒUVRE ET LA DISSERTATION

« Napoléon était toutes les misères et toutes les grandeurs de l'homme. »
(Les mémoires d'outre-tombe)

Montrez que cette affirmation de Chateaubriand se reflète bien dans l'apparence et l'attitude des hommes de Napoléon, telles que les décrit l'auteur.

LA DAME AUX CAMÉLIAS (1852)
ALEXANDRE DUMAS FILS

▶ BIOGRAPHIE, P. 13

■ L'ŒUVRE EN BREF

La version théâtrale du roman *La dame aux camélias* (1848) vaut à son auteur le plus grand succès dramatique de son époque. Cette œuvre avait déjà conquis le public sous sa forme romanesque, à cause du symbole romantique incarné par Marguerite Gautier, **courtisane**[1] qui se voit contrainte de quitter celui qu'elle aime, Armand Duval, la famille de celui-ci tenant à préserver sa réputation.

■ UNE LECTURE DE L'ŒUVRE

Au moyen de toutes les stratégies du discours, de l'interrogation rhétorique à l'atténuation des élans passionnés de Marguerite, en passant par l'appel au dévouement pour le bonheur de l'autre, M. Duval aura raison des arguments de Marguerite et la convaincra de ses origines incompatibles avec le bonheur qu'elle envisageait.

EXTRAIT

Acte III, scène 4

M. DUVAL. — Écoutez-moi bien, mon enfant, et faisons franchement ce que nous avons à faire ; une absence momentanée ne suffit pas.

MARGUERITE. — Vous voulez que je quitte Armand tout à fait ?

M. DUVAL. — Il le faut !

5   MARGUERITE. — Jamais ! … Vous ne savez donc pas comme nous nous aimons ? Vous ne savez donc pas que je n'ai ni amis, ni parents, ni famille ; qu'en me pardonnant il m'a juré d'être tout cela pour moi, et que j'ai enfermé ma vie dans la sienne ? Vous ne savez donc pas, enfin, que je suis atteinte d'une maladie mortelle, que je n'ai que quelques années à vivre ? Quitter Armand, monsieur, autant me tuer tout de suite.

10   M. DUVAL. — Voyons, voyons, du calme et n'exagérons rien… Vous êtes jeune, vous êtes belle, et vous prenez pour une maladie la fatigue d'une vie un peu agitée ; vous ne mourrez certainement pas avant l'âge où l'on est heureux de mourir. Je vous demande un sacrifice énorme, je le sais, mais que vous êtes fatalement forcée de me faire. Écoutez-moi ; vous connaissez Armand depuis trois mois, et vous l'aimez !
15   mais un amour si jeune a-t-il le droit de briser tout un avenir ? et c'est tout l'avenir de mon fils que vous brisez en restant avec lui ! Êtes-vous sûre de l'éternité de cet amour ? Ne vous êtes-vous pas déjà trompée ainsi ? Et si tout à coup, — trop tard, — vous alliez vous apercevoir que vous n'aimez pas mon fils, si vous alliez en aimer un autre ? Pardon, Marguerite, mais le passé donne droit à ces suppositions,

20   MARGUERITE. — Jamais, monsieur, jamais je n'ai aimé et je n'aimerai comme j'aime.

M. Duval. — Soit! mais, si ce n'est vous qui vous trompez, c'est lui qui se trompe, peut-être. À son âge, le cœur peut-il prendre un engagement définitif? Le cœur ne change-t-il pas perpétuellement d'affections? C'est le même cœur qui, fils, aime ses parents au-delà de tout, qui, époux, aime sa femme plus que ses parents, qui père plus tard, aime ses enfants plus que parents, femme et maîtresses. La nature est exigeante, parce qu'elle est prodigue. Il se peut donc que vous vous trompiez, l'un comme l'autre, voilà les probabilités. Maintenant, voulez-vous voir les réalités et les certitudes? Vous m'écoutez, n'est-ce pas?

Marguerite. — Si je vous écoute, mon Dieu!

M. Duval. — Vous êtes prête à sacrifier tout à mon fils; mais quel sacrifice égal, s'il acceptait le vôtre, pourrait-il vous faire en échange? Il prendra vos belles années, et, plus tard, quand la satiété sera venue, car elle viendra, qu'arrivera-t-il? Ou il sera un homme ordinaire, et, vous jetant votre passé au visage, il vous quittera, en disant qu'il ne fait qu'agir comme les autres; ou il sera un honnête homme, et vous épousera ou tout au moins vous gardera auprès de lui. Cette liaison, ou ce mariage qui n'aura eu ni la chasteté pour base, ni la religion pour appui, ni la famille pour résultat, cette chose excusable peut-être chez le jeune homme, le sera-t-elle chez l'homme mûr? Quelle ambition lui sera permise? Quelle carrière lui sera ouverte? Quelle consolation tirerai-je de mon fils, après m'être consacré vingt ans à son bonheur? Votre rapprochement n'est pas le fruit de deux sympathies pures, l'union de deux affections innocentes; c'est la passion dans ce qu'elle a de plus terrestre et de plus humain, née du caprice de l'un et de la fantaisie de l'autre. Qu'en restera-t-il quand vous aurez vieilli tous deux? Qui vous dit que les premières rides de votre front ne détacheront pas le voile de ses yeux, et que son illusion ne s'évanouira pas avec votre jeunesse?

Marguerite. — Oh! la réalité!

M. Duval. — Voyez-vous d'ici votre double vieillesse, doublement déserte, doublement isolée, doublement inutile? Quel souvenir laisserez-vous? Quel bien aurez-vous accompli? Vous et mon fils avez à suivre deux routes complètement opposées, que le hasard a réunies un instant, mais que la raison sépare à tout jamais. Dans la vie que vous vous êtes faite volontairement, vous ne pouviez prévoir ce qui arrive. Vous avez été heureuse trois mois, ne tachez pas ce bonheur dont la continuité est impossible; gardez-en le souvenir dans votre cœur; qu'il vous rende forte, c'est tout ce que vous avez le droit de lui demander. Un jour, vous serez fière de ce que vous aurez fait, et, toute votre vie, vous aurez l'estime de vous-même. C'est un homme qui connaît la vie qui vous parle, c'est un père qui vous implore. Allons, Marguerite! Prouvez-moi que vous aimez véritablement mon fils, et du courage!

---

1. Voyez ce terme dans la section *L'œuvre et son temps*.

MARGUERITE, *à elle-même*. — Ainsi, quoi qu'elle fasse, la créature tombée ne se relè-
vera jamais! Dieu lui pardonnera peut-être, mais le monde sera inflexible! Au fait,
60 de quel droit veux-tu prendre dans le cœur des familles une place que la vertu seule
doit y occuper? Tu aimes! qu'importe? et la belle raison! Quelques preuves que tu
donnes de cet amour, on n'y croira pas, et c'est justice. Que viens-tu nous parler
d'amour et d'avenir? Quels sont ces mots nouveaux? Regarde donc la fange de ton
passé! Quel homme voudrait t'appeler sa femme? Quel enfant voudrait t'appeler sa
65 mère? Vous avez raison, monsieur, tout ce que vous me dites, je me le suis dit bien
des fois avec terreur; mais, comme j'étais seule à me le dire, je parvenais à ne pas
m'entendre jusqu'au bout. Vous me le répétez, c'est donc bien réel; il faut obéir.
Vous me parlez au nom de votre fils, au nom de votre fille, c'est encore bien bon à
vous d'invoquer de pareils noms. Eh bien, monsieur, vous direz un jour à cette belle
70 et pure jeune fille, car c'est à elle que je veux sacrifier mon bonheur, vous lui direz
qu'il y avait quelque part une femme qui n'avait plus qu'une espérance, qu'une
pensée, qu'un rêve dans ce monde, et qu'à l'invocation de son nom cette femme a
renoncé à tout cela, a broyé son cœur entre ses mains et en est morte, car j'en
mourrai, monsieur, et peut-être, alors, Dieu me pardonnera-t-il.

75 M. DUVAL, *ému malgré lui*. — Pauvre femme!

■ L'ŒUVRE ET SON TEMPS

La plupart du temps issues d'un milieu pauvre, les courtisanes sont entretenues par des hommes haut placés, qui leur assurent un certain confort en échange de leur compagnie et de faveurs sexuelles. Souvent très brillantes, elles sont aussi très belles et se cultivent grâce aux largesses de leurs protecteurs. À 16 ans, Marie Duplessis était déjà la courtisane la plus célèbre de Paris. Alexandre Dumas s'en est inspiré pour son personnage de Marguerite. L'histoire de *La dame aux camélias* est reprise par Giuseppe Verdi, en 1853, dans son opéra *La traviata*.

■ L'ŒUVRE ET LA DISSERTATION

Montrez comment, malgré toutes les qualités de Marguerite, sa condition de courtisane la condamne aux yeux de ses contemporains.

D'après Édouard Viénot (1804-v.1870). *Marie Duplessis.*
Collection privée.

LE MANTEAU IMPÉRIAL, DANS *LES CHÂTIMENTS* (1853)
VICTOR HUGO

▶ BIOGRAPHIE, P. 12

■ L'ŒUVRE EN BREF

Dans *Les châtiments* (1853), d'où sont tirés les vers qui suivent, Hugo confirme son engagement politique. Le manteau que portait Napoléon Ier lors de son sacre était orné d'abeilles, symbole de détermination et de volonté pacifique. Napoléon III le revêt à son tour.

■ UNE LECTURE DE L'ŒUVRE

Les champs lexicaux décrivant, l'un les abeilles, l'autre l'empereur, forment une dichotomie entre le bien et le mal, entre le vertueux et l'infâme.

POÈME

Ô! vous dont le travail est joie,
Vous qui n'avez pas d'autre proie
Que les parfums, souffles du ciel,
Vous qui fuyez quand vient décembre,
5 Vous qui dérobez aux fleurs l'ambre
Pour donner aux hommes le miel,

Chastes buveuses de rosée,
Qui, pareilles à l'épousée,
Visitez le lys du coteau,
10 Ô sœurs des corolles vermeilles,
Filles de la lumière, abeilles,
Envolez-vous de ce manteau!

Ruez-vous sur l'homme, guerrières!
Ô généreuses ouvrières,
15 Vous le devoir, vous la vertu,
Ailes d'or et flèches de flamme,
Tourbillonnez sur cet infâme!
Dites-lui : «Pour qui nous prends-tu?

«Maudit! nous sommes les abeilles!
20 Des chalets ombragés de treilles
Notre ruche orne le fronton;
Nous volons, dans l'azur écloses,
Sur la bouche ouverte des roses
Et sur les lèvres de Platon.

25 «Ce qui sort de la fange y rentre.
Va trouver Tibère en son antre,
Et Charles neuf sur son balcon.
Va! sur ta pourpre il faut qu'on mette,
Non les abeilles de l'Hymette,
30 Mais l'essaim noir de Montfaucon!»

Et percez-le toutes ensemble,
Faites honte au peuple qui tremble,
Aveuglez l'immonde trompeur,
Acharnez-vous sur lui, farouches,
35 Et qu'il soit chassé par les mouches
Puisque les hommes en ont peur!

Atelier du baron François Pascal Simon Gérard (1770-1837). *Portrait de l'empereur Napoléon 1er en robe de sacre* (vers 1806). Rijksmuseum, Amsterdam, Pays-Bas.

■ L'ŒUVRE ET SON TEMPS

L'implication sociale de Victor Hugo est à la fois politique et littéraire. En politique, il contribue d'abord à l'élection de Louis Napoléon Bonaparte, mais se ligue contre lui quand ce dernier se proclame empereur. Il quitte alors la scène politique et est contraint de s'exiler pour avoir participé à une tentative de soulèvement contre celui qu'il surnomme, dans un pamphlet publié depuis Bruxelles en 1852, «Napoléon le petit».

■ L'ŒUVRE ET LA DISSERTATION

Montrez que, par son exhortation aux abeilles, le poète raille celui qu'il appelle par ailleurs «Napoléon le petit».

FANTAISIE, DANS *ODELETTES* (1853)
GÉRARD DE NERVAL

► BIOGRAPHIE, P. 13

■ L'ŒUVRE EN BREF

Le recueil intitulé *Odelettes*, de Gérard de Nerval, paraît en 1853 et comprend des poèmes datant des années 1830 et 1840. Le poème «Fantaisie», probablement écrit en 1835, témoigne d'un attrait pour un passé idéal.

■ UNE LECTURE DE L'ŒUVRE

Dans ce texte, le poète, propulsé au XVIIᵉ siècle — la référence à Louis XIII nous situe sans doute possible — par un air de musique qui le touche personnellement, montre à la fois sa sensibilité propre et son intimité avec l'imaginaire universel. La description, moins métaphorique que réaliste, n'en est pas moins entièrement onirique à cause de cette référence au passé.

POÈME

Il est un air pour qui je donnerais
Tout Rossini, tout Mozart et tout Weber,
Un air très vieux, languissant et funèbre,
Qui pour moi seul a des charmes secrets!
5 Or, chaque fois que je viens à l'entendre,
De deux cents ans mon âme rajeunit...
C'est sous Louis treize; et je crois voir s'étendre
Un coteau vert, que le couchant jaunit.
Puis un château de briques à coins de pierre,
10 Aux vitraux teints de rougeâtres couleurs,
Ceints de grands parcs, avec une rivière
Baignant ses pieds, qui coule entre des fleurs;
Puis une dame, à sa haute fenêtre,
Blonde aux yeux noirs, en ses habits anciens,
15 Que, dans une autre existence, peut-être,
J'ai déjà vue — et dont je me souviens!

Joseph Mallord William Turner (1775-1851). *Le château de Caernarvon,*
(vers 1798). Collection privée.

■ L'ŒUVRE ET SON TEMPS

Même si, à l'époque où est écrit le poème, elle s'est réinstallée en France, la monarchie est constamment menacée par les différents régimes politiques qui se succèdent depuis la Révolution. Or, la référence au XVIIe siècle rappelle l'époque classique des règles strictes, de la puissance monarchique de celui qu'on a surnommé «Louis le Juste» et du cardinal de Richelieu (voyez ce nom).

■ L'ŒUVRE ET LA DISSERTATION

Montrez que ce poème nous permet de parler de la «nostalgie historique» et de la «réminiscence d'une vie antérieure»[1] qui animent les poètes romantiques.

---

1. Raymond Queneau (sous la direction de). *Histoire des littératures III*, «La Pléiade», Paris, Gallimard, 1978, 2109 p., p.891.

EL DESDICHADO, DANS *LES CHIMÈRES* (1854)
GÉRARD DE NERVAL

► BIOGRAPHIE, P. 13

■ L'ŒUVRE EN BREF

Les œuvres de Nerval qui suivent les *Odelettes* sont davantage ésotériques et marquées par sa fragilité, qui le fait osciller entre le réel et l'imaginaire. *Les chimères*, dont le titre annonce déjà cette dualité, est l'un des recueils essentiels de son œuvre.

■ UNE LECTURE DE L'ŒUVRE

L'hermétisme du texte tient ici de la fusion entre symbolique, ésotérisme, histoire et mythologie. Le lecteur a ainsi l'impression d'entrer dans un univers onirique; pour y accéder, il doit décrypter les références nombreuses et diverses qui parsèment le poème.

D'après Gustave Doré (1832-1883). *L'Enfer, chant 3: Les âmes condamnées s'embarquant pour traverser l'Achéron*, illustration pour *La divine comédie* de Dante Alighieri (1885). Collection privée.

POÈME

Je suis le ténébreux[1], — le veuf, — l'inconsolé,
Le prince d'Aquitaine[2] à la tour abolie :
Ma seule étoile est morte, — et mon luth constellé
Porte le *Soleil noir*[3] de la *Mélancolie*.

5 Dans la nuit du tombeau, toi qui m'as consolé,
Rends-moi le Pausilippe[4] et la mer d'Italie,
La *fleur* qui plaisait tant à mon cœur désolé,
Et la treille où le pampre à la rose s'allie.

Suis-je Amour[5] ou Phébus[6] ?… Lusignan[7] ou Biron[8] ?
10 Mon front est rouge encor du baiser de la reine ;
J'ai rêvé dans la grotte où nage la sirène…

Et j'ai deux fois vainqueur traversé l'Achéron[9]
Modulant tour à tour sur la lyre d'Orphée[10]
Les soupirs de la sainte et les cris de la fée.

1. Le ténébreux est associé à l'enfer et se rapporte au Soleil noir.
2. Le prince d'Aquitaine est le Prince noir, vainqueur de Poitiers.
3. À mettre en relation avec le ténébreux et le prince d'Aquitaine.
4. Colline à l'ouest de Naples d'où l'on peut contempler le Vésuve, non loin du tombeau de Virgile, grand poète latin.
5. Dieu Amour, fils de Vénus.
6. Phébus est un autre nom d'Apollon, dieu du soleil et de la beauté.
7. Comte de Poitou qui devint roi de Chypre.
8. Compagnon d'armes d'Henri IV, roi de France.
9. Fleuve qui entoure les enfers.
10. Poète et musicien, Orphée descend aux enfers dans l'espoir de sauver sa femme Eurydice.

■ L'ŒUVRE ET SON TEMPS

Le titre en espagnol du poème le plus célèbre de Nerval, « El desdichado », fait référence au chevalier du roman *Ivanhoé*, de Walter Scott (1771-1832), qui prend ce nom à l'occasion d'un tournoi. Scott traduit « desdichado » par « disinherited ». Les commentateurs de Nerval ont donc proposé « le déshérité », même si la traduction française du terme espagnol est plutôt « le malheureux » ou « le malchanceux ».

Nerval — comme de nombreux écrivains de son époque — est attiré par les histoires de chevalerie médiévale et par l'oeuvre de son contemporain Walter Scott.

■ L'ŒUVRE ET LA DISSERTATION

Montrez comment l'œuvre de Nerval, à la fois onirique et teintée de mystère, nous fait voyager à de nombreuses époques, entre le réel et le mythique.

MORS, DANS *LES CONTEMPLATIONS* (1856)
VICTOR HUGO

▶ BIOGRAPHIE, P. 12

■ L'ŒUVRE EN BREF

Également compris dans la deuxième partie, intitulée *Aujourd'hui*, du recueil *Les contemplations*, le poème «Mors» s'attache davantage au sort de l'être humain en général qu'à celui, plus particulier, de l'auteur, comme c'était le cas dans le poème «Demain dès l'aube», p. 42.

■ UNE LECTURE DE L'ŒUVRE

Ce poème se présente sous la forme d'une allégorie, dont la personnification initiale ne laisse aucun doute quant à la suite du texte. Les procédés d'analogie se multiplient pour faire voir la marche dévastatrice de la mort.

POÈME

Je vis cette faucheuse. Elle était dans son champ.
Elle allait à grands pas moissonnant et fauchant,
Noir squelette laissant passer le crépuscule.
Dans l'ombre où l'on dirait que tout tremble et recule,
5　L'homme suivait des yeux les lueurs de la faux.
Et les triomphateurs sous les arcs triomphaux
Tombaient; elle changeait en désert Babylone,
Le trône en échafaud et l'échafaud en trône,
Les roses en fumier, les enfants en oiseaux,
10　L'or en cendre, et les yeux des mères en ruisseaux.
Et les femmes criaient: — Rends-nous ce petit être.
Pour le faire mourir, pourquoi l'avoir fait naître? —
Ce n'était qu'un sanglot sur terre, en haut, en bas;
Des mains aux doigts osseux sortaient des noirs grabats;
15　Un vent froid bruissait dans les linceuls sans nombre;
Les peuples éperdus semblaient sous la faux sombre
Un troupeau frissonnant qui dans l'ombre s'enfuit;
Tout était sous ses pieds deuil, épouvante et nuit.
Derrière elle, le front baigné de douces flammes,
20　Un ange souriant portait la gerbe d'âmes.

Caspar David Friedrich (1774-1840). *L'Arbre aux corbeaux* (1822).
Musée du Louvre, Paris, France.

■ L'ŒUVRE ET SON TEMPS

En 1856, à la veille de la parution des *Fleurs du mal*, de Baudelaire, et de *Madame Bovary*, de Flaubert, Hugo s'adresse à ses contemporains dans une œuvre au caractère intimiste, semblable à celui du journal intime. Dans la préface du recueil — genre d'avertissement qui prend aussi à cette époque des allures de manifeste —, Hugo précise: «Si un auteur pouvait avoir quelque droit d'influer sur la disposition d'esprit des lecteurs qui ouvrent son livre, l'auteur des *Contemplations* se bornerait à dire ceci: ce livre doit être lu comme on lirait le livre d'un mort.»

■ L'ŒUVRE ET LA DISSERTATION

Le poète romantique se fera le chantre de la souffrance intime, par ailleurs partagée par toutes les âmes humaines. Madame de Staël l'avait très tôt observé en affirmant que le romantique était poussé à écrire par le «sentiment douloureux de l'incomplet de sa destinée».

Montrez comment cette allégorie sur la mort laisse transparaître autant la cruelle destinée humaine que la souffrance ressentie à l'occasion d'un deuil.

DERNIERS VERS (1857)
ALFRED DE MUSSET

▶ Biographie, p. 13

■ L'ŒUVRE EN BREF

Ce poème est le dernier d'Alfred de Musset. Écrits en décasyllabes, ces «Derniers vers» sont posthumes, c'est-à-dire qu'ils ont été publiés après la mort de l'auteur.

■ UNE LECTURE DE L'ŒUVRE

L'obsession du poète pour sa mort prochaine se manifeste par les reprises de formulations, les répétitions et le champ lexical de la lutte pour sa survie. Le combat inégal qu'il mène contre la maladie nous apparaît comme une plainte ultime et vaine.

POÈME

L'heure de ma mort, depuis dix-huit mois,
De tous les côtés sonne à mes oreilles,
Depuis dix-huit mois d'ennuis et de veilles,
Partout je la sens, partout je la vois.

5   Plus je me débats contre ma misère,
Plus s'éveille en moi l'instinct du malheur ;
Et, dès que je veux faire un pas sur terre,
Je sens tout à coup s'arrêter mon cœur.

Ma force à lutter s'use et se prodigue.
10 Jusqu'à mon repos, tout est un combat ;
Et, comme un coursier brisé de fatigue,
Mon courage éteint chancelle et s'abat.

Henry Wallis (1830-1916). *La mort de Chatterton* (vers 1856).
Yale Center for British Art, Paul Mellon Collection,
New Haven, États-Unis.

L'ŒUVRE ET SON TEMPS

Alfred de Musset meurt de la tuberculose en 1857. Il a alors 46 ans. Depuis quelque temps déjà, il écrit peu et se livre à une vie de débauche qui le plonge dans un état d'âme morbide.

L'ŒUVRE ET LA DISSERTATION

Outre l'abîme historique qui surgit après l'échec de l'Empire, l'être romantique est accablé par le gouffre intérieur. C'est ce qu'exprime déjà Rousseau par son cri : « J'étouffe dans l'univers ! », qui fait surgir l'angoisse intérieure, l'ennui absolu, ce qu'on a aussi nommé « le Mal de la vie ». Montrez que la maladie de Musset est à la fois physique et morale.

LA MAISON DU BERGER, DANS *LES DESTINÉES* (1864)
ALFRED DE VIGNY

▶ BIOGRAPHIE, P. 12

■ L'ŒUVRE EN BREF

Le recueil intitulé *Les destinées*, paru en 1864, comprend onze longs poèmes écrits entre 1839 et 1863. Celui qui est intitulé «La maison du berger», composé de 336 vers, est le seul poème d'amour de l'auteur. Il est adressé à Marie Dorval, désignée ici sous le nom d'Éva, qui évoque la femme idéale.

■ UNE LECTURE DE L'ŒUVRE

Ce poème se présente un peu comme un chant, l'anaphore créant un rythme et un cycle de sept vers. Chaque strophe présente une situation que la femme aimée est invitée à fuir. Dans la dernière, le poète incite celle-ci à trouver le réconfort dans la nature, ainsi qu'on le voit souvent dans la poésie romantique.

POÈME   *LETTRE À ÉVA*

Si ton cœur gémissant du poids de notre vie
Se traîne et se débat comme un aigle blessé,
Portant comme le mien, sur son aile asservie,
Tout un monde fatal, écrasant et glacé ;
5 S'il ne bat qu'en saignant par sa plaie immortelle,
S'il ne voit plus l'amour, son étoile fidèle,
Éclairer pour lui seul l'horizon effacé ;

Si ton âme enchaînée, ainsi que l'est mon âme,
Lasse de son boulet et de son pain amer,
10 Sur sa galère en deuil laisse tomber la rame,
Penche sa tête pâle et pleure sur la mer,
Et, cherchant dans les flots une route inconnue,
Y voit, en frissonnant, sur son épaule nue
La lettre sociale écrite avec le fer ;

15 Si ton corps frémissant des passions secrètes
S'indigne des regards, timide et palpitant,
S'il cherche à sa beauté de profondes retraites
Pour la mieux dérober au profane insultant ;
Si ta lèvre se sèche au poison des mensonges,
20 Si ton beau front rougit de passer dans les songes
D'un impur inconnu qui te voit et t'entend,

Pars courageusement, laisse toutes les villes,
Ne ternis plus tes pieds aux poudres du chemin,
Du haut de nos pensers vois les cités serviles
25   Comme les rocs fatals de l'esclavage humain.
Les grands bois et les champs sont de vastes asiles,
Libres comme la mer autour des sombres îles.
Marche à travers les champs une fleur à la main.

Joan Brull (1863-1912). *Rêve* (détail) (vers 1905). Museu Nacional d'Art de Catalunya, Barcelone, Espagne.

◼ L'ŒUVRE ET SON TEMPS

« L'homme naît bon, c'est la société qui le corrompt ». C'est de Jean-Jacques Rousseau que nous vient cette affirmation, contestée et réfutée avec virulence à son époque (dans les années 1750). Au siècle suivant, devant le grand échec d'une vision aveugle du progrès rationnel et scientifique, nombre de romantiques s'approprient cette vision dichotomique de la nature et de la culture : la nature est vraie et saine ; elle sert de rempart contre la tromperie et la corruption sociales.

◼ L'ŒUVRE ET LA DISSERTATION

Montrez comment l'invitation du poète rejoint l'affirmation de Rousseau.

CHAPITRE 2

UN PAS DANS LA MODERNITÉ

Vincent Van Gogh (1853-1890).
Autoportrait (1889). National Gallery
of Art, Washington, États-Unis.

Repères historiques

LE SECOND EMPIRE

Le Second Empire de Napoléon III est proclamé le 2 décembre 1852, soit un an jour pour jou
après le coup d'État qui a renversé la 2ᵉ République, instaurée à la suite de la révolution de
février 1848. Cette révolution avait marqué la fin de la suprématie de l' aristocratie, classe qu
avait régné sur la France pendant plus d'un millénaire, laissant la voie libre à la bourgeoisie
commerçante et industrielle.

LA RÉVOLUTION INDUSTRIELLE

Malgré l'endettement considérable qui accable le pays au sortir des guerres napoléonienne
notamment la guerre contre la Prusse, qui se solde par la défaite des troupes françaises er
870 à Sedan), la déchéance de l'empereur et l'établissement de la 3ᵉ République, rien ne
saurait freiner l'avancée inexorable de ce qu'on nomme le progrès, dans un monde où le
concept de productivité est de plus en plus perçu comme une valeur absolue. En asservis-
sant l'être humain et la nature au nom de ce progrès, la révolution industrielle qui boule-
verse la seconde moitié du XIXᵉ siècle accentue les écarts entre les classes sociales et prépare
a masse ouvrière à livrer de grandes batailles. La bourgeoisie apparaît dès lors comme le
evier indispensable à cette orientation capitaliste
de la France, ce qui lui permet de se maintenir
au pouvoir.

LES RÉFORMES SOCIALES

De 1880 à 1885, les réformes sociales se succèdent : enseignement primaire gratuit, accès des
jeunes filles à l'enseignement secondaire, de même
que liberté de presse, de réunion et d'association
syndicale. Ces réformes confirment la tendance
démocratique des institutions républicaines. Le
socialisme devient une voie possible dans une
société où les mouvements syndicaux, de plus en
plus forts, mènent des luttes contre l'exploitation
de la **classe ouvrière par les grands industriels**[1].
En 1904 et en 1906, les syndicats obtiennent, non
sans quelques épisodes de violence, la réduction
de la journée de travail à 10 heures ainsi qu'une
journée de repos hebdomadaire obligatoire.

Honoré Daumier (1808-1879). *Voyageurs*
appréciant de moins en moins les wagons
de troisième classe… (détail) (1856). National
Gallery of Art, Washington, États-Unis.

LA BELLE ÉPOQUE

La fin du XIXᵉ et le début du XXᵉ siècle consolident le passage de la France dans la modernité
scientifique et technologique. C'est ce qu'on a nommé à postériori la « Belle Époque », période
où l'Occident croit aveuglément au progrès. Pendant ce court laps de temps, qui s'étend de
890 à 1914, l'optimisme est tel qu'on imagine un monde dorénavant sans famines, sans

On reconnaît l'optimisme de la fin du XIXe siècle dans l'impression de quiétude et d'insouciance qui se dégage du tableau de Renoir.

Auguste Renoir (1841-1919). *Le déjeuner des canotiers* (1881). **The Philipps Collection, Washington, États-Unis.**

épidémies ni guerres. Cependant, à la lueur de certains événements qui soulèvent l'indigna-tion, telle «l'Affaire Dreyfus», force est de constater que persistent l'injustice et l'intolérance, et que pour cette raison, notamment, une terrible menace d'affrontement sourd déjà.

UNE NOUVELLE MODERNITÉ

Cette période marque aussi une rupture conceptuelle fondamentale avec le passé. Les progrès de la science et de la technique ne sont pas loin de convaincre l'humain de sa toute-puissance. En 1871, Rimbaud affirme: «Je est un autre»; en 1882, le philosophe Friedrich Nietzsche annonce la **mort de Dieu**[2] et l'écroulement, de ce fait, de la morale établie; en 1905, Albert Einstein énonce la théorie de la relativité. Tous ces bouleversements anéan-tissent les certitudes. L'individu sent vaciller sous lui les fondements mêmes de sa société et cherche dorénavant à concevoir le monde différemment afin d'établir de nouvelles bases adaptées au contexte moderne.

. «L'exploitation de l'homme par l'homme», comme l'affirmaient dès 1848 Marx et Engels dans leur *Manifeste du parti communiste*.

. «Dieu est mort! Dieu gît mort! Et c'est nous qui l'avons tué!» affirme Nietzsche dans son œuvre *Le gai savoir*. Même si elle avait été exprimée d'abord par Hegel au début du siècle, ce n'est toutefois qu'avec Nietzsche que l'idée aura le

UN PASSAGE DISCRET POUR DES CHANGEMENTS DÉCISIFS

Les années 1830-1840 voient émerger en littérature un courant qui témoigne d'une nouvelle sensibilité, avec des œuvres qui vont s'éloigner graduellement du romantisme. Ainsi, portant la marque romantique mais détaché du lyrisme dominant, *Le rouge et le noir* (1830), de Stendhal passe pour l'un des premiers romans modernes. À la même époque, les premières œuvres de Balzac sont romantiques, tandis que les suivantes s'avèrent résolument réalistes. Dorénavant, les poètes se réservent la poésie, et les romanciers abandonnent l'âme romantique pour devenir les prosateurs marquants de la seconde moitié du siècle.

On nomme *réalisme* le courant littéraire auquel on associe les œuvres de ces écrivains. Certains, toutefois, signeront des œuvres caractérisées par le naturalisme, ou encore par un nouveau type de fantastique influencé par les découvertes scientifiques de l'époque.

RÉALISME, NATURALISME ET FANTASTIQUE EN THÉORIE

L'année 1857 marque un tournant dans l'histoire à de nombreux égards. Ainsi, outre le recueil de **Champfleury**[1], deux œuvres incarnant l'esprit des courants nouveaux paraissent : *Les Fleurs du mal*, de Charles Baudelaire, et *Madame Bovary*, de Gustave Flaubert. Celles-ci marquent le second demi-siècle de visions plus diverses de la réalité que ne l'aura fait le demi-siècle romantique.

LE RÉALISME ET LA RÉALITÉ

Comme son nom l'indique, l'écrivain réaliste cherche à rendre une vision du monde proche de la réalité. Mais on prétend trop souvent, et trop naïvement surtout, que le réalisme offre un compte rendu «photographique» de la réalité.

Si certains auteurs, comme Balzac, effectuent un passage graduel du romantisme au réalisme, d'autres se détachent radicalement du courant littéraire qui les précède. Le ton objectif, analytique et parfois ironique — comme on le voit chez Flaubert — tranche nettement avec les épanchements de l'âme romantique.

> «Celui-ci qui s'appelle lui-même *réaliste*, mot à double entente et dont le sens n'est pas bien déterminé, et que nous appellerons, pour mieux caractériser son erreur, un positiviste, dit: "Je veux représenter les choses telles qu'elles sont, ou telles qu'elles seraient, en supposant que je n'existe pas."»
>
> *Charles Baudelaire*

L'ILLUSION DU VRAI

Dans la préface de son roman *Pierre et Jean* (1888), Guy de Maupassant souligne l'impossibilité, pour un auteur, de restituer la réalité dans son ensemble. Il s'agit plutôt pour ce dernier de «donner l'illusion du vrai».

Le choix des événements rapportés ne peut être impartial : l'auteur privilégie certains aspects de la réalité en fonction du message qu'il veut faire passer. Cependant, dans le compte rendu qu'il fera des événements retenus, il lui sera possible de donner l'apparence de la neutralité.

LA RIGUEUR ET L'OBJECTIVITÉ

À l'instar des scientifiques, le narrateur, toujours extérieur à l'histoire, porte un regard objectif sur la société de son temps — du moins sa narration donne-t-elle au lecteur l'apparence de l'objectivité. Car rien n'est moins certain que cette objectivité dans laquelle l'auteur laisse poindre une critique sociale, parfois virulente ou amère, parfois empreinte de compassion ou encore résolument pessimiste.

● L'«attitude de l'écrivain», calquée sur celle du savant, se reconnaît dans des particularités stylistiques de l'œuvre. Qu'il s'agisse des longues descriptions détaillées des lieux où évoluent les personnages ou des comptes rendus minutieux des comportements de ces derniers, ces procédés donnent l'impression d'une observation rigoureuse.

L'ÉTUDE DE MŒURS

Enthousiasmée par la révolution industrielle, la société française de la fin du XIXe siècle croit fermement en la toute-puissance de la science. Suivant le modèle du scientifique, l'écrivain observera ses personnages afin de produire une véritable étude des mœurs contemporaines.

● «Ah ! la vie, la vie ! la sentir et la rendre dans sa réalité, l'aimer pour elle, y voir la seule beauté vraie, éternelle et changeante, ne pas avoir l'idée bête de l'anoblir en la châtrant, comprendre que les prétendues laideurs ne sont que des saillies de caractères et faire vivre, et faire des hommes, la seule façon d'être Dieu ! »

Émile Zola

Même si l'on observe quelques incursions dans les autres genres littéraires, le naturalisme demeure confiné au roman et au conte, et l'on s'entend pour affirmer que c'est la grandeur de l'œuvre d'Émile Zola qui en assure la pérennité.

UNE VISION LABORATOIRE

Poussé à son extrême, le réalisme — qui consiste à créer l'illusion du vrai — prend littéralement la forme d'une analyse clinique dans certaines œuvres, qualifiées alors de «naturalistes». Afin de donner à son propos un caractère indiscutablement scientifique, l'auteur doit installer son personnage dans un milieu vraisemblable, qu'il aura préalablement étudié et observé en profondeur.

---

1. Dans son recueil de textes intitulé *Le réalisme*, **Champfleury** analyse cette nouvelle vision de l'art, présente en littérature comme en peinture.

LE DÉTERMINISME ET LE PESSIMISME

À cette première particularité déjà présente dans le roman réaliste, mais de façon ténue, s'ajoute la vision fondamentalement pessimiste de la réalité. En outre, le personnage, prisonnier d'une hérédité dont il ne peut se défaire, se voit condamné par la fatalité à sa condition sociale initiale.

L'INSTANT D'HÉSITATION

Tzvetan Todorov, théoricien de la littérature, écrit ceci à propos du fantastique : « Le fantastique, c'est l'hésitation éprouvée par un être qui ne connaît que les lois naturelles, face à un événement en apparence surnaturel[1]. » L'insécurité ou la peur que ressent le personnage dans la littérature fantastique viendrait donc du fait que la limite entre le naturel et le surnaturel n'est plus clairement établie.

> « L'écrivain a cherché les nuances, a rôdé autour du surnaturel plutôt que d'y pénétrer. Il a trouvé des effets terribles en demeurant sur la limite du possible, en jetant les âmes dans l'hésitation, dans l'effarement. Le lecteur indécis ne savait plus, perdant pied comme en une eau dont le fond manque à tout instant, se raccrochait brusquement au réel pour s'enfoncer encore tout aussitôt, et se débattre de nouveau dans une confusion pénible et enfiévrante [sic] comme un cauchemar. »
>
> *Guy de Maupassant*
> *Le Gaulois,* 7 octobre 1883

LA CONFRONTATION ENTRE LOGIQUE ET SURNATUREL

Jusqu'alors, les œuvres rattachées à ce genre particulier mettaient en scène des personnages tirés de l'imaginaire gothique, proche du romantique. Les morts-vivants et autres vampires évoluaient dans les cimetières et les châteaux hantés, autant de décors éloignés de la vie quotidienne et qui ne sauraient ébranler, pour cette raison, l'esprit logique et scientifique de la fin du XIXe siècle. La littérature fantastique rend dorénavant compte de l'intérêt pour les sciences exactes et l'observation objective, mais se heurte tout de même à ce que la science ne saurait expliquer.

 RÉALISME, NATURALISME ET FANTASTIQUE
EN THÈMES

L'ÉCRITURE DU QUOTIDIEN

Ce qui distingue surtout le texte réaliste du texte romantique, outre la tonalité lyrique omniprésente du second, c'est le propos même du texte. L'œuvre réaliste se penche de façon rigoureuse sur la réalité afin de rendre compte de la vie quotidienne. Délaissant les récits épiques, l'auteur réaliste cherche à composer des fresques sociales contemporaines dans lesquelles les travers des personnages rivalisent avec leur désespoir et qui vivront dans la mémoire collective.

LA DÉNONCIATION

Plusieurs transformations au sein de la société contribuent à l'émergence du courant réaliste en littérature, notamment l'avènement de la société bourgeoise. Les rapports que les écrivains entretiennent avec celle-ci sont souvent conflictuels. Issus de cette classe sociale, les romanciers s'en dissocient et condamnent la médiocrité des valeurs qu'elle prône, telles que l'argent et le travail. Il n'est donc pas étonnant de constater, dans les romans de cette époque, une certaine tendance à la dénonciation, exprimée sur un ton grave ou ironique, selon les auteurs.

LA DUPLICITÉ HUMAINE

Ce qui inquiète désormais la société avisée de ce siècle, c'est bien davantage la présence d'une part d'inconscient dans l'individu, comme le montrent les recherches de la médecine de l'âme. Ce constat de la duplicité humaine — de cette partie de soi sur laquelle nous n'avons pas prise — ébranle les certitudes jusqu'alors rassurantes d'une vision de la réalité totalement contrôlée par l'individu.

L'apparence d'objectivité des auteurs réalistes sert sans conteste à dénoncer les tristes conditions de vie à la campagne comme à la ville.

Edgar Degas (1834-1917). *Dans un café,* dit aussi *L'absinthe : Ellen Andrée et Marcellin Desboutin* (vers 1875-1876). Musée d'Orsay, Paris, France.

1. Tzvetan Todorov, *Introduction à la littérature fantastique*, p. 29.

RÉALISME, NATURALISME ET FANTASTIQUE
EN PERSONNES

Honoré de Balzac (1799-1850)

«Saluez-moi, je suis tout bonnement en train de devenir un génie.» C'est en ces termes que Balzac s'adresse à sa famille, à l'automne 1833, alors que germe en lui l'idée d'une suite de fictions dans lesquelles évolueraient les mêmes personnages. Ce projet en préfigure un autre, celui de la *Comédie humaine,* fresque gigantesque comportant 91 romans et nouvelles, que l'auteur met à peine 20 ans à réaliser, de 1829 à 1848. Surnommé le père du roman moderne, perçu comme un visionnaire par Baudelaire, ce romancier insatiable donne à la littérature française une œuvre sans pareille, une étude sociologique précieuse.

➤ EXTRAIT, P. 74

Gustave Flaubert (1821-1880)

Issu d'une famille bourgeoise (son père est un éminent médecin), Gustave Flaubert n'a pas 10 ans qu'il éprouve déjà un furieux désir d'écrire. En 1837, alors âgé de 15 ans, il voit ses contes *Bibliomanie* et *Une leçon d'histoire naturelle* publiés dans la revue littéraire *Colibri.* Son regard obstinément négatif, voire cynique (en 1847, dans une lettre adressée à Louise Colet, il écrit : «Je ne peux pas m'empêcher de garder une rancune éternelle à ceux qui m'ont mis au monde et qui m'y retiennent, ce qui est pire»), lui fait souvent mettre en scène des antihéros généralement bêtes, à qui la vie ne laisse aucune chance.

➤ EXTRAITS, P. 80 ET 82

Guy de Maupassant (1850-1893)

Né en Normandie dans une famille tôt divisée, Guy de Maupassant vit avec sa mère, qui fréquente Flaubert, et avec son frère, Hervé. De santé fragile, le frère et la mère sont atteints de troubles psychologiques qui éveillent chez l'écrivain une certaine inquiétude.

Guy de Maupassant est le cadet des écrivains réalistes. Protégé de Flaubert, il participe aux **soirées de Médan**[1], qui ont lieu à la résidence de Zola.

➤ EXTRAITS, P. 72, 78, 84 ET 86

Émile Zola (1840-1902)

Né à Paris en 1840, Émile Zola commence sa vie littéraire par la rédaction de vers à tonalité romantique, puis devient journaliste dans les années 1860. Ses diverses expériences l'amenant à s'intéresser à la nature humaine, il va réaliser, à l'instar d'Hugo et de Balzac, une véritable fresque sociale intitulée *Les Rougon-Macquart, histoire naturelle et sociale d'une famille sous le Second Empire*, constituée d'une vingtaine de romans écrits entre 1870 et 1893.

➤ EXTRAITS, P. 76 ET 90

Albert Laberge (1871-1960)

Albert Laberge naît à Beauharnois, au Québec, municipalité essentiellement agricole. Il vit sur la terre paternelle jusqu'à l'âge de 17 ans, puis fréquente le collège Sainte-Marie de Montréal, d'où il est renvoyé en 1892 après avoir été surpris à lire Baudelaire et Rimbaud, poètes alors interdits dans un Canada français sous l'emprise du clergé. Il est considéré comme l'écrivain québécois (qu'on appelle alors *canadien-français*) le plus près des courants réaliste et naturaliste européens.

➤ EXTRAIT, P. 94

---

1. En 1878, Émile Zola achète une maison à Médan, tout près de Paris, où il invite ses amis écrivains, qui partageront avec lui, le maître, la vision naturaliste de la littérature. En 1880 paraît un recueil de nouvelles de six auteurs, dont Maupassant, Huysmans et Zola lui-même, sous le titre **Les soirées de Médan**.
   Quelques années plus tard, toutefois, ces mêmes auteurs répudieront la vision naturaliste que propose Zola dans son œuvre intitulée *La terre* et publiée en 1887.

RÉALISME, NATURALISME ET FANTASTIQUE
EN TEXTES

PRÉFACE DE *PIERRE ET JEAN* (1888)
GUY DE MAUPASSANT   ► BIOGRAPHIE, P. 70

■ L'ŒUVRE EN BREF

Dans la préface de son roman *Pierre et Jean*, Guy de Maupassant montre la différence essentielle entre les romans réaliste et romantique. Dans les petits événements qui ponctuent la vie, il est possible de déterminer un sens, permettant ainsi de restituer le réel en œuvre de fiction. Cette préface reste aussi déterminante que l'œuvre elle-même dans l'histoire littéraire.

■ UNE LECTURE DE L'ŒUVRE

La préface de *Pierre et Jean* est un argumentaire en faveur de la vision réaliste en littérature. On voit toutefois que l'auteur part d'une affirmation qu'il juge erronée, ou exagérée, pour la nuancer et élaborer ainsi une définition plus juste du réalisme littéraire.

EXTRAIT

Mais en se plaçant au point de vue même de ces artistes réalistes, on doit discuter et contester leur théorie qui semble pouvoir être résumée par ces mots : «Rien que la vérité et toute la vérité».

5 Leur intention étant de dégager la philosophie de certains faits constants et courants, ils devront souvent corriger les événements au profit de la vraisemblance et au détriment de la vérité, car le vrai peut quelquefois n'être pas vraisemblable.

Le réaliste, s'il est un artiste, cherchera, non pas à nous montrer la photographie banale de la vie, mais à nous en donner la vision plus complète, plus saisissante, plus probante que la réalité même.

10 Raconter tout serait impossible, car il faudrait alors un volume au moins par journée, pour énumérer les multitudes d'incidents insignifiants qui emplissent notre existence.

Un choix s'impose donc, — ce qui est une première atteinte à la théorie de toute la vérité.

15 La vie, en outre, est composée des choses les plus différentes, les plus imprévues, les plus contraires, les plus disparates ; elle est brutale, sans suite, sans chaîne, pleine

de catastrophes inexplicables, illogiques et contradictoires qui doivent être classées au chapitre *faits divers*.

20 Voilà pourquoi l'artiste, ayant choisi son thème, ne prendra dans cette vie encombrée de hasards et de futilités que les détails caractéristiques utiles à son sujet, et il rejettera tout le reste, tout l'à-côté.

Un exemple entre mille :

Le nombre des gens qui meurent chaque jour par accident est considérable sur la terre. Mais pouvons-nous faire tomber une tuile sur la tête d'un personnage prin-
25 cipal, ou le jeter sous les roues d'une voiture, au milieu d'un récit, sous prétexte qu'il faut faire la part de l'accident ?

La vie encore laisse tout au même plan, précipite les faits ou les traîne indéfiniment. L'art, au contraire, consiste à user de précautions et de préparations, à ménager des transitions savantes et dissimulées, à mettre en pleine lumière, par la seule
30 adresse de la composition, les événements essentiels et à donner à tous les autres le degré de relief qui leur convient, suivant leur importance, pour produire la sensation profonde de la vérité spéciale qu'on veut montrer.

Faire vrai consiste donc à donner l'illusion complète du vrai, suivant la logique ordinaire des faits, et non à les transcrire servilement dans le pêle-mêle de leur
35 succession.

J'en conclus que les Réalistes de talent devraient s'appeler plutôt des Illusionnistes.

▮ L'ŒUVRE ET SON TEMPS

L'INTÉRÊT DE THÉORISER L'ACTIVITÉ LITTÉRAIRE Au XIXᵉ siècle, de plus en plus d'écrivains cherchent à expliquer les choix littéraires de leur époque, comme pour faire comprendre au lecteur ce qui les différencie des générations précédentes et pour donner une certaine cohérence à l'ensemble des œuvres contemporaines.

▮ L'ŒUVRE ET LA DISSERTATION

À partir de l'affirmation de Baudelaire, montrez que Maupassant ne tombe pas dans le piège que Baudelaire expose.

> « Celui-ci qui s'appelle lui-même *réaliste*, mot à double entente et dont le sens n'est pas bien déterminé, et que nous appellerons, pour mieux caractériser son erreur, un positiviste, dit : "Je veux représenter les choses telles qu'elles sont, ou telles qu'elles seraient, en supposant que je n'existe pas." »

Charles Baudelaire

EUGÉNIE GRANDET (1833)
HONORÉ DE BALZAC

▶ BIOGRAPHIE, P. 70

■ L'ŒUVRE EN BREF

Parmi les 133 textes (dont presque 90 romans) écrits entre 1829 et 1850 et qui forment la *Comédie humaine*, *Eugénie Grandet* constitue une œuvre majeure. Elle fait partie des *Scènes de la vie de province*, elles-mêmes classées dans les *Études de mœurs*.

C'est donc à une étude des mœurs de son époque que se livre Balzac, principalement à travers les personnages du père Grandet, négociant avare et ambitieux, et de sa fille Eugénie, discrète et sentimentale.

Afin d'assurer un bel avenir à cet or qu'il vénère, Félix Grandet tente d'éduquer sa fille Eugénie, malencontreusement amoureuse d'un cousin qui s'est retrouvé déchu à la suite du suicide d'un père ruiné. À chacun de ses anniversaires, le père Grandet offre à sa fille une pièce d'or. Au jour de l'An 1820, elle doit lui avouer avoir cédé sa fortune au cousin fourbe.

■ UNE LECTURE DE L'ŒUVRE

L'avarice exagérée du personnage lui confère une verve délirante quand il parle de son or, et qu'on n'observe à aucun autre endroit dans le discours du bonhomme.

L'énumération et la personnification dans le long paragraphe (l. 12 à 20) nous montrent cet amour excessif pour les écus, qui prennent littéralement vie par ses paroles.

Le changement de pronom personnel pour s'adresser à sa fille, de même que le passage du terme affectueux (« fifille ») au prénom officiel (« Eugénie ») quand la situation tourne au tragique, contrastent durement avec le ton aimant qui caractérisait le délire du père dans son discours sur l'or.

EXTRAIT

— Ah! ah! mon enfant, dit-il en baisant sa fille sur les joues, je travaille pour toi, vois-tu?… je veux ton bonheur. Il faut de l'argent pour être heureux. Sans argent, bernique. Tiens, voilà un napoléon tout neuf, je l'ai fait venir de Paris. Nom d'un petit bonhomme, il n'y a pas un grain d'or ici. Il n'y a que toi qui as de l'or. Montre-moi ton or, fifille.

5 […]

— Ôte tout cela, dit Grandet à Nanon quand, vers onze heures, le déjeuner fut achevé; mais laisse-nous la table. Nous serons plus à l'aise pour voir ton petit trésor, dit-il en regardant Eugénie. Petit, ma foi, non. Tu possèdes, valeur intrinsèque, cinq mille neuf cent cinquante-neuf francs, et quarante de ce matin, cela fait six mille francs moins un. Eh! bien, je te donnerai,
10 moi, ce franc pour compléter la somme, parce que, vois-tu, fifille… — Eh bien, pourquoi nous écoutes-tu? Montre-moi tes talons, Nanon, et va faire ton ouvrage, dit le bonhomme.

Nanon disparut.

— Écoute, Eugénie, il faut que tu me donnes ton or. Tu ne le refuseras pas à ton pépère, ma petite fifille, hein?

15 Les deux femmes étaient muettes.

— Je n'ai plus d'or, moi. J'en avais, je n'en ai plus. Je te rendrai six mille francs en livres, et tu vas les placer comme je vais te le dire. Il ne faut plus penser au douzain. Quand je te marierai, ce qui sera bientôt, je te trouverai un futur qui pourra t'offrir le plus beau douzain dont on aura jamais parlé dans la province. Écoute donc, fifille. Il se présente une belle occasion : tu peux

20   mettre tes six mille francs dans le gouvernement, et tu en auras tous les six mois près de deux cents francs d'intérêts, sans impôts, ni réparations, ni grêle, ni gelée, ni marée, ni rien de ce qui tracasse les revenus. Tu répugnes peut-être à te séparer de ton or, hein, fifille ? Apporte-le-moi tout de même. Je te ramasserai des pièces d'or, des hollandaises, des portugaises, des roupies du Mogol, des génovines ; et, avec celles que je te donnerai à tes fêtes, en trois ans tu

25   auras rétabli la moitié de ton joli petit trésor en or. Que dis-tu, fifille ? Lève donc le nez. Allons, va le chercher, le mignon. Tu devrais me baiser sur les yeux pour te dire ainsi des secrets et des mystères de vie et de mort pour les écus. Vraiment les écus vivent et grouillent, comme des hommes : ça va, ça vient, ça sue, ça produit.

Eugénie se leva, mais, après avoir fait quelques pas vers la porte, elle se retourna brusquement,

30   regarda son père en face et lui dit :

— Je n'ai plus *mon* or.

— Tu n'as plus ton or ! s'écria Grandet en se dressant sur ses jarrets comme un cheval qui entend tirer le canon à dix pas de lui.

— Non, je ne l'ai plus.

35   — Tu te trompes, Eugénie.

— Non.

— Par la serpette de mon père !

Quand le tonnelier jurait ainsi, les planchers tremblaient.

— Bon saint, bon Dieu ! voilà madame qui pâlit, cria Nanon.

40   — Grandet, ta colère me fera mourir, dit la pauvre femme.

— Ta, ta, ta, ta, vous autres, vous ne mourez jamais dans votre famille ! — Eugénie, qu'avez-vous fait de vos pièces ? cria-t-il en fondant sur elle.

◼ L'ŒUVRE ET SON TEMPS

Dans les années 1830, époque à laquelle paraît l'œuvre, la condition féminine était bien différente de celle d'aujourd'hui. Considérée comme une mineure toute sa vie, la femme dépendait du père jusqu'au mariage, puis de son mari après celui-ci. Les trois femmes de l'extrait sont ainsi soumises, chacune à leur façon, au propriétaire terrien qu'est Félix Grandet. Elles doivent subir la tyrannie de l'époux, du maître ou du père, chacune étant totale-ment dépendante de lui. Le courage d'Eugénie lorsqu'elle décide d'affronter son père et de lui avouer la perte de sa fortune est donc considérable dans ce contexte.

◼ L'ŒUVRE ET LA DISSERTATION

Montrez que le personnage du père Grandet incarne la vision, dans tous ses travers, du bourgeois rusé, dépourvu d'humanité, bête et buté, obsédé par l'accumulation de sa fortune.

L'ASSOMMOIR (1877)
ÉMILE ZOLA

▶ BIOGRAPHIE, P. 71

◼ L'ŒUVRE EN BREF

L'assommoir, paru en 1877, est le septième tome de la série des Rougon-Macquart. Cette œuvre de Zola fait la démonstration de la fatalité et du déterminisme particuliers au texte naturaliste, à travers des personnages prisonniers de leur condition humaine et de leurs pulsions. Dans sa préface, l'auteur affirme que *L'assommoir* est «le premier roman sur le peuple, qui ne mente pas et qui ait l'odeur du peuple».

Dans le quartier parisien de la Goutte-d'Or se côtoient des ouvriers, dans une promiscuité telle que tous participent à la vie familiale de chacun. Les rares jours de fête, comme celui qui est décrit dans l'extrait, sont l'occasion de fraterniser dans une joyeuse et criante anarchie qui laisse poindre malgré tout de cruelles réalités.

◼ UNE LECTURE DE L'ŒUVRE

Le début de cet extrait présente une accumulation d'actions brèves et quotidiennes, qui contribue au dynamisme de la scène et témoigne du brouhaha du repas. Cette effervescence contraste avec le monologue du vieil homme à la fin de l'extrait, dont le murmure dévoile son inutilité, sa fin prochaine.

EXTRAIT

[…] Coupeau, voyant le petit horloger cracher là-bas des pièces de dix sous, lui montra de loin une bouteille; et, l'autre ayant accepté de la tête, il lui porta la bouteille et un verre. Une fraternité s'établissait avec la rue. On trinquait à ceux qui passaient. On appelait les camarades qui avaient l'air bon zig. Le gueuleton s'étalait,
5 gagnait de proche en proche, tellement que le quartier de la Goutte-d'Or entier sentait la boustifaille et se tenait le ventre, dans un bacchanal de tous les diables.

Depuis un instant, Mᵐᵉ Vigouroux, la charbonnière, passait et repassait devant la porte.

«Eh! madame Vigouroux! madame Vigouroux!» hurla la société.

Elle entra, avec un rire de bête, débarbouillée, grasse à crever son corsage. Les
10 hommes aimaient à la pincer, parce qu'ils pouvaient la pincer partout sans jamais rencontrer un os. Boche la fit asseoir près de lui; et, tout de suite, sournoisement, il prit son genou sous la table. Mais elle, habituée à ça, vidait tranquillement un verre de vin, en racontant que les voisins étaient aux fenêtres, et que des gens, dans la maison, commençaient à se fâcher.

15 «Oh! ça, c'est notre affaire, dit Mme Boche. Nous sommes les concierges, n'est-ce pas? Eh bien, nous répondons de la tranquillité… Qu'ils viennent se plaindre, nous les recevrons joliment.»

Dans la pièce du fond, il venait d'y avoir une bataille furieuse entre Nana et Augustine, à propos de la rôtissoire, que toutes les deux voulaient torcher. Pendant

20 un quart d'heure, la rôtissoire avait rebondi sur le carreau, avec un bruit de vieille casserole. Maintenant, Nana soignait le petit Victor, qui avait un os d'oie dans le gosier ; elle lui fourrait les doigts sous le menton, en le forçant à avaler de gros morceaux de sucre, comme médicament. Ça ne l'empêchait pas de surveiller la grande table. Elle venait à chaque instant demander du vin, du pain, de la viande,
25 pour Étienne et Pauline.

« Tiens ! crève ! lui disait sa mère. Tu me ficheras la paix, peut-être ! »

Les enfants ne pouvaient plus avaler, mais ils mangeaient tout de même, en tapant leur fourchette sur un air de cantique, afin de s'exciter.

Au milieu du bruit, cependant, une conversation s'était engagée entre le père Bru et
30 maman Coupeau. Le vieux, que la nourriture et le vin laissaient blême, parlait de ses fils morts en Crimée. Ah ! si les petits avaient vécu, il aurait eu du pain tous les jours. Mais maman Coupeau, la langue un peu épaisse, se penchant, lui disait :

« On a bien du tourment avec les enfants, allez ! Ainsi, moi, j'ai l'air d'être heureuse ici, n'est-ce pas ? eh bien, je pleure plus d'une fois… Non, ne souhaitez pas d'avoir
35 des enfants. »

Le père Bru hochait la tête.

« On ne veut plus de moi nulle part pour travailler, murmura-t-il. Je suis trop vieux. Quand j'entre dans un atelier, les jeunes rigolent et me demandent si c'est moi qui ai verni les bottes d'Henri IV… L'année dernière, j'ai encore gagné trente sous par
40 jour à peindre un pont ; il fallait rester sur le dos, avec la rivière qui coulait en bas. Je tousse depuis ce temps… Aujourd'hui, c'est fini, on m'a mis à la porte de partout. »

Il regarda ses pauvres mains raidies et ajouta :

« Ça se comprend, puisque je ne suis bon à rien. Ils ont raison, je ferais comme eux… Voyez-vous, le malheur, c'est que je ne sois pas mort. Oui, c'est ma faute. On doit se
45 coucher et crever, quand on ne peut plus travailler. »

◼ L'ŒUVRE ET SON TEMPS

LE QUARTIER DE LA GOUTTE-D'OR Le quartier de la Goutte-d'Or, situé dans le XVIIIᵉ arrondissement de Paris, doit son nom au vin blanc qui y était produit avant qu'on transforme ses terres agricoles en quartier urbain. Au XIXᵉ siècle, au moment de l'essor industriel et du développement du chemin de fer, le quartier abritait des familles d'ouvriers.

◼ L'ŒUVRE ET LA DISSERTATION

Montrez comment le regard posé sur les gens de ce quartier populaire nous permet de parler d'une vision naturaliste du monde.

BOULE DE SUIF (1880)
GUY DE MAUPASSANT

► BIOGRAPHIE, P. 70

■ L'ŒUVRE EN BREF

D'abord parue dans *Les soirées de Médan*, l'œuvre *Boule de Suif* peut être qualifiée de réaliste ou de naturaliste. Toutefois, elle dépasse l'observation froide ou neutre qui caractérise souvent les œuvres de ces courants. Sa dénonciation ouverte de l'hypocrisie qui imprègne la bourgeoisie à cette époque en fait foi notamment.

■ UNE LECTURE DE L'ŒUVRE

Boule de suif doit son surnom à ses chairs généreuses, qui constituent un attrait incontestable à l'époque. Pendant sa jeunesse, alors qu'elle était entretenue par des hommes à qui elle offrait ses charmes en retour, elle a su amasser suffisamment de biens matériels pour devenir une femme respectable. Cependant, la fréquentation d'un groupe de bourgeois lui rappellera durement qu'elle restera à jamais, à leurs yeux, une prostituée. Ironiquement, l'ex-prostituée fait plutôt figure de femme honnête face à ses hypocrites compagnons de voyage, qui la condamnent à se jeter dans les bras d'un Prussien afin de pouvoir poursuivre leur route.

EXTRAIT

La comtesse proposa de faire une promenade dans l'après-midi ; alors le comte, comme il était convenu, prit le bras de Boule de suif, et demeura derrière les autres, avec elle.

Il lui parla de ce ton familier, paternel, un peu dédaigneux, que les hommes posés
5   emploient avec les filles, l'appelant « ma chère enfant », la traitant du haut de sa position sociale, de son honorabilité indiscutée. Il pénétra tout de suite au vif de la question : « Donc vous préférez nous laisser ici, exposés comme vous-même à toutes les violences qui suivraient un échec des troupes prussiennes, plutôt que de consentir à une de ces complaisances que vous avez eues si souvent en votre vie ? »

10   Boule de suif ne répondit rien.

Il la prit par la douceur, par le raisonnement, par les sentiments. Il sut rester « monsieur le comte », tout en se montrant galant quand il le fallut, complimenteur, aimable enfin. Il exalta le service qu'elle leur rendrait, parla de leur reconnaissance ; puis soudain, la tutoyant gaiement : « Et tu sais, ma chère, il pourrait se vanter d'avoir
15   goûté d'une jolie fille comme il n'en trouvera pas beaucoup dans son pays. »

Boule de suif ne répondit pas et rejoignit la société.

Aussitôt rentrée, elle monta chez elle et ne reparut plus. L'inquiétude était extrême. Qu'allait-elle faire ? Si elle résistait, quel embarras !

L'heure du dîner sonna ; on l'attendit en vain. M. Follenvie, entrant alors, annonça
20   que Mme Rousset se sentait indisposée, et qu'on pouvait se mettre à table. Tout le

monde dressa l'oreille. Le comte s'approcha de l'aubergiste, et, tout bas : « Ça y est ?
— Oui. » Par convenance, il ne dit rien à ses compagnons, mais il leur fit seulement
un léger signe de la tête. Aussitôt un grand soupir de soulagement sortit de toutes les
poitrines, une allégresse parut sur les visages. Loiseau cria : « Saperlipopette ! je paye
25 du champagne si l'on en trouve dans l'établissement » ; et Mme Loiseau eut une
angoisse lorsque le patron revint avec quatre bouteilles aux mains.

[…]

Le lendemain, un clair soleil d'hiver rendait la neige éblouissante. […]

On n'attendait plus que Boule de suif. Elle parut.

30 Elle semblait un peu troublée, honteuse, et elle s'avança timidement vers ses compagnons qui, tous, d'un même mouvement, se détournèrent comme s'ils ne l'avaient
pas aperçue. Le comte prit avec dignité le bras de sa femme et l'éloigna de ce contact
impur.

La grosse fille s'arrêta, stupéfaite ; alors, ramassant tout son courage, elle aborda la
35 femme du manufacturier d'un « bonjour, Madame » humblement murmuré. L'autre
fit de la tête seule un petit salut impertinent qu'elle accompagna d'un regard de vertu
outragée. Tout le monde semblait affairé. Et l'on se tenait loin d'elle comme si elle
eût apporté une infection dans ses jupes. Puis on se précipita vers la voiture où elle
arriva seule, la dernière, et reprit en silence la place qu'elle avait occupée pendant la
40 première partie de la route.

On semblait ne pas la voir, ne pas la connaître ; mais Mme Loiseau, la considérant
de loin avec indignation, dit à mi-voix à son mari : « Heureusement que je ne suis pas
à côté d'elle. »

La lourde voiture s'ébranla et le voyage commença.

45 On ne parla point d'abord. Boule de suif n'osait pas lever les yeux. Elle se sentait en
même temps indignée contre tous ses voisins, et humiliée d'avoir cédé, souillée par
les baisers de ce Prussien entre les bras duquel on l'avait hypocritement jetée.

▪ L'ŒUVRE ET SON TEMPS

La guerre franco-prussienne (ou franco-allemande), qui se déroule de juillet 1870 à janvier 1871 et se solde par une humiliante défaite des armées de Napoléon III à Sedan, va marquer considérablement la mémoire collective. L'occupation prussienne qui s'ensuit sert de trame de fond à l'œuvre pour dénoncer plusieurs travers de la société française d'alors, à commencer par le sentiment patriotique auquel recourt le personnage du comte dans l'extrait.

▪ L'ŒUVRE ET LA DISSERTATION

Montrez comment Boule de suif, symbole de sacrifice, devient la victime de ses compagnons de voyage qui, invoquant l'honneur et les valeurs patriotiques, défendent davantage leurs intérêts personnels.

MADAME BOVARY (1857)
GUSTAVE FLAUBERT

► BIOGRAPHIE, P. 70

■ L'ŒUVRE EN BREF

L'œuvre majeure de Gustave Flaubert, *Madame Bovary*, commencée en 1851, est achevée en 1856 et publiée en feuilletons dans la *Revue de Paris*, d'octobre à décembre.

■ UNE LECTURE DE L'ŒUVRE

Charles Bovary représente à la fois l'homme ennuyeux et le travailleur acharné, le médiocre exécutant dépourvu d'atouts, l'antithèse de l'aristocrate cultivé et sensible que le bourgeois tente d'imiter, et auquel Emma, dans cet extrait, compare son triste mari. Charles est ici défini précisément par ce qu'il n'est pas, comme si sa femme ne pouvait trouver en lui le moindre élément digne d'intérêt. Les descriptions méticuleuses de Flaubert, son ironie à peine voilée, ses sous-entendus de même que l'attention qu'il porte à l'ordinaire de la vie tranchent catégoriquement avec le ton romantique de la première moitié du siècle.

EXTRAIT

La conversation de Charles était plate comme un trottoir de rue ❶, et les idées de tout le monde y défilaient, dans leur costume ordinaire ❷, sans exciter d'émotion, de rire ou de rêverie. Il n'avait jamais été curieux, disait-il ❸, pendant qu'il habitait Rouen, d'aller voir au théâtre les acteurs de Paris. Il ne savait ni nager, ni faire des
5   armes, ni tirer le pistolet, et il ne put, un jour, lui expliquer un terme d'équitation qu'elle avait rencontré dans un roman.

Un homme, au contraire, ne devait-il pas tout connaître, exceller en des activités multiples, vous initier aux énergies de la passion, aux raffinements de la vie, à tous les mystères ? ❹ Mais il n'enseignait rien, celui-là, ne savait rien, ne souhaitait
10   rien. ❺ Il la croyait heureuse ; et elle lui en voulait de ce calme si bien assis, de cette pesanteur sereine ❻, du bonheur même qu'elle lui donnait.

Elle dessinait quelquefois ; et c'était pour Charles un grand amusement que de rester là, tout debout, à la regarder penchée sur son carton, clignant des yeux, afin de mieux voir son ouvrage, ou arrondissant, sur son pouce, des boulettes de mie
15   de pain. Quant au piano, plus ses doigts y couraient vite, plus il s'émerveillait. Elle frappait sur les touches avec aplomb, et parcourait du haut en bas tout le clavier sans s'interrompre. Ainsi secoué par elle, le vieil instrument, dont les cordes frisaient, s'entendait jusqu'au bout du village si la fenêtre était ouverte, et souvent le clerc de huissier qui passait sur la grande route, nu-tête et en chaussons, s'arrêtait
20   à l'écouter, sa feuille de papier à la main. ❼

■ L'ŒUVRE ET SON TEMPS

À la parution de *Madame Bovary*, Flaubert est poursuivi pour atteinte aux bonnes mœurs : Emma, l'héroïne, est coupable d'adultère, et se suicide de surcroît. On condamne en outre son « réalisme vulgaire et choquant ». Acquitté en février 1857, Flaubert fait paraître son roman en avril. Baudelaire lui rend alors hommage, tandis que Maupassant présente « l'apparition de Madame Bovary » comme « une révolution dans les lettres »[1].

---

1. Pour en savoir plus sur le sujet, allez à www.bovary.fr > Autour du roman > Réception > Le Procès.

■ L'ŒUVRE ET LA DISSERTATION

Montrez comment le personnage de Charles Bovary, victime, dès les premières lignes de l'œuvre, de l'ironie mordante de son créateur, est l'incarnation romancée du bourgeois moyen, voire médiocre, que voulait offrir Gustave Flaubert à la postérité.

ANALYSE

« La conversation de Charles était plate comme un trottoir de rue » ❶	Cette comparaison initiale a encore aujourd'hui tout l'effet escompté par son auteur. L'image linéaire d'un trottoir, toujours semblable à lui-même, convainc rapidement le lecteur de la médiocrité du personnage.
« les idées de tout le monde y défilaient, dans leur costume ordinaire » ❷	La personnification des « idées de tout le monde », autrement dit les lieux communs du discours de Charles, laisse supposer que ce dernier est subordonné au monde qui l'entoure.
« Il n'avait jamais été curieux, disait-il, » ❸	L'incise, placée au milieu de cette affirmation, force le lecteur à faire une pause et à ne considérer que ce qui la précède : « Il n'avait jamais été curieux ». Ainsi, malgré la précision donnée après l'incise, le personnage est condamné à manquer de curiosité, voire, pour cette raison, d'intelligence.
« Un homme, au contraire, ne devait-il pas tout connaître, exceller en des activités multiples, vous initier aux énergies de la passion, aux raffinements de la vie, à tous les mystères ? » ❹	L'énumération, qui permet la description de l'homme idéal pour Emma, précédée par « au contraire », montre tout ce que Charles n'est pas. C'est de cette façon que le personnage est présenté au lecteur : il aurait dû être tout ce qu'il n'est pas.
« Mais il n'enseignait rien, celui-là, ne savait rien, ne souhaitait rien. » ❺	Ajoutée à la description précédente, la gradation descendante formulée à la négative (comme d'ailleurs l'énumération du 1er paragraphe), condamne définitivement Charles à la bêtise, par son manque flagrant de talent, de curiosité et de volonté.
« elle lui en voulait de ce calme si bien assis, de cette pesanteur sereine » ❻	Ces deux personnifications montrent, encore une fois, le manque de vigueur de Charles, sa léthargie bienheureuse.

❼ Le dernier paragraphe décrit Emma comme talentueuse et cultivée, ce qui contraste avec l'image de Charles, bourgeois impuissant, enchanté et soumis.

BOUVARD ET PÉCUCHET (1881)
GUSTAVE FLAUBERT

► BIOGRAPHIE, P. 70

■ L'ŒUVRE EN BREF

Œuvre posthume, parue un an après la mort de Flaubert, *Bouvard et Pécuchet* est l'histoire ahurissante de deux amis (l'auteur les surnomme ses deux «cloportes») qui tentent de faire l'expérience des connaissances humaines et des techniques diverses et qui ne cessent de multiplier les échecs jusqu'à ce que, dégoûtés de tout, ils abandonnent leur projet.

■ UNE LECTURE DE L'ŒUVRE

Dans cette œuvre à la fois drôle et navrante, le narrateur fournit au lecteur ni plus ni moins qu'un rapport systématique des expériences pseudoscientifiques des protagonistes, décrivant sur le même ton anodin des ouvrages théoriques réels, l'expérimentation laborieuse des approches proposées, puis les échecs immanquablement essuyés par les deux compères.

Les accumulations, volontairement fastidieuses, ont l'effet escompté, qui est de montrer la lancinante lourdeur des tâches accomplies par des amateurs naïvement enthousiastes. Malgré l'objectivité apparente des descriptions, les termes connotés («excité» et «délire» à la ligne 20, par exemple) montrent la dérision que le narrateur cherche à exprimer.

EXTRAIT

Il manqua les brocolis, les aubergines, les navets — et du cresson de fontaine, qu'il avait voulu élever dans un baquet. Après le dégel, tous les artichauts étaient perdus.

Les choux le consolèrent. Un, surtout, lui donna des espérances. Il s'épanouissait, montait, finit par être prodigieux et absolument incomestible. N'importe! Pécuchet
5 fut content de posséder un monstre.

Alors il tenta ce qui lui semblait être le summum de l'art : l'élève du melon.

Il sema les graines de plusieurs variétés dans des assiettes remplies de terreau, qu'il enfouit dans sa couche. Puis, il dressa une autre couche; et quand elle eut jeté son feu repiqua les plants les plus beaux, avec des cloches pardessus. Il fit toutes les
10 tailles suivant les préceptes du bon jardinier, respecta les fleurs, laissa se nouer les fruits, en choisit un sur chaque bras, supprima les autres; et dès qu'ils eurent la grosseur d'une noix, il glissa sous leur écorce une planchette pour les empêcher de pourrir au contact du crottin. Il les bassinait, les aérait, enlevait avec son mouchoir la brume des cloches — et si des nuages paraissaient, il apportait vivement des pail-
15 lassons. La nuit, il n'en dormait pas. Plusieurs fois même il se releva; et pieds nus dans ses bottes, en chemise, grelottant, il traversait tout le jardin pour aller mettre sur les bâches la couverture de son lit.

Les cantaloups mûrirent.

20 Au premier, Bouvard fit la grimace. Le second ne fut pas meilleur, le troisième non plus ; Pécuchet trouvait pour chacun une excuse nouvelle, jusqu'au dernier qu'il jeta par la fenêtre, déclarant n'y rien comprendre.

[…]

Après force méditations, Bouvard reconnut qu'il s'était trompé. Son domaine exigeait la grande culture, le système intensif, et il aventura ce qui lui restait de capitaux 25 disponibles : trente mille francs.

Excité par Pécuchet, il eut le délire de l'engrais. Dans la fosse aux composts furent entassés des branchages, du sang, des boyaux, des plumes, tout ce qu'il pouvait découvrir. Il employa la liqueur belge, le lizier suisse, la lessive *Da-Olmi*, des harengs saurs, du varech, des chiffons, fit venir du guano, tâcha d'en fabriquer — et, poussant 30 jusqu'au bout ses principes, ne tolérait pas qu'on perdît l'urine ; il supprima les lieux d'aisances. On apportait dans sa cour des cadavres d'animaux, dont il fumait ses terres. Leurs charognes dépecées parsemaient la campagne. Bouvard souriait au milieu de cette infection. Une pompe installée dans un tombereau crachait du purin sur les récoltes. À ceux qui avaient l'air dégoûté, il disait : «Mais c'est de l'or ! c'est de 35 l'or !» — Et il regrettait de n'avoir pas encore plus de fumiers. Heureux les pays où l'on trouve des grottes naturelles pleines d'excréments d'oiseaux !

Le colza fut chétif, l'avoine médiocre ; et le blé se vendit fort mal, à cause de son odeur.

■ L'ŒUVRE ET SON TEMPS

L'approche expérimentale et l'engouement pour les sciences influencent différentes activités humaines, celle de la littérature, notamment. Ce qu'Émile Zola nomme l'«attitude du savant» sera ainsi imité de façon plus ou moins méticuleuse par les auteurs réalistes et naturalistes. Les personnages seront donc observés avec rigueur et objectivité, conférant ainsi à l'analyse de l'âme humaine une crédibilité toute scientifique.

■ L'ŒUVRE ET LA DISSERTATION

Tout en l'appliquant dans sa pratique d'écriture, Flaubert semble faire une critique sévère de l'approche scientifique, en montrant la futilité de l'enthousiasme des néophytes. Démontrez cette affirmation.

LE HORLA (1887)
GUY DE MAUPASSANT

► Biographie, p. 70

■ L'ŒUVRE EN BREF

À la suite de sa nouvelle intitulée *Lettre d'un fou* (1885), Maupassant fait paraître deux versions du *Horla* à une année d'intervalle. On retient d'abord la version de 1887, qui prend la forme d'un journal personnel, nous faisant vivre, avec le narrateur, les moments les plus inquiétants du récit.

Tout en lui étant étranger, l'être nommé le Horla est inhérent au narrateur. Il est ce contre quoi ce dernier ne sait se défendre. Et parce que la menace survient dans son quotidien, dans son intimité, dans son être même, le personnage ne peut désormais se sentir en sécurité avec lui-même. Dans les années

1880, cette menace intérieure devient une obsession pour Maupassant, témoin de la folie de son frère et de sa mère, et victime lui-même d'hallucinations qui lui feront vivre l'expérience du double.

■ UNE LECTURE DE L'ŒUVRE

L'usage de la majuscule dans la seconde partie de l'extrait confère au Horla un pouvoir considérable, digne de celui des êtres supérieurs, suprêmes. Mais ce sont les nombreuses répétitions, le redoublement des mots et des phrases mêmes, ainsi que le pléonasme («je, me, moi») final, qui dénoncent la présence toujours menaçante du double.

EXTRAIT

13 août. — Quand on est atteint par certaines maladies, tous les ressorts de l'être physique semblent brisés, toutes les énergies anéanties, tous les muscles relâchés, les os devenus mous comme la chair et la chair liquide comme de l'eau. J'éprouve cela dans mon être moral d'une façon étrange et désolante. Je n'ai plus aucune force, aucun courage, aucune domination sur
5　moi, aucun pouvoir même de mettre en mouvement ma volonté. Je ne peux plus vouloir ; mais quelqu'un veut pour moi ; et j'obéis.

14 août. — Je suis perdu ! Quelqu'un possède mon âme et la gouverne ! quelqu'un ordonne tous mes actes, tous mes mouvements, toutes mes pensées. Je ne suis plus rien en moi, rien qu'un spectateur esclave et terrifié de toutes les choses que j'accomplis. Je désire sortir. Je ne peux
10　pas. Il ne veut pas ; et je reste, éperdu, tremblant, dans le fauteuil où il me tient assis. Je désire seulement me lever, me soulever, afin de me croire encore maître de moi. Je ne peux pas ! Je suis rivé à mon siège ; et mon siège adhère au sol, de telle sorte qu'aucune force ne nous soulèverait.

　　Puis, tout d'un coup, il faut, il faut, il faut que j'aille au fond de mon jardin cueillir des fraises
15　et les manger. Et j'y vais. Je cueille des fraises et je les mange ! Oh ! mon Dieu ! Mon Dieu ! Mon Dieu ! Est-il un Dieu ? S'il en est un, délivrez-moi, sauvez-moi ! secourez-moi ! Pardon ! Pitié ! Grâce ! Sauvez-moi ! Oh ! quelle souffrance ! quelle torture ! quelle horreur ! »

　　[…]

20 La maison, maintenant, n'était plus qu'un bûcher horrible et magnifique, un bûcher mons- trueux, éclairant toute la terre, un bûcher où brûlaient des hommes, et où il brûlait aussi, Lui, Lui, mon prisonnier, l'Être nouveau, le nouveau maître, le Horla !

Soudain le toit tout entier s'engloutit entre les murs, et un volcan de flammes jaillit jusqu'au ciel. Par toutes les fenêtres ouvertes sur la fournaise, je voyais la cuve de feu, et je pensais qu'il était là, dans ce four, mort…

25 — Mort ? Peut-être ?… Son corps ? son corps que le jour traversait n'était-il pas indestructible par les moyens qui tuent les nôtres ?

S'il n'était pas mort ?… seul peut-être le temps a prise sur l'Être Invisible et Redou- table. Pourquoi ce corps transparent, ce corps inconnaissable, ce corps d'Esprit, s'il devait craindre, lui aussi, les maux, les blessures, les infirmités, la destruction prématurée ?

La destruction prématurée ? toute l'épou- vante humaine vient d'elle ! Après l'homme le Horla. — Après celui qui peut mourir tous les jours, à toutes les heures, à toutes les minutes, par tous les accidents, est venu celui qui ne doit mourir qu'à son jour, à son heure, à sa minute, parce qu'il a touché la limite de son existence !

Non… non… sans aucun doute, sans aucun doute… il n'est pas mort… Alors… alors… il va donc falloir que je me tue moi !…

Cet autoportrait de Courbet montre le déses- poir d'un homme affolé, tentant de percer ou de révéler une vérité terrifiante.

Gustave Courbet (1819-1877). *Le désespéré* (1843-1845). Collection privée.

■ L'ŒUVRE ET SON TEMPS

L'avènement de la science de l'âme (*psycho*-logie), à la fin du XIXe siècle, fait naître un engouement pour de nouvelles expériences sur l'esprit humain. Les séances d'hypnose — notamment celles du très réputé neurologue, Jean-Martin Charcot —, les recherches sur l'hystérie et bientôt les théories de Sigmund Freud sur le rêve font émerger l'hypothèse d'une part d'inconscient dans l'individu.

L'unité de l'être, tant rassurante, devient du coup menacée. « Je est un autre », avance audacieusement le poète Arthur Rimbaud dès 1871. Cette nouvelle vision de l'être contribue pour une part importante à ce qu'on nommera *modernité*.

■ L'ŒUVRE ET LA DISSERTATION

La terreur du narrateur à la pensée d'être possédé par un être à la fois étranger et si intimement lié à sa personne fait surgir chez lui le besoin d'analyser la situation comme le ferait le clinicien. Montrez que cette position rassurante ne pourra résister à la menace incarnée par le Horla, menace aussi appe- lée « duplicité humaine ».

PIERRE ET JEAN (1888)
GUY DE MAUPASSANT

► Biographie, p. 70

■ L'ŒUVRE EN BREF

L'histoire de *Pierre et Jean* se déroule au Havre, en Normandie, dans un milieu petit-bourgeois dont Maupassant cherche à démontrer la mesquinerie. Il s'agit d'une œuvre forte, dans laquelle l'analyse psychologique nous fait connaître les tourments d'un individu obsédé par la recherche d'une vérité à la fois nécessaire et honteuse.

■ UNE LECTURE DE L'ŒUVRE

L'extrait proposé ici présente la passion de Jean continuellement déroutée par l'esprit pratique de celle à qui s'adresse sa déclaration d'amour. Les champs lexicaux et la tonalité des discours sont si discordants qu'on est porté à croire que les univers des deux personnages ne pourront jamais se rejoindre, à moins que l'un d'eux n'accepte l'abnégation de ses sentiments au profit du conformisme de l'autre, et qu'il considère aussi que «parler d'amour» équivaut à «parler d'affaires». L'ordre aura ainsi raison de la passion.

EXTRAIT

Jean maintenant ne trouvait rien, mais il la suivait pas à pas, la frôlait, se penchait sur elle, simulait un grand désespoir de sa maladresse, voulait apprendre.

— Oh! montrez-moi, disait-il, montrez-moi!

Puis, comme leurs deux visages se reflétaient, l'un contre l'autre, dans l'eau si claire
5 dont les plantes noires du fond faisaient une glace limpide, Jean souriait à cette tête voisine qui le regardait d'en bas, et parfois, du bout des doigts, lui jetait un baiser qui semblait tomber dessus.

— Ah! que vous êtes ennuyeux! disait la jeune femme; mon cher, il ne faut jamais faire deux choses à la fois.

10 Il répondit:

— Je n'en fais qu'une. Je vous aime.

Elle se redressa, et d'un ton sérieux:

— Voyons, qu'est-ce qui Vous prend depuis dix minutes, avez-vous perdu la tête ?

— Non, je n'ai pas perdu la tête. Je vous aime, et j'ose, enfin, vous le dire.

15 Ils étaient debout maintenant dans la mare salée qui les mouillait jusqu'aux mollets, et les mains ruisselantes appuyées sur leurs filets, ils se regardaient au fond des yeux.

Elle reprit, d'un ton plaisant et contrarié :

— Que vous êtes malavisé de me parler de ça en ce moment ! Ne pouviez-vous attendre un autre jour et ne pas me gâter ma pêche ?

20 Il murmura :

— Pardon, mais je ne pouvais plus me taire. Je vous aime depuis longtemps. Aujourd'hui vous m'avez grisé à me faire perdre la raison.

Alors, tout à coup, elle sembla en prendre son parti, se résigner à parler d'affaires et à renoncer aux plaisirs.

25 — Asseyons-nous sur ce rocher, dit-elle, nous pourrons causer tranquillement.

Ils grimpèrent sur un roc un peu peu haut, et lorsqu'ils y furent installés côte à côte, les pieds pendants, en plein soleil, elle reprit :

— Mon cher ami, vous n'êtes plus un enfant et je ne suis pas une jeune fille. Nous savons fort bien l'un et l'autre de quoi il s'agit, et nous pouvons peser toutes les
30 conséquences de nos actes. Si vous vous décidez aujourd'hui à me déclarer votre amour, je suppose naturellement que vous désirez m'épouser.

Il ne s'attendait guère à cet exposé net de la situation, et il répondit niaisement :

— Mais oui.

— En avez-vous parlé à votre père et à votre mère ?

35 — Non, je voulais savoir si vous m'accepteriez.

Elle lui tendit sa main encore mouillée, et comme il y mettait la sienne avec élan :

— Moi, je veux bien, dit-elle. Je vous crois bon et loyal. Mais n'oubliez point que je ne voudrais pas déplaire à vos parents.

— Oh ! pensez-vous que ma mère n'a rien prévu et qu'elle vous aimerait comme elle
40 vous aime si elle ne désirait pas un mariage entre nous ?

— C'est vrai, je suis un peu troublée.

Ils se turent. Et il s'étonnait, lui, au contraire qu'elle fût si peu troublée, si raisonnable. Il s'attendait à des gentillesses galantes, à des refus qui disent oui, à toute une coquette comédie d'amour mêlée à la pêche, dans le clapotement de l'eau!

45 Et c'était fini, il se sentait lié, marié, en vingt paroles. Ils n'avaient plus rien à se dire puisqu'ils étaient d'accord et ils demeuraient maintenant un peu embarrassés tous deux de ce qui s'était passé, si vite, entre eux, un peu confus même, n'osant plus parler, n'osant plus pêcher, ne sachant que faire.

La voix de Roland les sauva:

50 — Par ici, par ici, les enfants! Venez voir Beausire. Il vide la mer, ce gaillard-là.»

Le capitaine, en effet, faisait une pêche merveilleuse.

▮ L'ŒUVRE ET SON TEMPS

La petite bourgeoisie commerçante de l'époque, mise en scène ici, se préoccupe davantage de sa réussite sociale, de son confort et du conformisme de ses mœurs que de la recherche de l'authenticité. Pour cette raison, les sentiments ne devront jamais prévaloir sur les bonnes affaires et, par conséquent, les mariages seront souvent affaire de bénéfices.

▮ L'ŒUVRE ET LA DISSERTATION

Montrez comment, à travers cette pathétique demande en mariage de Jean à Madame Rosémilly, le conformisme, la superficialité et l'hypocrisie de certains personnages sont constamment mis en lumière par le regard étonné ou soupçonneux des autres.

Auguste Renoir (1841-1919). *Les canotiers à Chatou* (détail) (1879).
National Gallery of Art, Washington, États-Unis.

J'ACCUSE...! (1898)
ÉMILE ZOLA

► BIOGRAPHIE, P. 71

■ L'ŒUVRE EN BREF

Parue le 13 janvier 1898, à la une du journal *L'Aurore*, cette accusation sous forme de lettre ouverte engendre des répercussions considérables dans l'affaire Dreyfus. Le journal se vend à près de 300 000 exemplaires. Zola est condamné à la prison (un an plus un mois) et à une amende. Pour éviter l'incarcération, il se réfugie en Angleterre jusqu'à la révision du procès, en 1899.

Si cet événement est présenté ici comme un moment marquant dans l'histoire, c'est qu'il a provoqué des changements sociaux et politiques décisifs, et qu'il a transformé la perception du milieu littéraire par rapport à son engagement social et politique. En 1898, l'affaire Dreyfus entraîne la création de la Ligue des droits de l'homme et incite Émile Zola à publier son célèbre «J'accuse... ! ».

■ UNE LECTURE DE L'ŒUVRE

Ce texte n'est donc pas, à proprement parler, une œuvre naturaliste, mais il exprime la position politique ainsi que l'implication du chef de file de ce courant littéraire.

Le ton du texte, l'emploi des signes de ponctuation montrant l'indignation ainsi que la répétition du «J'accuse» comme un martèlement, contribuent à donner force d'autorité à la lettre de Zola, qui aura en effet une influence considérable sur la suite des choses.

EXTRAIT

J'ACCUSE... !

LETTRE A M. FELIX FAURE
Président de la République

Monsieur le Président,

Me permettez-vous, dans ma gratitude pour le bienveillant accueil que vous m'avez fait un jour, d'avoir le souci de votre juste gloire et de vous dire que votre étoile, si heureuse jusqu'ici, est menacée de la plus honteuse, de la plus ineffaçable des taches ?

5 Vous êtes sorti sain et sauf des basses calomnies, vous avez conquis les cœurs. Vous apparaissez rayonnant dans l'apothéose de cette fête patriotique que l'alliance russe a été pour la France, et vous vous préparez à présider au solennel triomphe de notre Exposition Universelle, qui couronnera notre grand siècle de travail, de vérité et de liberté. Mais quelle tache de boue sur votre nom — j'allais dire sur votre

10 règne — que cette abominable affaire Dreyfus ! Un conseil de guerre vient, par ordre, d'oser acquitter un Esterhazy, soufflet suprême à toute vérité, à toute justice. Et c'est fini, la France a sur la joue cette souillure, l'histoire écrira que c'est sous votre présidence qu'un tel crime social a pu être commis.

Puisqu'ils ont osé, j'oserai aussi, moi. La vérité, je la dirai, car j'ai promis de la dire,
15 si la justice, régulièrement saisie, ne la faisait pas, pleine et entière. Mon devoir est
de parler, je ne veux pas être complice. Mes nuits seraient hantées par le spectre
de l'innocent qui expie là-bas, dans la plus affreuse des tortures, un crime qu'il n'a
pas commis.

Et c'est à vous, monsieur le Président, que je la crierai, cette vérité, de toute la force
20 de ma révolte d'honnête homme. Pour votre honneur, je suis convaincu que vous
l'ignorez. Et à qui donc dénoncerai-je la tourbe malfaisante des vrais coupables, si
ce n'est à vous, le premier magistrat du pays?

***

[…]

***

Mais cette lettre est longue, monsieur le Président, et il est temps de conclure.

25 J'accuse le lieutenant-colonel du Paty de Clam d'avoir été l'ouvrier diabolique de
l'erreur judiciaire, en inconscient, je veux le croire, et d'avoir ensuite défendu son
œuvre néfaste, depuis trois ans, par les machinations les plus saugrenues et les plus
coupables.

J'accuse le général Mercier de s'être rendu complice, tout au moins par faiblesse
30 d'esprit, d'une des plus grandes iniquités du siècle.

J'accuse le général Billot d'avoir eu entre les mains les preuves certaines de l'innocence de Dreyfus et de les avoir étouffées, de s'être rendu coupable de ce crime de
lèse-humanité et de lèse-justice, dans un but politique, et pour sauver l'état-major
compromis.

35 J'accuse le général de Boisdeffre et le général Gonse de s'être rendus complices du
même crime, l'un sans doute par passion cléricale, l'autre peut-être par cet esprit
de corps qui fait des bureaux de la guerre l'arche sainte, inattaquable.

J'accuse le général de Pellieux et le commandant Ravary d'avoir fait une enquête
scélérate, j'entends par là une enquête de la plus monstrueuse partialité, dont nous
40 avons, dans le rapport du second, un impérissable monument de naïve audace.

J'accuse les trois experts en écritures, les sieurs Belhomme, Varinard et Couard,
d'avoir fait des rapports mensongers et frauduleux, à moins qu'un examen médical
ne les déclare atteints d'une maladie de la vue et du jugement.

J'accuse les bureaux de la guerre d'avoir mené dans la presse, particulièrement
45 dans *L'éclair* et dans *L'écho de Paris*, une campagne abominable, pour égarer l'opinion et couvrir leur faute.

J'accuse enfin le premier conseil de guerre d'avoir violé le droit, en condamnant un accusé sur une pièce restée secrète, et j'accuse le second conseil de guerre d'avoir couvert cette illégalité, par ordre, en commettant à son tour le crime juridique d'acquitter sciemment un coupable.

En portant ces accusations, je n'ignore pas que je me mets sous le coup des articles 30 et 31 de la loi sur la presse du 29 juillet 1881, qui punit les délits de diffamation. Et c'est volontairement que je m'expose.

Quant aux gens que j'accuse, je ne les connais pas, je ne les ai jamais vus, je n'ai contre eux ni rancune ni haine. Ils ne sont pour moi que des entités, des esprits de malfaisance sociale. Et l'acte que j'accomplis ici n'est qu'un moyen révolutionnaire pour hâter l'explosion de la vérité et de la justice.

Je n'ai qu'une passion, celle de la lumière, au nom de l'humanité qui a tant souffert et qui a droit au bonheur. Ma protestation enflammée n'est que le cri de mon âme. Qu'on ose donc me traduire en cour d'assises et que l'enquête ait lieu au grand jour!

J'attends.

Veuillez agréer, Monsieur le Président, l'assurance de mon profond respect.

ÉMILE ZOLA

■ L'ŒUVRE ET SON TEMPS

L'AFFAIRE DREYFUS En 1894, le capitaine de l'armée française Alfred Dreyfus, d'origine juive, est accusé d'espionnage pour le compte de l'Allemagne et condamné à la déportation. Malgré les preuves fournies en 1896 démontrant son innocence, on hésite à le rapatrier. Les Français se divisent alors en deux camps: les *dreyfusards* et les *antidreyfusards*. Les premiers crient à l'injustice et défendent les droits de l'individu contre la suprématie de l'armée, tandis que les seconds, monarchistes, conservateurs et antisémites, tiennent à la primauté de la raison d'État sur les droits individuels. Alfred Dreyfus ne sera réhabilité qu'en 1906.

■ L'ŒUVRE ET LA DISSERTATION

Montrez comment l'argumentaire de Zola permet de dévoiler une vision tout autre de cet événement historique que la version officielle qui prévalait jusqu'alors.

Henri Meyer (1844-1899). *Le Procès Zola à Versailles : départ de Zola dans la cohue, 31 juillet 1898* (supplément illustré du Petit Journal). Bibliothèque nationale de France, Paris, France.

LA SCOUINE (1918)
ALBERT LABERGE

▶ Biographie, p. 71

■ L'ŒUVRE EN BREF

Albert Laberge a écrit peu de fiction. Son œuvre *La Scouine* est l'un des rarissimes romans réalistes du Canada français, tout comme le roman *Marie Calumet*, de Rodolphe Girard, paru en 1904. En effet, ces deux œuvres forment le maigre corpus de l'anti-terroir qui nous est parvenu.

Présentée dès 1903 sous forme de roman-feuilleton, l'œuvre paraît en chapitres dans des périodiques. En 1918, Albert Laberge décide de la publier à compte d'auteur (c'est-à-dire qu'il en assume les coûts d'impression), à raison de 60 exemplaires. Déjà très critiquée en 1909, à la parution du chapitre intitulé «Les foins», l'œuvre est rapidement interdite et qualifiée d'«ignoble pornographie» par Mgr Bruchési, alors évêque du diocèse catholique de Montréal. Elle ne sera rééditée qu'en 1972.

■ UNE LECTURE DE L'ŒUVRE

Le chapitre XXXIV du roman est un constat de l'incapacité de changer la nature profonde de l'être humain. C'est la vision déterministe de certaines œuvres naturalistes que nous propose ce dernier chapitre, à la fois enthousiaste et parfaitement pessimiste.

Enfin soulagé du poids écrasant de la terre ingrate, Charlot se morfond dans une ville où tout appelle à la mort, jusqu'à ce qu'il se décide à retourner sur la terre ancestrale afin de goûter à nouveau aux «savoureuses misères» qu'elle lui a tant de fois réservées.

Edmond LeMoine (1877-1922). *La Moisson* (entre 1900 et 1920).
Musée national des Beaux-Arts du Québec, Québec, Canada.

EXTRAIT

Maço et ses deux enfants se sont installés dans leur petite maison. Comme à la campagne, ils s'éveillent le matin au point du jour, mais comme ils n'ont rien à faire, ils attendent encore dans leur lit jusqu'à six heures, alors que la cloche de l'hospice à la voix lente, triste et voilée, tinte mélancoliquement et les fait sortir de leur couche.

5 Ils se lèvent en même temps que les vieux et les orphelins. Après avoir rôdé quelque temps dans l'habitation, ils se mettent à table sans faim. Ils voient les enfants jouer dans la cour sous l'œil d'une sœur et les vieillards faire quelques pas et s'asseoir sur un banc. Monotone, interminable, s'écoule la journée.

[…]

10 Et Charlot plongé dans cette rêverie, se lève pour aller jeter un coup d'œil à la fenêtre, mais il n'aperçoit que le cimetière, la terre qui ne sera jamais labourée, qui ne rapportera jamais aucune récolte, la terre que l'on ne creuse et que l'on n'ouvre que pour y déposer les restes de ceux qui furent des hommes…

Et Charlot s'ennuie. Il s'ennuie désespérément, atrocement.

15 […]

Depuis deux ans, il souffre en silence. Jamais il n'a voulu retourner voir la vieille maison où s'est écoulée sa vie, mais depuis quelques jours, la tentation est trop forte, et ce matin, il n'y tient plus. Il faut qu'il aille revoir la terre paternelle. Il ne peut presque pas manger au déjeuner, car jamais de sa vie, il n'a éprouvé une si grande

20 émotion. Il part, et devant l'église, il aperçoit la Scouine qui guette le vicaire qui doit passer pour aller dire sa messe.

Charlot s'en va à travers champs. Tout à coup, il se mit à siffler. Et il va, il va. Jamais il n'a marché si vite. Il se sent rajeuni.

■ L'ŒUVRE ET SON TEMPS

Dans le Canada français de la seconde moitié du XIXe siècle, on assiste à nouveau à un mouvement de colonisation. Celui-ci sert notamment à contrer la migration des colons vers les villes, Montréal surtout, alors assujettie en bonne partie à la langue et à l'idéologie anglo-saxonnes.

Pour ce faire, le clergé et le gouvernement encouragent une littérature du terroir qui offre une vision idéalisée de la vie de colon.

■ L'ŒUVRE ET LA DISSERTATION

L'œuvre *La Scouine* arrive dans le paysage agricole du début du XXe siècle, comme une tache indécente dans un univers figé par l'idéologie du terroir. Montrez comment elle dénonce, à contrario du roman du terroir, le peu de ressources matérielles et intellectuelles des colons, la misère humaine profondément incrustée — comme la terre même — dans ces habitants, qui la traînent comme une malédiction.

PARNASSE, DÉCADENTISME ET SYMBOLISME
EN THÉORIE

Historiquement, le Parnasse est le premier de ces trois mouvements. Réagissant à la poésie romantique, les parnassiens, parmi lesquels José Maria de Heredia (1842-1905), Théophile Gautier (1811-1872), Théodore de Banville (1823-1891) et Leconte de Lisle (1818-1894), créent la plupart de leurs œuvres entre 1860 et 1870.

L'ART POUR L'ART

Les parnassiens condamnent la sentimentalité exacerbée de leurs prédécesseurs romantiques et prônent une poésie moins débridée, plus rigoureusement construite. Selon eux, c'est de la technique, non de l'inspiration, que peut naître une poésie achevée. Les symbolistes, à leur tour, contesteront cette vision beaucoup trop froide et calculée de la poésie.

> **LE PARNASSE**
> Le terme «Parnasse» renvoie à la mythologie grecque. Il s'agit d'une montagne, lieu privilégié des Muses, inspiratrices des poètes.

Toutefois, les véritables précurseurs des symbolistes sont les poètes décadents, ainsi nommés dans le contexte de la chute de l'Empire, en 1870-1871, et qui s'opposent à l'idéologie bourgeoise dominante.

LES POÈTES MAUDITS

Cette expression est d'abord le titre d'un ouvrage de Paul Verlaine, paru en 1888, dans lequel l'auteur présente ceux qu'il considère comme faisant partie de ces poètes maudits, en proposant des extraits commentés de leurs œuvres. Dans l'avant-propos de son ouvrage, il les qualifie d'«Absolus par l'imagination, absolus dans l'expression [...] Mais maudits!»

> Ces poètes, que Paul Verlaine qualifie de «maudits», traînent avec eux un ennui de vivre qu'ils mettent sur le compte d'une société vieillissante, voire moribonde.

LES PREMIERS MODERNES

La condamnation sans appel de la société traditionnelle que proposent les poètes décadents est la marque d'une première génération de modernes. À cause de son refus du conformisme, à cause aussi des marques évidentes de modernité dans

> «La Nature est un temple où de vivants piliers
> Laissent parfois sortir de confuses paroles;
> L'homme y passe à travers des forêts de symboles
> Qui l'observent avec des regards familiers.»
> *Correspondances* de Charles Baudelaire

son œuvre, il n'est pas étonnant que Charles Baudelaire, qui publie *Les Fleurs du mal* quinze ans avant la chute de l'Empire, soit passé à la postérité comme le tout premier de ces poètes décadents.

L'usage du terme «symbolisme» pour désigner le courant poétique de la seconde moitié du XIXe siècle n'est attesté qu'en 1886, année où le poète Jean Moréas fait paraître son

Manifeste du symbolisme dans *Le Figaro* de septembre. Il se réclame alors de Charles Baudelaire, de Stéphane Mallarmé et de Paul Verlaine, en qui il voit les précurseurs de cette poésie nouvelle. On ajoutera à ces premiers représentants du symbolisme les noms d'Arthur Rimbaud et, au Québec (nommé à l'époque le *Canada français*), d'Émile Nelligan.

LA LITTÉRATURE POUR ELLE-MÊME

Le poète symboliste s'oppose à la fois aux valeurs mercantiles et conservatrices de la société bourgeoise — qu'il condamne tout autant que le fait l'écrivain réaliste — et à la vision utilitariste de l'écrivain réaliste, qui limiterait ainsi la littérature à la simple reproduction exacte du monde.

Pour le symboliste, l'art doit proposer une vision nouvelle et personnelle du monde. Il revendique l'autonomie de la littérature. De son point de vue, elle a une valeur en soi ; elle ne se limite pas à reproduire la réalité : elle la produit.

LE VERS-LIBRISME

Le vers-librisme (vers libre) consiste à libérer le vers de sa forme classique en lui donnant un nombre impair de pieds, par exemple, ou en faisant se succéder des vers de longueurs différentes.

Dans les faits, ce qui caractérise la poésie symboliste, c'est la déconstruction, le décloisonnement du modèle habituel du poème. Ainsi retrouve-t-on la pratique fréquente chez ces poètes du *vers-librisme*, et l'apparition de ce que Baudelaire a lui-même nommé les «poèmes en prose».

PARNASSE, DÉCADENTISME ET SYMBOLISME EN THÈMES

LE SPLEEN

> «Il arrive souvent que sa voix affaiblie
> Semble le râle épais d'un blessé qu'on oublie
> Au bord d'un lac de sang, sous un grand tas de morts
> Et qui meurt, sans bouger, dans d'immenses efforts[1].»

Thème baudelairien par excellence, le spleen est caractérisé par un mal de vivre et un ennui profonds, un étouffement de l'être, un découragement général qui attirent l'individu vers sa mort, dans ce cas libératrice. Pourtant, plutôt que de sombrer dans le désespoir, le poète tente de surpasser l'abattement par la recherche incessante de l'Idéal. Il y a donc un lien étroit entre Spleen et Idéal, un lien d'interdépendance, car seul l'Idéal peut permettre de s'extirper du Spleen.

---

1. Charles Baudelaire, *La cloche fêlée*.

L'IDÉAL

> « Mon enfant, ma sœur,
> Songe à la douceur
> D'aller là-bas vivre ensemble !
> [...]
> Là, tout n'est qu'ordre et beauté,
> Luxe, calme et volupté[1]. »

L'Idéal du poète, son épanouissement, n'est possible que dans le dépassement du Spleen. C'est pourquoi ces deux réalités opposées sont intrinsèquement liées. L'Idéal, par ailleurs, n'est accessible que par la recherche continuelle du beau et du sublime. Pour atteindre l'Idéal, le poète doit entrer dans une démarche de surpassement qui le mènera au-delà de la médiocrité environnante qui entretient le Spleen.

LE POÈTE

Les poètes symbolistes contestent la vision traditionaliste de l'art que consomme le bourgeois et proposent, en réaction, un art subversif, constamment révisé, renouvelé. Le fossé s'installe, de façon presque irrémédiable, entre les deux mondes, et la marginalisation de l'artiste, dans ces conditions, semble inévitable. L'image du poète incompris, indésirable, voire sacrifié, apparaît dans l'œuvre pour incriminer le lecteur, montrant ce que son monde haineux et vil a fait de celui par qui l'accès à l'Idéal aurait été possible.

L'ESTHÉTISATION DU QUOTIDIEN

Outre les thèmes majeurs que sont le Spleen et l'Idéal ainsi que l'idée générale d'ambivalence, on doit aussi à Baudelaire le regard singulier et insolite qu'il porte sur le familier. Cette démarche éminemment moderne, qu'on reconnaîtra chez les symbolistes à venir, mène à l'esthétisation du quotidien.

On tend, par l'image poétique, à porter un regard neuf, artistique sur les objets et les êtres qui peuplent notre vie de tous les jours. Ainsi, la force évocatrice du Paris de Baudelaire ne trouvera son écho nulle part ailleurs, si ce n'est dans les descriptions minutieuses, mais réalistes cette fois, des romanciers de son temps.

Baudelaire devient un modèle pour les générations à venir, en raison notamment de sa capacité à faire surgir le beau du laid, l'exceptionnel du commun, la vie de la mort.

Auguste Lepère (1849-1918).
Rue de la Montagne-Sainte-Geneviève, Paris (1906). National Gallery of Art, Washington, États-Unis.

LA VOYANCE

Rimbaud se met au service, en quelque sorte, de la poésie, de la parole poétique, qui permet de révéler une vérité perceptible uniquement dans des moments privilégiés d'illumination, de voyance. Dans une lettre adressée en 1871 à son professeur Paul Demeny, il affirme :

« Je dis qu'il faut être voyant, se faire voyant.

Le poète se fait voyant par un long, immense et raisonné
dérèglement de tous les sens[2]. »

Tout en restant à l'affût des images qui surgissent alors en lui, le poète pourrait donc permettre à son imagination de se débrider et d'atteindre une vision multiple des choses plus essentielles que celles qui sont accessibles à tous et à tout moment.

L'ACCUMULATION ET LA FUGACITÉ DES IMAGES

La vision multiple que propose l'accumulation d'images amène des révélations à la fois saisissantes et difficilement saisissables. Il faut au lecteur une ouverture d'esprit. Il lui faut s'abandonner à l'évocation des symboles pour ressentir l'intensité des visions poétiques.

Qu'il cherche à saisir une sensation qui surgit à la vue d'un être ou d'un paysage, ou qu'il tente de traduire la réminiscence confuse d'un rêve, le poète accumule de très brèves descriptions et les superpose, sans continuité de temps. Le poème n'est donc pas une histoire, mais un recueil de symboles.

LA SYNESTHÉSIE

La notion de «synesthésie», qui apparaît d'abord dans le domaine médical, traduit un trouble. La personne qui en est atteinte perçoit un stimulus par plus d'un sens à la fois. Par exemple, elle réagit visuellement à une musique, à laquelle elle associe des couleurs. Dans sa fonction de «voyant», le poète tente donc d'établir des correspondances entre des éléments et des sens qui n'ont pas de lien à priori. Si le «dérèglement de tous les sens» de Rimbaud peut induire cette confusion sensorielle, son poème «Voyelles» traduit de façon exemplaire cette pluralité de sensations simultanées.

LA MUSICALITÉ

Rythme, mouvement provoqué par le nombre de pieds dans les vers, enjambement, rimes et sonorité générale créée par les assonances et les allitérations, voilà autant d'éléments qui constituent la musicalité du poème. Essentielle à cette poésie qui interpelle les sens, la musicalité permet de renforcer le sens du texte. Ainsi, l'assonance, dans le poème de Verlaine «Chanson d'automne» («Les sanglots longs/Des violons/De l'automne/Blessent mon cœur/D'une langueur/Monotone.»), renforce-t-elle la lancinante impression de tristesse.

---

1. Charles Baudelaire, *L'invitation au voyage*.
2. Lettre du voyant du 15 mai 1871, adressée à Paul Demeny, dans
   http://hypermedia.univ-paris8.fr/bibliothequeRimbaud/Correspondance.

PARNASSE, DÉCADENTISME ET SYMBOLISME EN PERSONNES

QUATRE AUTEURS MAJEURS DU COURANT SYMBOLISTE

Charles Baudelaire (1821-1867)

Charles Baudelaire naît à Paris, où il mène une vie déréglée, dilapidant l'héritage de son père et fréquentant les artistes bohèmes. Il traduit les œuvres d'**Edgar Allan Poe**[1], devient critique d'art et de littérature, et rédige différents textes théoriques. On lui doit une vision moderne de la poésie. Si la majorité des poèmes des *Fleurs du mal* respecte en partie la versification classique, le propos poétique est nouveau, inattendu.

Baudelaire fut romantique, parnassien, décadent, voire symboliste et surréaliste avant la lettre. Et, si tous ces courants poétiques se réclament de lui, c'est qu'il les surpasse tous, incontestablement.

➤ EXTRAIT, P. 102

Arthur Rimbaud (1854-1891)

Plus que tout autre poète, Arthur Rimbaud reste une énigme, autant pour ses contemporains que pour la postérité. Son passage dans l'histoire de la poésie française est fulgurant, ce qui lui vaut le qualificatif de « météore », à cause notamment de la remarquable rapidité avec laquelle il produit son œuvre (il l'écrit entre l'âge de 16 et 21 ans!), mais aussi en raison de la nature en partie insaisissable de celle-ci. Dans sa vie comme dans sa poésie, « l'homme aux semelles de vent », comme le surnomme Verlaine, est en mouvement continuel, en fuite perpétuelle vers le devenir, incarnant l'image même de la modernité.

➤ EXTRAIT, P. 110

Paul Verlaine (1844-1896)

Paul Verlaine laisse derrière lui une œuvre aussi dispersée que son existence. Attiré par la bohème, qui lui procure énergie et inspiration, il en sort honteux et décidé à recouvrer une vie rangée, mais ne peut faire autrement que de s'y abîmer à nouveau. Ses nombreux recueils de poèmes témoignent des revirements majeurs qui ont jalonné son existence débridée. Sa rencontre avec Arthur Rimbaud provoque en lui les tourments et les grâces de l'écriture qui lui insufflent une poésie profonde et tourmentée dans *Romances sans paroles* (1874).

► EXTRAIT, P. 108

Émile Nelligan (1879-1941)

À l'instar d'Arthur Rimbaud, Émile Nelligan (qu'on doit prononcer à la française, à sa demande) montre très tôt un don pour la poésie. Il écrira la majeure partie de son œuvre entre 16 et 19 ans. En 1896, il commence à fréquenter l'École littéraire de Montréal, dont il deviendra membre l'année suivante. En 1899, il y fait la lecture publique de la «Romance du vin», qui lui vaut ovation et consécration. Cette même année, la parution du «Vaisseau d'Or» annonce le gouffre intérieur qui le mènera à l'internement à l'asile Saint-Benoît-Joseph-Labre, puis à l'hôpital Saint-Jean-de-Dieu, jusqu'à sa mort, 42 ans plus tard.

► EXTRAIT, P. 114

---

1. Écrivain américain (1809-1849), auteur de récits fantastiques et policiers.

PARNASSE, DÉCADENTISME ET SYMBOLISME EN TEXTES

LES FLEURS DU MAL (1857)
CHARLES BAUDELAIRE

▶ Biographie, p. 100

■ L'ŒUVRE EN BREF

La parution des *Fleurs du mal*, en 1857, vaut à son auteur des ennuis avec la justice. Les exemplaires invendus sont saisis et on interdit la publication du recueil jusqu'à ce qu'en soient retirés certains poèmes («Lesbos», «Femmes damnées», «À celle qui est trop gaie», «Les métamorphoses du vampire», «Les bijoux», «Le léthé») jugés préjudiciables aux bonnes mœurs ainsi qu'à la morale publique et religieuse. Baudelaire est arrêté et doit payer une amende. C'est un dur coup pour le poète, qui acceptera les coupures exigées. En 1861, une deuxième édition paraît, encore remaniée. Ce sera la dernière avant la mort de Baudelaire.

■ L'ŒUVRE ET SON TEMPS

Depuis que la révolution industrielle a consolidé le pouvoir bourgeois, on assiste à une dégradation des relations entre les artistes et leurs contemporains. Les nouvelles valeurs mercantiles et conservatrices de la société bourgeoise rendent celle-ci peu encline aux changements qui risqueraient d'ébranler son pouvoir. Dans ce contexte, l'artiste qui cherche à remettre en question ou à «transformer le monde», comme l'affirmait Marx, devient suspect et est tenu à distance. Cette distance qui s'installe entre l'artiste et le public potentiel se perpétuera dans le siècle suivant, rendant les œuvres d'art souvent inaccessibles au regard de l'amateur.

POÈME 1 *SPLEEN*

■ UNE LECTURE DE L'ŒUVRE

On reconnaît, dans la morosité du poème, dans sa noirceur et dans la sensation de claustration qui en émane, les éléments représentatifs du Spleen.

Quand le ciel bas et lourd...
Quand le ciel bas et lourd pèse comme un couvercle
Sur l'esprit gémissant en proie aux longs ennuis,
Et que de l'horizon embrassant tout le cercle
Il nous verse un jour noir plus triste que les nuits;

5 Quand la terre est changée en un cachot humide,
Où l'Espérance, comme une chauve-souris,
S'en va battant les murs de son aile timide
Et se cognant la tête à des plafonds pourris;

Quand la pluie étalant ses immenses traînées
10 | D'une vaste prison imite les barreaux,
Et qu'un peuple muet d'infâmes araignées
Vient tendre ses filets au fond de nos cerveaux,

Des cloches tout à coup sautent avec furie
Et lancent vers le ciel un affreux hurlement,
15 | Ainsi que des esprits errants et sans patrie
Qui se mettent à geindre opiniâtrement.

— Et de longs corbillards, sans tambours ni musique,
Défilent lentement dans mon âme ; l'Espoir,
Vaincu, pleure, et l'Angoisse atroce, despotique,
20 | Sur mon crâne incliné plante son drapeau noir.

■ L'ŒUVRE ET LA DISSERTATION

Montrez comment la puissance du Spleen condamne le poète à la soumission.

POÈME 2 *ÉLÉVATION*

■ UNE LECTURE DE L'ŒUVRE

La répétition des termes «au-dessus» et «par-delà» au début du poème situe d'emblée l'Idéal, auquel est associée l'idée de dépassement, dans un ailleurs éloigné.

Au-dessus des étangs, au-dessus des vallées,
Des montagnes, des bois, des nuages, des mers,
Par-delà le soleil, par-delà les éthers,
Par-delà les confins des sphères étoilées,

5 | Mon esprit, tu te meus avec agilité,
Et, comme un bon nageur qui se pâme dans l'onde,
Tu sillonnes gaiement l'immensité profonde
Avec une indicible et mâle volupté.

Envole-toi bien loin de ces miasmes morbides ;
10 | Va te purifier dans l'air supérieur,
Et bois, comme une pure et divine liqueur,
Le feu clair qui remplit les espaces limpides.

Derrière les ennuis et les vastes chagrins
Qui chargent de leur poids l'existence brumeuse,
15   Heureux celui qui peut d'une aile vigoureuse
S'élancer vers les champs lumineux et sereins;

Celui dont les pensers, comme des alouettes,
Vers les cieux le matin prennent un libre essor,
— Qui plane sur la vie, et comprend sans effort
20   Le langage des fleurs et des choses muettes!

■ L'ŒUVRE ET LA DISSERTATION

L'atteinte de l'Idéal, tel que le conçoit le poète, n'est possible que par le dépassement de la médiocrité du quotidien. Montrez cette affirmation à partir du poème «Élévation».

POÈME 3 *L'ALBATROS*

■ UNE LECTURE DE L'ŒUVRE

Le personnage de l'oiseau, comparé dans le dernier quatrain au Poète, est décrit par des périphrases soulignant à la fois sa noblesse, sa puissance et sa grâce aérienne. Pourtant, exposé au monde des «hommes d'équipage», il devient médiocre. Deux champs lexicaux opposés décrivent donc un même personnage évoluant dans deux univers différents.

Souvent, pour s'amuser, les hommes d'équipage
Prennent des albatros, vastes oiseaux des mers,
Qui suivent, indolents compagnons de voyage,
Le navire glissant sur les gouffres amers.

5   A peine les ont-ils déposés sur les planches,
Que ces rois de l'azur, maladroits et honteux,
Laissent piteusement leurs grandes ailes blanches
Comme des avirons traîner à côté d'eux.

Ce voyageur ailé, comme il est gauche et veule!
10   Lui, naguère si beau, qu'il est comique et laid!
L'un agace son bec avec un brûle-gueule,
L'autre mime, en boitant, l'infirme qui volait!

Le Poète est semblable au prince des nuées
Qui hante la tempête et se rit de l'archer ;
15 Exilé sur le sol au milieu des huées,
Ses ailes de géant l'empêchent de marcher.

■■ L'ŒUVRE ET LA DISSERTATION

Montrez comment ce qui fait la puissance de l'oiseau dans son monde devient son infirmité dans le monde des humains.

COMPARAISON

Dans « L'albatros », Baudelaire présente une vision magnifiée du poète, laquelle contraste avec l'humain vulgaire et cruel (incarné ici par « les hommes d'équipage »), qui voit plutôt en lui un être méprisable.

■■ L'ŒUVRE ET LA DISSERTATION

Montrez que la présentation que fait Nelligan du poète dans « Le Vaisseau d'Or » est en tout point similaire.

LE VAISSEAU D'OR

Ce fut un grand Vaisseau taillé dans l'or massif :
Ses mâts touchaient l'azur, sur des mers inconnues ;
La Cyprine d'amour, cheveux épars, chairs nues
S'étalait à sa proue, au soleil excessif.

5 Mais il vint une nuit frapper le grand écueil
Dans l'Océan trompeur où chantait la Sirène,
Et le naufrage horrible inclina sa carène
Aux profondeurs du Gouffre, immuable cercueil.

Ce fut un Vaisseau d'Or, dont les flancs diaphanes
10 Révélaient des trésors que les marins profanes,
Dégoût, Haine et Névrose, entre eux ont disputés.

Que reste-t-il de lui dans la tempête brève ?
Qu'est devenu mon cœur, navire déserté ?
Hélas ! Il a sombré dans l'abîme du Rêve !...

POÈME 4 **UNE CHAROGNE**

■ **UNE LECTURE DE L'ŒUVRE**

On assiste, dans ce poème, au travail quasi miraculeux de l'artiste, en l'occurrence le poète. À force de descriptions, celui-ci fait jaillir la vie de la mort, la beauté de la charogne, laquelle prend des allures de femme désirable. Par un pernicieux changement de regard, le poète fait cependant miroiter le dépérissement de l'être aimé («mon âme») comme une fatalité prochaine.

Rappelez-vous l'objet que nous vîmes, mon âme,
      Ce beau matin d'été si doux :
Au détour d'un sentier une charogne infâme
      Sur un lit semé de cailloux,

5 Les jambes en l'air, comme une femme lubrique,
      Brûlante et suant les poisons,
Ouvrait d'une façon nonchalante et cynique
      Son ventre plein d'exhalaisons.

Le soleil rayonnait sur cette pourriture,
10   Comme afin de la cuire à point,
Et de rendre au centuple à la grande Nature
      Tout ce qu'ensemble elle avait joint ;

Et le ciel regardait la carcasse superbe
      Comme une fleur s'épanouir.
15 La puanteur était si forte, que sur l'herbe
      Vous crûtes vous évanouir ;

Les mouches bourdonnaient sur ce ventre putride,
      D'où sortaient de noirs bataillons
De larves, qui coulaient comme un épais liquide
20   Le long de ces vivants haillons.

Tout cela descendait, montait comme une vague,
      Ou s'élançait en pétillant ;
On eût dit que le corps, enflé d'un souffle vague,
      Vivait en se multipliant.

25 Et ce monde rendait une étrange musique,
      Comme l'eau courante et le vent,
Ou le grain qu'un vanneur d'un mouvement rythmique
      Agite et tourne dans son van.

Les formes s'effaçaient et n'étaient plus qu'un rêve,
30   Une ébauche lente à venir,
Sur la toile oubliée, et que l'artiste achève
        Seulement par le souvenir.

Derrière les rochers une chienne inquiète
        Nous regardait d'un œil fâché,
35 Épiant le moment de reprendre au squelette
        Le morceau qu'elle avait lâché.

        — Et pourtant vous serez semblable à cette ordure,
        À cette horrible infection,
Étoile de mes yeux, soleil de ma nature,
40   Vous, mon ange et ma passion !

Oui ! telle vous serez, ô la reine des grâces,
        Après les derniers sacrements,
Quand vous irez, sous l'herbe et les floraisons grasses
        Moisir parmi les ossements.

45 Alors, ô ma beauté ! dites à la vermine
        Qui vous mangera de baisers
Que j'ai gardé la forme et l'essence divine
        De mes amours décomposés !

▮ L'ŒUVRE ET LA DISSERTATION

Montrez que c'est par la puissance évocatrice des images que le poète peut ici faire surgir le laid du beau, l'exceptionnel du commun, la vie de la mort.

JADIS ET NAGUÈRE (1884)
PAUL VERLAINE

► BIOGRAPHIE, P. 101

■ L'ŒUVRE EN BREF

Le recueil *Jadis et naguère* n'est pas prépondérant dans l'œuvre de Paul Verlaine. Son intérêt réside surtout dans le poème présenté ici, véritable plaidoyer de sa vision esthétique de la poésie.

■ L'ŒUVRE ET SON TEMPS

À la conception pragmatique du monde, les poètes ont opposé une vision à la fois sensorielle et ludique. Le fossé qui s'installe entre les artistes et les bourgeois, fossé dont on perçoit encore la présence aujourd'hui, provoque la marginalisation sociale de l'artiste.

POÈME 5   *L'ART POÉTIQUE*

■ UNE LECTURE DE L'ŒUVRE

La musicalité est donnée par le rythme et la sonorité. Ici le rythme est saccadé, car les vers sont brefs, leur nombre (quantité de syllabes) est impair et leurs pieds (unités rythmiques) sont inégaux. La sonorité résulte des assonances et des allitérations, des répétitions de mots et de la richesse des rimes.

De la musique avant toute chose
Et pour cela préfère l'Impair,
Plus vague et plus soluble dans l'air,
Sans rien en lui qui pèse ou qui pose.

5 Il faut aussi que tu n'ailles point
Choisir tes mots sans quelque méprise :
Rien de plus cher que la chanson grise
Où l'Indécis au Précis se joint.

C'est des beaux yeux derrière des voiles,
10 C'est le grand jour tremblant de midi,
C'est par un ciel d'automne attiédi
Le bleu fouillis des claires étoiles !

Car nous voulons la Nuance encor,
Pas la Couleur, rien que la nuance !
15   Oh ! la nuance seule fiance
Le rêve au rêve et la flûte au cor !

Fuis du plus loin la Pointe assassine,
L'Esprit cruel et le Rire impur,
Qui font pleurer les yeux de l'Azur,
20   Et tout cet ail de basse cuisine !

Prends l'éloquence et tords-lui son cou !
Tu feras bien, en train d'énergie,
De rendre un peu la Rime assagie.
Si l'on n'y veille, elle ira jusqu'où ?

25   Oh ! qui dira les torts de la Rime !
Quel enfant sourd ou quel nègre fou
Nous a forgé ce bijou d'un sou
Qui sonne creux et faux sous la lime ?

De la musique encore et toujours !
30   Que ton vers soit la chose envolée
Qu'on sent qui fuit d'une âme en allée
Vers d'autres cieux à d'autres amours,

Que ton vers soit la bonne aventure
Éparse au vent crispé du matin
35   Qui va fleurant la menthe et le thym…
Et tout le reste est littérature.

◼ L'ŒUVRE ET LA DISSERTATION

Montrez comment Verlaine défend une vision fondamentalement esthétique du poème, basée essentiellement sur la musicalité du vers.

POÉSIES (1891)
ARTHUR RIMBAUD

▶ BIOGRAPHIE, P. 100

■ L'ŒUVRE EN BREF

Fortement influencé par Charles Baudelaire, qu'il surnomme le « roi des poètes », Rimbaud n'en écrit pas moins une œuvre très personnelle, où la poésie devient une expérience du langage et de la vie. Le recueil intitulé *Poésies* paraît en 1891, année de la mort de l'auteur, mais les poèmes qui le constituent datent des premières années de la décennie 1870, au cours desquelles certains d'entre eux sont publiés dans des revues.

■ L'ŒUVRE ET SON TEMPS

À l'époque où il affirme son désormais célèbre « Je est un autre » (en 1871), Arthur Rimbaud participe à la pensée contemporaine qui interroge les certitudes scientifiques autant que spirituelles, philosophiques et littéraires. Cette réflexion de même que l'affirmation de Nietzsche (« Dieu est mort ») ébranlent les institutions et forcent l'Occident à repenser ses fondements.

POÈME 6 *LE DORMEUR DU VAL*

■ UNE LECTURE DE L'ŒUVRE

Dans « Le dormeur du val », par l'usage constant de procédés d'atténuation, comme l'euphémisme et la litote, le poète dévoile une réalité toute différente de celle qu'il laissait entrevoir au départ. L'apaisement même du dormeur se transforme de façon dramatique à mesure que le poète insiste sur son sommeil par la répétition du mot « dort ». Les **rejets et contre-rejets**[1] multiples imposent une lecture saccadée qui n'est pas étrangère au malaise provoqué par la révélation du dernier vers.

C'est un trou de verdure où chante une rivière,
Accrochant follement aux herbes des haillons
D'argent ; où le soleil, de la montagne fière,
Luit : c'est un petit val qui mousse de rayons.

5 Un soldat jeune, bouche ouverte, tête nue,
Et la nuque baignant dans le frais cresson bleu,
Dort ; il est étendu dans l'herbe, sous la nue,
Pâle dans son lit vert où la lumière pleut.

Les pieds dans les glaïeuls, il dort. Souriant comme
10 Sourirait un enfant malade, il fait un somme :
Nature, berce-le chaudement : il a froid.

---

1. Les **rejets et les contre-rejets** sont des formes d'enjambement qui consistent à faire déborder sur un vers une partie de phrase intimement liée au vers précédent (rejet) ou au vers suivant (contre-rejet). Exemples : « Accrochant follement aux herbes des haillons/D'argent […] » (rejet, v. 2 et 3) ; « […] Souriant comme/Sourirait un enfant malade, il fait un somme : » (contre-rejet, v. 9 et 10). Dans chacun des cas, les segments de phrase répartis sur deux vers sont assez intimement liés pour qu'on s'attende à les trouver dans un seul vers. En règle générale, l'enjambement est significatif et contribue à renforcer une image.

Les parfums ne font pas frissonner sa narine ;
Il dort dans le soleil, la main sur sa poitrine,
Tranquille. Il a deux trous rouges au côté droit.

◾ L'ŒUVRE ET LA DISSERTATION

Montrez comment la vision euphémistique qui se présente au lecteur permet d'atténuer la dure réalité qui se révèle à lui à la fin du poème.

POÈME 7 *LE BATEAU IVRE*

◾ UNE LECTURE DE L'ŒUVRE

Ce poème est un périple onirique et débridé qui prend l'allure d'un voyage initiatique. Chercher à saisir un sens précis est ici, plus qu'ailleurs, vaine tentative. Il faut plutôt se laisser porter par l'accumulation de métaphores étranges et hermétiques, et y voir la révélation d'une vision privilégiée de la vie.

[…]

La tempête a béni mes éveils maritimes.
Plus léger qu'un bouchon j'ai dansé sur les flots
Qu'on appelle rouleurs éternels de victimes,
5   Dix nuits, sans regretter l'œil niais des falots !

[…]

Et dès lors, je me suis baigné dans le Poème
De la Mer, infusé d'astres, et lactescent,
Dévorant les azurs verts ; où, flottaison blême
10   Et ravie, un noyé pensif parfois descend ;

Où, teignant tout à coup les bleuités, délires
Et rythmes lents sous les rutilements du jour,
Plus fortes que l'alcool, plus vastes que nos lyres,
Fermentent les rousseurs amères de l'amour !

15   Je sais les cieux crevant en éclairs, et les trombes
Et les ressacs et les courants : je sais le soir,
L'Aube exaltée ainsi qu'un peuple de colombes,
Et j'ai vu quelquefois ce que l'homme a cru voir !

J'ai vu le soleil bas, taché d'horreurs mystiques,
20   Illuminant de longs figements violets,
Pareils à des acteurs de drames très-antiques
Les flots roulant au loin leurs frissons de volets !

J'ai rêvé la nuit verte aux neiges éblouies,
Baiser montant aux yeux des mers avec lenteurs,
25 | La circulation des sèves inouïes,
Et l'éveil jaune et bleu des phosphores chanteurs !

[…]

■ L'ŒUVRE ET LA DISSERTATION

Par la fugacité et la fulgurance des images, La poésie symboliste laisse entrevoir des vérités qui paraissent grandement hermétiques avant qu'on s'y arrête. Montrez cette affirmation dans l'extrait du « Bateau ivre ».

POÈME 8 | *VOYELLES*

■ UNE LECTURE DE L'ŒUVRE

Le poète aurait écrit ce sonnet, construit autour de nombreuses images saisissantes, sur le modèle d'un abécédaire, petit manuel illustré destiné à l'apprentissage de l'alphabet. Nommées les unes à la suite des autres, les voyelles sont associées à des couleurs, à des sons, à des visions, comme si surgissait avec la lettre un flot d'images immanentes, c'est-à-dire qui seraient contenues dans la lettre même. Il est intéressant d'observer que la seule voyelle absente du premier vers se retrouve dans le vers ultime du poème.

A noir, E blanc, I rouge, U vert, O bleu : voyelles,
Je dirai quelque jour vos naissances latentes :
A, noir corset velu des mouches éclatantes
Qui bombinent autour des puanteurs cruelles,

5 | Golfes d'ombre ; E, candeur des vapeurs et des tentes,
Lances des glaciers fiers, rois blancs, frissons d'ombelles ;
I, pourpres, sang craché, rire des lèvres belles
Dans la colère ou les ivresses pénitentes ;

U, cycles, vibrements divins des mers virides,
10 | Paix des pâtis semés d'animaux, paix des rides
Que l'alchimie imprime aux grands fronts studieux ;

O, suprême Clairon plein des strideurs étranges,
Silence traversé des Mondes et des Anges :
— O l'Oméga, rayon violet de Ses Yeux !

■ L'ŒUVRE ET LA DISSERTATION

L'initiation à l'écriture est empreinte ici d'images saisissantes qui permettent de visualiser les lettres, de leur donner une consistance. Démontrez.

Paul Signac (1863-1935). *La bouée* (1894).
National Gallery of Art, Washington, États-Unis.

POÉSIES COMPLÈTES (1903)
ÉMILE NELLIGAN

► BIOGRAPHIE, P. 101

■ L'ŒUVRE EN BREF

L'édition de l'œuvre de Nelligan est assurée par un prêtre et ami du poète, Louis Dantin (Eugène Seers), en 1903. Le recueil, intitulé *Émile Nelligan et son œuvre*, comprend 107 poèmes (il en compte 170 dans les éditions actuelles). On y trouve clairement le génie du jeune homme, influencé par les courants littéraires européens à une époque où le Canada français est surtout tourné vers un vaste mouvement de colonisation.

■ L'ŒUVRE ET SON TEMPS

L'École littéraire de Montréal est un regroupement d'écrivains qui contribue à l'essor de la poésie canadienne-française, surtout de 1895 à 1900, grâce à des poètes qui partagent la vision des symbolistes français. Cette école propose une littérature en rupture avec l'idéologie du terroir encouragée par le clergé. Son membre le plus illustre est sans aucun doute Émile Nelligan, qui y participe de 1896 à 1899.

POÈME 9 *SOIR D'HIVER*

■ UNE LECTURE DE L'ŒUVRE

Le poème de Nelligan témoigne d'une évolution des sentiments du poète, comme le confirme le seul terme du premier quintile modifié dans le dernier. Entre ceux-ci, entre la douleur et l'ennui, des accumulations d'images et de sensations sont exprimées par différents procédés: néologisme, allitération, répétitions, antithèse, anaphore et épiphore.

Ah! comme la neige a neigé!
Ma vitre est un jardin de givre.
Ah! comme la neige a neigé!
Qu'est-ce que le spasme de vivre
5 À la douleur que j'ai, que j'ai!

Tous les étangs gisent gelés,
Mon âme est noire: Où vis-je? où vais-je?
Tous ses espoirs gisent gelés:
Je suis la nouvelle Norvège
10 D'où les blonds ciels s'en sont allés.

Pleurez, oiseaux de février,
Au sinistre frisson des choses,
Pleurez, oiseaux de février,
Pleurez mes pleurs, pleurez mes roses,
15 Aux branches du genévrier.

Ah! comme la neige a neigé!
Ma vitre est un jardin de givre.
Ah! comme la neige a neigé!
Qu'est-ce que le spasme de vivre
20 À tout l'ennui que j'ai, que j'ai!…

■ L'ŒUVRE ET LA DISSERTATION

Montrez comment les sentiments du poète se confondent avec le paysage de givre pour faire naître une vision mélancolique à la fois symboliste et romantique.

POÈME 10 ## *CLAIR DE LUNE INTELLECTUEL*

■ UNE LECTURE DE L'ŒUVRE

La répétition exacte du premier vers au vers 7 et sa transformation au dernier vers créent le rythme et le mouvement du poème.

Ma pensée est couleur de lumières lointaines,
Du fond de quelque crypte aux vagues profondeurs.
Elle a l'éclat parfois des subtiles verdeurs
D'un golfe où le soleil abaisse ses antennes.

5 En un jardin sonore, au soupir des fontaines,
Elle a vécu dans les soirs doux, dans les odeurs;
Ma pensée est couleur de lumières lointaines,
Du fond de quelque crypte aux vagues profondeurs.

Elle court à jamais les blanches prétentaines,
10 Au pays angélique où montent ses ardeurs,
Et, loin de la matière et des brutes laideurs,
Elle rêve l'essor aux célestes Athènes.

Ma pensée est couleur de lunes d'or lointaines.

■ L'ŒUVRE ET LA DISSERTATION

Montrez comment la présence de synesthésie et la musicalité donnent à ce poème son caractère symboliste.

LA MODERNITÉ
EN THÉORIE

LE CONCEPT

Le concept de « modernité » embrasse des éléments différents selon les époques. Ainsi, l'expression « temps modernes » est souvent utilisée pour désigner le passage du Moyen Âge à la Renaissance ; les XVIIe et XVIIIe siècles sont marqués par la querelle littéraire entre les Anciens et les Modernes ; pour sa part, l'« époque moderne » renvoie aux transformations provoquées par la révolution industrielle. Mais il est un autre courant, appelé « modernité », conséquence de l'époque précédente, qui rend compte de l'ébranlement majeur des certitudes occidentales : c'est de cette modernité-là qu'il est question ici.

FAIRE TABLE RASE

Certains éléments déclencheurs de la modernité sont présentés en début de chapitre, dans la partie réservée au contexte historique. On apprend comment l'édifice institutionnel, victime d'une *tabula rasa* irréversible, cède la place au règne du changement. Mais il est plutôt ironique de constater que la seule assise stable de la modernité est précisément la mouvance, l'instabilité, l'incessante nécessité du changement.

> ● *TABULA RASA*
> L'idée de « faire table rase » des connaissances antérieures, proposée d'abord par René Descartes au XVIIe siècle, est reprise à la fin du XIXe siècle.

LA REMISE EN QUESTION

La rupture avec le passé nécessite une reformulation du présent. Pour ce faire, l'écrivain procède à une remise en question de la littérature, de son fonctionnement, de son rôle, de son influence et de sa nécessité. Observateur de sa propre création, il met en scène le geste même de création. Le narrateur est écrivain de l'œuvre, et le lecteur devient témoin de l'angoissant acte créateur.

LE RÔLE DE LA LITTÉRATURE

À la fin du siècle, la modernité s'est définitivement installée dans les œuvres. La littérature interroge son pouvoir, son devoir et sa création même. L'écrivain observe son œuvre et son acte d'écriture. Il cherche à explorer des avenues inédites afin de renouveler sans cesse les champs possibles de la littérature.

> ● MISE EN ABYME
> André Gide (1869-1951), dans *Paludes* (1895), est le premier à proposer un personnage d'écrivain narrateur écrivant sa propre fiction. C'est ce qu'on nomme la « mise en abyme », un procédé qui consiste à observer une œuvre en train de s'écrire à l'intérieur d'une autre œuvre.

LA MODERNITÉ
EN THÈMES

LA PROVOCATION

La modernité est provocatrice, par nécessité, pourrait-on dire. Elle doit affronter une tradition plusieurs fois séculaire, qui résiste au changement, malgré sa désuétude, notamment dans l'art bourgeois. L'œuvre moderne impose donc un nouvel ordre des choses, et c'est par la provocation, volontaire ou non, parfois brutale, qu'elle peut le faire. Cette provocation, à caractère souvent subversif, peut prendre la forme d'une dénonciation ou d'une déconstruction des règles établies.

LA SUBJECTIVITÉ

Conscient que la perception du monde ne saurait échapper à l'expérience individuelle de chacun, à sa subjectivité propre, l'écrivain moderne choisit d'assumer cette individualité et, à l'opposé de ses prédécesseurs réalistes, présente son récit à travers le prisme de sa subjectivité. C'est souvent là l'intérêt majeur du texte. Ce n'est pas la vérité que l'on offre à lire, mais la vision d'un individu, sa version de la réalité.

La grossièreté du personnage Ubu, d'Alfred Jarry, est justement représentée dans une œuvre surréaliste, qui en montre à la fois le caractère grotesque et la prétention dérisoire.

Max Ernst (1891-1976). *Ubu Imperator* (1923).
Musée national d'Art moderne – Centre Georges Pompidou, Paris, France.

LA MODERNITÉ
EN PERSONNES

QUATRE AUTEURS MODERNES

Stéphane Mallarmé (1842-1898)

Orphelin de mère dès l'âge de 5 ans, Stéphane Mallarmé est mis en pension chez les religieux à 10 ans, après avoir vécu quelques années avec ses grands-parents. Après un séjour en Angleterre, il rentre en France, où il devient professeur d'anglais. Influencé par la poésie de Baudelaire et de Théophile Gautier, il influence à son tour le mouvement symboliste de la fin du siècle. Son poème «L'après-midi d'un faune» (1876) sera illustré par Édouard Manet[1], mis en musique par Claude Debussy (*Prélude à l'après-midi d'un faune*, en 1894) et chorégraphié par Vaslav Nijinski, en 1912.

▶ EXTRAIT, P. 122

Alfred Jarry (1873-1907)

Très tôt, Alfred Jarry se distingue par son intelligence vive et polyvalente, et par son besoin d'originalité. Dès 1893, il se fait connaître par le personnage emblématique du père Ubu, dans une œuvre théâtrale intitulée *Guignol*. Dans *Ubu roi*, présenté en 1896, Alfred Jarry propose une déconstruction systématique des règles, à commencer par celles du drame même. Il fait précéder l'œuvre d'un avertissement intitulé *De l'inutilité du théâtre au théâtre,* dans lequel il souligne le superflu du décor et le peu de pertinence du caractère réaliste de la représentation théâtrale classique. Alfred Jarry est l'inventeur de la pataphysique «science des solutions imaginaires qui accorde symboliquement aux linéaments des propriétés des objets décrits par leur virtualité[2]».

▶ EXTRAIT, P. 120

Colette (1873-1954)

Sidonie Gabrielle Colette, spoliée de ses premières œuvres (la série des *Claudine*, entre autres) par un mari (Willy) qui exploite ses talents d'écrivaine, se sépare de ce dernier pour conquérir sa propre vie, peut-être comme aucune autre femme ne l'avait fait avant elle. Tour à tour artiste de music-hall, comédienne et collaboratrice au journal *Le Matin*, elle connaît une renommée littéraire dans les années 1910 et 1920. Avec *La retraite sentimentale* (1907), *La vagabonde* (1910) et *Mitsou* (1917), Colette marque un tournant dans l'histoire de la littérature féminine.

▶ EXTRAIT, P. 124

Marcel Proust (1871-1922)

Issu d'une famille riche et cultivée — son père est professeur de médecine —, Marcel Proust est de santé précaire. Il côtoie la bonne société, et les personnages de ses œuvres sont régulièrement copiés sur l'une ou l'autre de ses fréquentations influentes. L'œuvre de Proust sera déterminante pour plusieurs générations de romanciers du XXᵉ siècle.

▶ EXTRAIT, P. 126

---

1. Voyez gallicalabs.bnf.fr > L'après-midi d'un faune.
2. Voyez la présentation que fait la Bibliothèque nationale de France de la pataphysique : http://expositions.bnf.fr/utopie/pistes/ateliers/image/fiches/pataphysique.htm

LA MODERNITÉ
EN TEXTES

UBU ROI (1896)
ALFRED JARRY

▶ BIOGRAPHIE, P. 118

■ L'ŒUVRE EN BREF

En 1896, la première représentation de la pièce *Ubu roi* fait scandale et provoque une véritable querelle. Inspiré d'un professeur de physique du collège que fréquente Alfred Jarry, le personnage du père Ubu est, de l'aveu même de l'auteur, la représentation grotesque de la «puissance des appétits inférieurs» présents dans l'être humain. Grossière et provocatrice, la pièce ne choque toutefois pas tant pour cette raison que par le fait de sa grande modernité, et surtout de son dépouillement.

■ UNE LECTURE DE L'ŒUVRE

Le dramaturge Alfred Jarry, qu'on associe à son personnage Ubu tellement celui-ci est mythique, présente, par l'intermédiaire de ce tyran aussi bête que grossier, l'incarnation même de la subversion. La déconstruction du langage qu'on observe se manifeste tant dans la grossièreté de celui-ci que dans la déformation des mots et les néologismes.

EXTRAIT

Acte I, scène 1

PÈRE UBU, MÈRE UBU

PÈRE UBU. — Merdre !

MÈRE UBU. — Oh ! voilà du joli, Père Ubu, vous estes un fort grand voyou.

PÈRE UBU. — Que ne vous assom'je, Mère Ubu !

MÈRE UBU. — Ce n'est pas moi, Père Ubu, c'est un autre qu'il faudrait assassiner.

5 PÈRE UBU. — De par ma chandelle verte, je ne comprends pas.

MÈRE UBU. — Comment, Père Ubu, vous estes content de votre sort ?

PÈRE UBU. — De par ma chandelle verte, merdre, madame, certes oui, je suis content. On le serait à moins : capitaine de dragons, officier de confiance du roi Venceslas, décoré de l'ordre de l'Aigle Rouge de Pologne et ancien roi d'Aragon, que voulez-vous de mieux ?

10 MÈRE UBU. — Comment ! Après avoir été roi d'Aragon vous vous contentez de mener aux revues une cinquantaine d'estafiers armés de coupe-choux, quand vous pourriez faire succéder sur votre fiole la couronne de Pologne à celle d'Aragon ?

PÈRE UBU. — Ah ! Mère Ubu, je ne comprends rien de ce que tu dis.

MÈRE UBU. — Tu es si bête !

15 PÈRE UBU. — De par ma chandelle verte, le roi Venceslas est encore bien vivant ; et même en admettant qu'il meure, n'a-t-il pas des légions d'enfants ?

MÈRE UBU. — Qui t'empêche de massacrer toute la famille et de te mettre à leur place ?

PÈRE UBU. — Ah ! Mère Ubu, vous me faites injure et vous allez passer tout à l'heure par la casserole.

20 MÈRE UBU. — Eh ! pauvre malheureux, si je passais par la casserole, qui te raccommoderait tes fonds de culotte ?

PÈRE UBU. — Eh vraiment ! et puis après ? N'ai-je pas un cul comme les autres ?

MÈRE UBU. — À ta place, ce cul, je voudrais l'installer sur un trône. Tu pourrais augmenter indéfiniment tes richesses, manger fort souvent de l'andouille et rouler carrosse par les rues.

25 PÈRE UBU. — Si j'étais roi, je me ferais construire une grande capeline comme celle que j'avais en Aragon et que ces gredins d'Espagnols m'ont impudemment volée.

MÈRE UBU. — Tu pourrais aussi te procurer un parapluie et un grand caban qui te tomberait sur les talons.

PÈRE UBU. — Ah ! je cède à la tentation. Bougre de merdre, merdre de bougre, si jamais je le
30 rencontre au coin d'un bois, il passera un mauvais quart d'heure.

MÈRE UBU. — Ah ! bien, Père Ubu, te voilà devenu un véritable homme.

PÈRE UBU. — Oh non ! moi, capitaine de dragons, massacrer le roi de Pologne ! plutôt mourir !

MÈRE UBU. *à part.* — Oh ! merdre ! (*Haut.*) Ainsi, tu vas rester gueux comme un rat, Père Ubu ?

PÈRE UBU. — Ventrebleu, de par ma chandelle verte, j'aime mieux être gueux comme un maigre
35 et brave rat que riche comme un méchant et gras chat.

MÈRE UBU. — Et la capeline ? et le parapluie ? et le grand caban ?

PÈRE UBU. — Eh bien, après, Mère Ubu ?

Il s'en va en claquant la porte.

MÈRE UBU, *seule.* — Vrout, merdre, il a été dur à la détente, mais vrout, merdre, je crois pourtant l'avoir ébranlé. Grâce à Dieu et à moi-même, peut-être dans huit jours serai-je reine de Pologne.

▇ L'ŒUVRE ET SON TEMPS

Depuis la fin de la guerre franco-prussienne, des ententes assurent aux grandes nations d'Europe certaines protections mutuelles, notamment la Triplice (ou Triple-Alliance) – qui unit l'Allemagne, l'Autriche-Hongrie et l'Italie depuis 1882 – et l'Alliance franco-russe de 1892 – que l'Allemagne voit d'un mauvais œil. La soif de pouvoir et les nationalismes grandissants laissent présager le conflit dévastateur du début du XXe siècle. C'est une violente dénonciation de cette soif de pouvoir qui parcourt l'œuvre de Jarry.

▇ L'ŒUVRE ET LA DISSERTATION

On doit à Jarry le néologisme «ubuesque», qui signifie à la fois grotesque, vulgaire et cruel. Montrez dans l'extrait la pertinence de cet adjectif.

UN COUP DE DÉS JAMAIS N'ABOLIRA LE HASARD (1897)
STÉPHANE MALLARMÉ   ▶ BIOGRAPHIE, P. 118

■ L'ŒUVRE EN BREF

Sont reproduites ici les pages 1, 2, 9 et 17 de ce long poème qui annonce l'éclatement du genre poétique au début du XXe siècle. C'est ainsi parsemés qu'on retrouve les éléments du titre, dans une recherche aléatoire, à l'image du hasard, pourrait-on dire.

■ UNE LECTURE DE L'ŒUVRE

Pour Stéphane Mallarmé, il importe en poésie de surprendre le lecteur en utilisant un mot connu de façon telle que celui-ci lui semblera nouveau. L'effet de surprise est aussi créé par l'organisation spatiale du poème. Mallarmé est le premier, avant Apollinaire, à déconstruire la structure classique du poème, et cette déconstruction va bien au-delà du vers-librisme qui a cours à cette époque.

EXTRAIT

UN COUP DE DÉS

JAMAIS

QUAND BIEN MÊME LANCÉ DANS DES CIRCONSTANCES
ÉTERNELLES

DU FOND D'UN NAUFRAGE

L'ŒUVRE ET SON TEMPS

Si l'art subversif et exploratoire est peu prisé à la fin du XIXe siècle — l'État bourgeois encourageant alors un art conventionnel —, son génie lui permet de traverser plus sûrement les époques
et de nous arriver en tant que précurseur de la littérature contemporaine.

L'ŒUVRE ET LA DISSERTATION

En lisant le poème entier[1], on peut constater combien le texte moderne cherche à proposer une
vision déstabilisante pour le lecteur. Démontrez cette affirmation.

---

1. Voyez www.gallica.bnf.fr > Un coup de dés jamais n'abolira le hasard.

 **LA RETRAITE SENTIMENTALE** (1907)
COLETTE

▶ BIOGRAPHIE, P. 119

■ L'ŒUVRE EN BREF

Empreint de sensualité et de déterminisme, ce roman autobiographique marque un tournant dans l'œuvre de Colette, qui se libère alors de l'emprise de Willy, dont elle a divorcé l'année précédente.

■ UNE LECTURE DE L'ŒUVRE

Si les descriptions minutieuses de Colette ne sont pas sans rappeler celles des auteurs réalistes, le propos intime l'en distingue. Il serait en effet facile de confondre ici l'auteure Colette Willy et son personnage Claudine, au milieu d'un décor pastoral où l'être humain domestiqué (ou l'être civilisé), à l'image des rosiers en friche, perd de sa force au profit de la nature.

EXTRAIT

Le mur de clôture s'écroule sur la route, la vigne vierge anémie sournoisement les glycines, et les rosiers qu'on ne renouvelle pas dédoublent leurs fleurs, redeviennent églantiers. Du labyrinthe, puérilement dessiné par le grand-père d'Annie, il reste un fouillis d'érables, d'alisiers, de taillis de ce qu'on nomme à Montigny «pulains», des
5 bosquets de weigelas démodés. Les sapins ont cent ans et ne verront pas un autre siècle, parce que le lierre gaine leurs troncs et les étouffe… Quelle main sacrilège tourna sur son socle la dalle d'ardoise du cadran solaire, qui marque midi à deux heures moins le quart?

[…]

10 La maison d'Annie est une basse vieille maison à un étage, chaude l'hiver et fraîche l'été, un logis sans atours, non sans grâce. Le petit fronton de marbre sculpté — trouvaille d'un grand-père nourri de bonnes lettres — s'écaille et moisit, tout jaune, et, sous les cinq marches descellées du perron, un crapaud chante le soir, d'un gosier amoureux et plein de perles. Au crépuscule, il chasse les derniers moucherons, les
15 petites larves qui gîtent aux fentes des pierres. Déférent, mais rassuré, il me regarde de temps en temps, puis s'appuie d'une main humaine contre le mur, et se soulève debout pour happer… j'entends le «mop» de sa bouche large… Quand il se repose, il a un tel mouvement de paupières, pensif et hautain, que je n'ai pas encore osé lui adresser la parole… Annie le craint trop pour lui faire du mal.

20 […]

«Annie, que j'aime Casamène[1]!

Oui ? quel bonheur ! »

Elle est sincère et tendre, toute brune dans la rose lumière.

« Je l'aime, figurez-vous, comme une chose à moi ! »

25 Le bleu de ses yeux se fonce légèrement : c'est sa manière à elle de rougir…

« …Vous, Annie, vous ne trouvez pas que Casamène est une des passionnantes et mélancoliques extrémités du monde, un gîte aussi fini, aussi loin du présent que ce daguerréotype[2] de votre grand-père ? »

Elle hésite :

30 « Oui, autrefois je l'ai aimé, quand j'étais petite. Je croyais au labyrinthe, à l'infini de l'allée qui revient sur elle-même… On m'a dégoûtée de Casamène. Je m'y repose… je m'y pose… là ou ailleurs !… »

— Incroyable ! dis-je en secouant la tête. C'est un endroit que je ne voudrais céder à personne ; si j'avais Casamène…

35 — Vous l'avez, dit-elle doucement.

— Oui, je l'ai… et vous avec… mais…

— Casamène est à vous, insiste Annie avec sa douceur têtue. Je vous le donne.

— Petite toquée, va !

— Non, non, pas si toquée ! Vous verrez, je vous donnerai Casamène, quand
40 je repartirai… »

■ L'ŒUVRE ET SON TEMPS

Le journalisme : une voix pour les femmes Le journal *La Fronde*, fondé en 1897, est exclusivement rédigé et géré par des femmes. En 1900, l'équipe de rédaction organise un congrès féministe et revendique le droit pour les femmes de pratiquer des professions libérales. Elle appuiera aussi les suffragettes (nom donné aux femmes britanniques qui ont revendiqué le droit de vote dès 1903) dans leur démarche. Le droit de vote sera accordé aux femmes en 1918 au Canada, en 1940 au Québec et en 1944 en France. Elles s'en prévaudront aux élections de 1945.

■ L'ŒUVRE ET LA DISSERTATION

La nature, grâce au temps, reprend ses droits dans cet extrait sur le travail de l'être humain. Montrez comment cet abandon permet la résurgence du passé.

---

1. Nom d'une vallée à Besançon, en France.
2. Procédé primitif de la photographie.

DU CÔTÉ DE CHEZ SWANN,
DANS *À LA RECHERCHE DU TEMPS PERDU* (1913)
MARCEL PROUST

► BIOGRAPHIE, P. 119

■ L'ŒUVRE EN BREF

À la recherche du temps perdu est un roman composé de sept tomes, dont trois posthumes. Ils s'échelonnent de 1913 à 1922, chacun marquant un moment significatif de l'expérience de vie du narrateur, qui fait en même temps l'expérience de l'écriture. *Du côté de chez Swann* est le premier tome.

L'histoire de la madeleine de Marcel Proust est célèbre dans la littérature. Un élément anodin devient le déclencheur de la résurgence, d'abord anarchique, d'éléments encore insaisissables d'un passé qu'on croyait à jamais enfoui, dont on ne soupçonnait même plus l'existence.

■ UNE LECTURE DE L'ŒUVRE

MÉMOIRE ET RÉSURGENCE C'est par un lent travail de recherche intérieure et d'écriture que le passé du narrateur pourra renaître un moment, puis s'immortaliser comme l'auteur l'aura décidé. Cette œuvre, dans laquelle le lecteur est amené à considérer la subjectivité de celui qui le guide dans le récit, se révèle foncièrement novatrice à plusieurs égards : d'abord, il s'agit davantage de l'exposition des impressions ressenties par le narrateur que du récit à proprement parler d'une suite d'événements ; ensuite, le lecteur s'égare avec ce narrateur, au gré de son point de vue.

Claude Monet (1840-1926). *Le jardin de l'artiste à Argenteuil (Un coin du jardin avec des dahlias)* (1873). National Gallery of Art, Washington, États-Unis.

EXTRAIT

Il y avait déjà bien des années que, de Combray, tout ce qui n'était pas le théâtre et le drame de mon coucher, n'existait plus pour moi, quand un jour d'hiver, comme je rentrais à la maison, ma mère, voyant que j'avais froid, me proposa de me faire prendre, contre mon habitude, un peu de thé. Je refusai d'abord et, je ne sais pourquoi, me ravisai. Elle envoya chercher un de ces gâteaux courts et dodus appelés Petites Madeleines qui semblent avoir été moulés dans la valve rainurée d'une coquille de Saint-Jacques. Et bientôt, machinalement, accablé par la morne journée et la perspective d'un triste lendemain, je portai à mes lèvres une cuillerée du thé où j'avais laissé s'amollir un morceau de madeleine. Mais à l'instant même où la gorgée mêlée des miettes du gâteau toucha mon palais, je tressaillis, attentif à ce qui se passait d'extraordinaire en moi. Un plaisir délicieux m'avait envahi, isolé, sans la notion de sa cause. Il m'avait aussitôt rendu les vicissitudes de la vie indifférentes, ses désastres inoffensifs, sa brièveté illusoire, de la même façon qu'opère l'amour, en me remplissant d'une essence précieuse : ou plutôt cette essence n'était pas en moi, elle était moi. J'avais cessé de me sentir médiocre, contingent, mortel. D'où avait pu me venir cette puissante joie ? Je sentais qu'elle était liée au goût du thé et du gâteau, mais qu'elle le dépassait infiniment, ne devait pas être de même nature. D'où venait-elle ? Que signifiait-elle ? Où l'appréhender ? Je bois une seconde gorgée où je ne trouve rien de plus que dans la première, une troisième qui m'apporte un peu moins que la seconde. Il est temps que je m'arrête, la vertu du breuvage semble diminuer. Il est clair que la vérité que je cherche n'est pas en lui, mais en moi.

■ L'ŒUVRE ET SON TEMPS

De 1895 à 1914, malgré les tensions politiques qui marquent l'Europe, les avancées scientifiques et technologiques permettent une qualité de vie nettement supérieure à celle des années précédentes. C'est la Belle Époque. L'enthousiasme et l'insouciance la caractérisent, et les hommes qui survivront aux horreurs de la Grande Guerre se rappelleront avec nostalgie ces moments précieux. L'œuvre de Proust transporte le lecteur dans ces années lumineuses.

■ L'ŒUVRE ET LA DISSERTATION

Montrez comment le narrateur, par divers indices sensoriels, fait à la fois renaître le passé et naître la fiction.

CHAPITRE **3**

LE
TEMPS
DES
ENGAGEMENTS

Robert Delaunay (1885-1941).
Drame politique (1914).
National Gallery of Art,
Washington, États-Unis.

Repères historiques

L'ARMISTICE D'UNE PREMIÈRE GUERRE

Le 11 novembre 1918, les cloches des églises de France retentissent pour annoncer l'arrêt des combats les plus affligeants que l'Europe ait connus jusqu'alors. C'est l'armistice. Six mois plus tard, le 28 juin 1919, le traité de Versailles proclame officiellement la fin de la Grande Guerre, qui aura fait treize millions de morts (un million quatre-cent-mille en France). Après des années de censure et de rationnement, la population civile retrouve la liberté, et tous s'empressent de participer à l'effervescence qui gagne rapidement l'Europe, tentant ainsi de renouer avec le dynamisme qui avait précédé la guerre.

LA MARQUE D'UNE LONGUE BLESSURE

Si, pendant quelque temps, on peut espérer une cicatrisation rapide et peu douloureuse des blessures causées par la guerre de 1914-1918, c'est qu'on évalue mal le cauchemar vécu par la jeune génération, qui n'arrive pas à s'en extirper. Première expérience de vie de millions de jeunes adultes (nombre d'entre eux n'ont même pas 20 ans), l'horreur des tranchées de la «sale guerre», ainsi qu'on l'appelle, a provoqué chez eux un indescriptible désarroi qui domine encore leurs pensées et les empêche de vivre l'insouciante exubérance des autres. Les écrivains et les artistes issus de cette génération sont le témoignage vivant de ce cauchemar.

Malgré le serment populaire affirmant que la guerre de 1914-1918 serait «la der des ders» («la dernière des dernières» selon l'expression utilisée par les soldats puis reprise par l'ensemble de la population), des relents de tension politique recommencent à miner l'Europe dès les années 1920. Imputant la responsabilité de la guerre à la cupidité inhérente au capitalisme libéral, des intellectuels voient dans le socialisme soviétique[1] une solution de rechange en même temps qu'un espoir de corriger les injustices de l'exploitation bourgeoise. Le fascisme s'installe en Italie en 1922. L'Allemagne, qui paie très cher l'initiative de la guerre depuis la signature du traité de Versailles[2], s'appauvrit considérablement jusqu'en 1924, tandis que commence à sourdre un désir de vengeance engendré par l'humiliation subie. Par ailleurs, la crise économique provoquée par le krach boursier de New York, en 1929, a des conséquences immédiates dans le vieux continent (dès 1930 en Allemagne et dès 1931 en France), alors qu'elle réinstalle le chômage et la misère dans un Occident qu'on croyait, depuis la fin de la guerre, à l'abri de ces maux.

Les années 1930 s'ouvrent donc sans surprise sur un effort des peuples pour s'extirper de cette misère en s'abandonnant parfois au despotisme politique. Mussolini poursuit son règne autoritaire en Italie, tandis qu'en Allemagne on assiste à la montée d'un mouvement nationaliste qui culmine en 1933, porté par la hargne vengeresse et l'aveuglement patriotique d'Hitler. La répression exercée sur les Juifs par les nazis laisse présager l'horreur des années suivantes. En Espagne, la guerre civile (de 1936 à 1939) donne lieu à l'instauration d'un régime autoritaire dirigé par Franco.

En 1939, l'Allemagne envahit la Pologne. Personne ne s'étonne que la France et le Royaume-Uni déclarent la guerre à l'envahisseur allemand; c'est le début de la Seconde

LA CHUTE DE LA RÉPUBLIQUE

Toutefois, du côté franco-britannique, on a sous-estimé la puissance de l'armée allemande, qui entre dans Paris le 14 juin 1940 et le déclare «ville ouverte». Paris sera la capitale de la zone occupée, et la résistance s'y organise.

Le maréchal Pétain, qui a accepté la fin des hostilités avec l'Allemagne, dirige alors depuis Vichy, dans la zone sud de la France — aussi appelée, paradoxalement, la France libre —, ce qu'on appelle «le gouvernement de Vichy», lequel met fin à la Troisième République. Les valeurs nationales prônées par ce nouveau gouvernement marquent un virage important. En effet, la devise républicaine «Liberté, Égalité, Fraternité», si chère aux Français depuis la révolution de 1789, est remplacée par une autre, à connotation beaucoup plus patriarcale que démocratique: «Travail, Famille, Patrie». Quant à la liberté d'expression, elle n'existe dorénavant qu'à l'intérieur des limites fixées par le discours de la propagande.

Première affiche de l'appel du 18 Juin 1940 par le général de Gaulle (1940). Fondation et Institut Charles de Gaulle, Paris, France.

L'APRÈS-GUERRE

Paris sera libéré le 25 août 1944, mais au sortir de la guerre la nation réunifiée n'en demeure pas moins déchirée. Ceux qui ont résisté à l'occupation allemande se vengent sévèrement de ceux qui ont collaboré avec le régime nazi, soit en encourageant les valeurs de celui-ci, soit en lui livrant des Juifs ou en dénonçant les membres de la Résistance. En 1945 et 1946, alors que le procès de Nuremberg contre les criminels nazis met au jour l'horreur des camps de concentration, l'Occident consterné doit déjà faire face à l'armement nucléaire américain et bientôt (en 1947), à la réalité de la guerre froide entre l'URSS et les États-Unis.

La révolution d'octobre 1917 et la proclamation en 1922 de l'Union des républiques socialistes soviétiques ont fait de l'URSS la plus vaste nation du monde.

Consultez le site suivant : www.nobel-paix.ch/paix_p1/traitver.htm

LIESSE COLLECTIVE ET BOUILLONNEMENT CULTUREL

Après la Première Guerre mondiale, l'Europe se découvre un engouement sans précédent pour les manifestations culturelles, dont le rôle d'exutoire est incontestable. Dans le Paris des *années folles* (ainsi qu'on nomme les années 1920) — et plus particulièrement dans le quartier Montparnasse —, la culture «classique» côtoie joyeusement la culture populaire exprimée notamment par le jazz, la chanson et le cinéma. Ainsi, le music-hall, le cirque et le ballet, surtout, permettent la rencontre de différents arts, et les boîtes de nuit deviennent les lieux privilégiés où se réunissent créateurs et artistes. Les peintres, écrivains, architectes, musiciens et cinéastes qui ont quitté Paris durant la Grande Guerre, ou qui s'y sont installés après celle-ci, travaillent de concert à renouveler les courants artistiques et littéraires.

DADAÏSME ET SURRÉALISME
EN THÉORIE

LES MANIFESTES[1] ET LA RÉVOLTE

L'horreur engendrée par la Première Guerre mondiale se traduit dans les milieux intellectuels par des manifestations de révolte contre l'ensemble des institutions, y compris les institutions artistiques. Les artistes et les intellectuels occupent le domaine public dans le but avoué de choquer et de répondre, au début du moins, à la violence par la violence — picturale ou langagière —, la destruction et la dérision. Deux mouvements, le dadaïsme et le surréalisme, se succèdent dans les années 1910 et 1920, le second trouvant sa source dans la dimension moins nihiliste du premier.

L'ORIGINE DE DADA

Le terme «Dada» n'a, semble-t-il, aucun sens précis. Il aurait été choisi au hasard par Tristan Tzara, intellectuel d'origine roumaine et initiateur du mouvement, qui aurait simplement pointé un crayon dans un dictionnaire. Le dadaïsme naît en 1916 autour de Tzara, à Zurich en Suisse, terre d'exil pour maints artistes durant la guerre. Il

> «Dada place avant l'action et au-dessus de tout: le doute.
>
> Dada doute de tout. Dada est tatou. Tout est Dada. Méfiez-vous de Dada.»
>
> *Tristan Tzara*

trouve son écho à New York, avec Francis Picabia et Marcel Duchamp, deux peintres controversés, puis en Allemagne, pour s'épanouir finalement à Paris en 1920, où il s'éteint quatre ans plus tard.

---

1. Exposé théorique par lequel des personnalités ou des groupes lancent un mouvement littéraire ou artistique.

LE SURRÉALISME ET LE RÔLE DE LA LITTÉRATURE

L'engagement des surréalistes, à la fois poétique et politique, trouve bien son écho dans ces cris de ralliement empruntés à Rimbaud et à Marx. Comme le dadaïsme, le mouvement surréaliste découle d'une volonté de révolutionner l'art, à cette différence qu'il est plus constructif. Et la poésie qui émerge de ce nouveau mouvement donne lieu à des transformations dorénavant incontournables pour les poètes du XXᵉ siècle.

● «Transformer la vie.»
Arthur Rimbaud

«Changer le monde.»
Karl Marx

LA DÉFINITION DU SURRÉALISME

Regroupant à tour de rôle ou en même temps un grand nombre des poètes et des artistes de l'époque, le surréalisme est défini par André Breton, dans son premier *Manifeste du surréalisme* (1924), comme un «automatisme psychique pur par lequel on se propose d'exprimer, soit verbalement, soit de toute autre manière, le fonctionnement réel de la pensée. Dictée de la pensée, en l'absence de tout contrôle exercé par la raison, en dehors de toute préoccupation esthétique ou morale». Cette définition montre bien l'intérêt de son auteur pour la psychanalyse et laisse entendre une écriture plus vraie qu'une autre, qui serait celle de l'inconscient.

ENGAGEMENT POLITIQUE OU SPIRITUEL?

Le surréalisme est marqué par des hauts et des bas, par des guerres intestines, des dissensions, des incompréhensions, des exclusions. Entre autres épisodes, on retient la démission spectaculaire, en 1926, du très talentueux et non moins tourmenté Antonin Artaud, alors directeur du

Francis Picabia (1879-1953). *Idylle* (1927). Musée de Grenoble, Grenoble, France.

bureau des recherches surréalistes. Poète, comédien, dramaturge et théoricien de cette dramaturgie, qu'il souhaite voir revenir à sa fonction sacrée, Artaud s'insurge contre l'engagement politique du groupe surréaliste. Selon lui, la révolution surréaliste doit être spirituelle et non politique.

LA LITTÉRATURE EN TANT QUE CRÉATRICE DE VIE

Souvent limitée à une fonction mimétique, la littérature n'est dorénavant plus astreinte à un pâle rôle de reproduction de la réalité, que la photographie d'ailleurs réussit à présenter bien mieux que tout autre art. La littérature est créatrice, elle fait la vie, en ce sens qu'elle oblige à porter un regard sans cesse renouvelé sur les choses, sur les mots. Si le mot a toujours eu le rôle d'évoquer des concepts, il devient maintenant un objet, l'élément d'une image.

LE JEU SURRÉALISTE

De facture ludique (Breton parle du «jeu surréaliste»), la poésie surréaliste peut à certains moments prendre des formes étonnantes :

- Cadavre exquis : Jeu surréaliste qui consiste à composer une phrase en écrivant un mot sur un papier que l'on plie avant de le passer au joueur suivant (*Le Petit Robert*).
- Contrepèterie : Inversion des lettres ou des syllabes d'un ensemble de mots spécialement choisis, afin d'en obtenir d'autres dont l'assemblage a également un sens, de préférence burlesque ou grivois (*Le Petit Robert*).

DADAÏSME ET SURRÉALISME
EN THÈMES

Le premier thème présenté est observé dans les œuvres dadaïstes, tandis que les suivants sont essentiellement tirés des œuvres surréalistes.

LA DESTRUCTION ET LA DÉRISION

Les auteurs dada se donnent pour mission de saboter autant l'art bourgeois que la bourgeoisie elle-même. La dérision et la provocation en tous genres deviennent un moyen de montrer ce que la société a engendré d'intolérable en ce début de XXe siècle.

LES RENCONTRES INSOLITES ET LA PART DU RÊVE

L'univers surréaliste accorde une place importante aux phénomènes étranges, voire paranormaux, susceptibles de se manifester au cœur du quotidien. Poursuivant la logique de la pensée symboliste, les surréalistes croient que la réalité se cache derrière des dehors anodins et qu'il faut l'en extraire. Breton parle de «débusquer le réel» pour en dégager le *surréel*. Les rencontres inattendues, étranges ou insolites dans l'univers quotidien permettent de côtoyer la dimension onirique ou occulte de la vie.

LE HASARD OBJECTIF

La notion de «hasard objectif», proposée par Breton, est liée aux coïncidences entre le désir et la réalité. Selon cette idée, certains événements, en apparence fortuits, découlent en fait d'une logique qui nous force à y reconnaître un message émanant de nos désirs.

LA JUXTAPOSITION D'ÉLÉMENTS DISPARATES

S'attachant à reconsidérer le quotidien qui nous entoure et que nous n'observons plus, les peintres surréalistes en ont réaménagé les éléments dans un environnement inattendu. Les poètes ont fait un exercice semblable en associant des mots représentant des réalités en apparence disparates, provoquant ainsi des révélations fulgurantes, en partie issues de l'inconscient. Cette juxtaposition d'éléments disparates vise davantage les caractéristiques formelles que les thèmes. L'écriture automatique constitue l'expression extrême de cette approche, mais on peut supposer que la plupart des poètes ont travaillé davantage leurs textes, et que le résultat final n'est pas tout à fait le fruit de l'inconscient pur.

Joan Miró (1893-1983). *Peinture (Escargot, femme, fleur, étoile)* (1934).
Museo Nacional Centro de Arte Reina Sofia, Madrid, Espagne.

DADAÏSME ET SURRÉALISME
EN PERSONNES

Francis Picabia (1879-1953)

Francis Picabia est d'abord artiste peintre. Il nait et meurt à Paris, mais a résidé à Barcelone et à New-York, où il explore dans les années 1910 la peinture « mécanomorphique », un style qui témoigne d'une fascination pour l'objet mécanique. À partir de 1919, il est de retour à Paris et participe au mouvement dada aux côtés de Tristan Tzara et de Marcel Duchamp. Il réalise alors des œuvres picturales et poétiques.
➤ EXTRAIT, P. 140

Guillaume Apollinaire (1880-1918)

Bien qu'il soit mort trop tôt pour participer aux manifestations surréalistes, Guillaume Apollinaire est tout de même considéré comme un précurseur du mouvement. Encore jeunes dans les années 1910, les futurs fondateurs le prennent pour modèle. C'est à lui qu'on doit le terme « surréaliste », qu'il emploie pour qualifier sa pièce *Les mamelles de Tirésias*, qu'il a lui-même mise en scène en 1917.
➤ EXTRAIT, P. 138

Paul Éluard (1895-1952)

Paul Éluard a vécu une histoire d'amour déterminante, comme en témoigne l'œuvre qu'il fait paraître en 1926. Helena Diakonova, qu'il épouse en 1917, portera le pseudonyme qu'il a choisi de lui donner, Gala. Devenue la muse de plusieurs surréalistes, elle quitte Éluard en 1924 pour le peintre Salvador Dali. Dans *Capitale de la douleur*, le poète tente d'exorciser la douleur de cette séparation.
➤ EXTRAITS, P. 146 ET 176

André Breton (1896-1966)

André Breton consacre une part considérable de sa vie au mouvement surréaliste, qu'il a lui-même fondé et qu'il s'est donné pour mission de promouvoir. Il s'intéresse à la notion d'inconscient proposée par la psychanalyse et qui ne semble nulle part aussi accessible que dans la poésie, laquelle selon lui doit être moins soucieuse de faire beau que de faire vrai. Homme entier et politiquement engagé, Breton pousse la défense de ses idées jusqu'à se brouiller définitivement avec des amis de longue date, tels les écrivains Aragon et Éluard.
➤ EXTRAITS, P. 142 ET 148

Louis Aragon (1897-1982)

Aragon est l'un des fondateurs du mouvement surréaliste, avec André Breton et Philippe Soupault. L'influence marquante d'un amour qui ne se terminera qu'avec la mort crée une véritable fusion entre Louis Aragon et l'écrivaine Elsa Triolet, qu'il rencontre en 1928 et à qui il dédie une partie considérable de son œuvre (*Cantique à Elsa* et *Les yeux d'Elsa* [1942], *Elsa* [1959], *Le fou d'Elsa* [1963] et *Il ne m'est Paris que d'Elsa* [1964]).

▶ Extrait, p. 144

Robert Desnos (1900-1945)

Le poète Robert Desnos aurait été capable de créer dans cet état de sommeil hypnotique qui laisse l'inconscient se manifester et auquel aspirent tous les surréalistes. Desnos devient, pour cette raison, la figure emblématique du mouvement. L'auteur poursuit néanmoins un travail d'écriture plus lyrique. En 1930, il fait paraître son recueil intitulé *Corps et biens*. Desnos connaît une fin tragique : prisonnier dans un camp de concentration nazi, il mourra la veille de la libération de ce camp en 1945.

▶ Extraits, p. 150 et 152

Paul-Émile Borduas (1905-1960)

Auteur du manifeste québécois intitulé *Refus global*, Paul-Émile Borduas est aussi et avant tout peintre, sculpteur et professeur à l'École du meuble de Montréal. Il perd cet emploi au lendemain du lancement du manifeste cosigné par plusieurs écrivains et artistes, dont il est en quelque sorte le chef de file. Son œuvre picturale est l'une des plus importantes du mouvement automatiste au Québec.

▶ Extrait, p. 154

DADAÏSME ET SURRÉALISME
EN TEXTES

LA CRAVATE ET LA MONTRE, DANS *CALLIGRAMMES* (1918)
GUILLAUME APOLLINAIRE

► BIOGRAPHIE, P. 136

■ L'ŒUVRE EN BREF

Dans son recueil *Calligrammes*, paru en 1918, Apollinaire force le lecteur non seulement à donner un sens révélé au mot, mais à lui attribuer une force évocatrice, une fonction visuelle, un rôle spatial, cherchant ainsi à l'arracher à sa fonction traditionnelle.

■ UNE LECTURE DE L'ŒUVRE

Dans *Calligrammes*, le mot n'est plus au service de l'idée : il est l'objet même de la visualisation. On repousse les limites du concept de « mot-objet » en donnant à celui-ci le rôle du trait qui forme l'image en même temps qu'il la décrit.

Cette prémonition cauchemardesque présente un échafaudage de membres mutilés, vision saisissante de la guerre civile espagnole.

Salvador Dali (1904-1989). *Construction molle aux haricots bouillis : prémonition de la Guerre civile* (1936). Philadelphia Museum of Art, Philadelphie, États-Unis.

POÈME   *LA CRAVATE ET LA MONTRE*

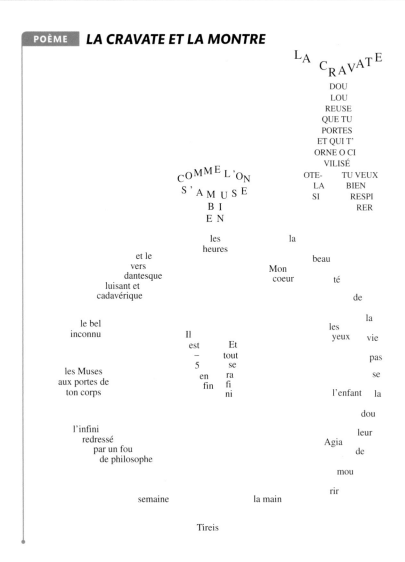

■ L'ŒUVRE ET SON TEMPS

Après le cauchemar de la guerre dont il vient d'émerger, l'Occident ne demande plus qu'à s'amuser. Pourtant, au-delà de la liesse qui s'exprime dans les nuits folles de Paris, une préoccupation profonde subsiste, qui revient constamment hanter les esprits : celle du sort de la civilisation occidentale et du bien-fondé de son existence. Cette interrogation est en quelque sorte la cicatrice laissée par la guerre.

■ L'ŒUVRE ET LA DISSERTATION

Montrez comment, par le jeu visuel et le texte qui le sous-tend, le poème condamne les valeurs de son époque.

MANIFESTE CANNIBALE DADA (1920)
FRANCIS PICABIA

▶ BIOGRAPHIE, P. 136

■ L'ŒUVRE EN BREF

Paru dans la revue *DADAphone* (n° 7) de mars 1920, le poème sera lu par André Breton le 27 mars au Théâtre de l'œuvre, à l'occasion de la troisième soirée DADA à Paris.

■ UNE LECTURE DE L'ŒUVRE

Le texte de ce manifeste est aussi cru que provocateur, autant par son vocabulaire que par son rythme saccadé. Les nombreuses répétitions de termes donnent une impression de martèlement, comme si son auteur tentait de frapper ses lecteurs, qu'il interpelle brutalement.

POÈME

Vous êtes tous accusés ; levez-vous. L'orateur ne peut vous parler que si vous êtes debout.
Debout comme pour la Marseillaise,
debout comme pour l'hymne russe,
5 debout comme pour le God save the king,
debout comme devant le drapeau.
Enfin debout devant DADA qui représente la vie etqui vous accuse de tout aimer par snobisme, du moment que cela coûte cher.
Vous vous êtes tous rassis ? Tant mieux, comme cela vous allez m'écouter avec
10 plus d'attention. Que faites-vous ici, parqués comme des huîtres sérieuses — car vous êtes sérieux — n'est-ce pas ?
Sérieux, sérieux, sérieux jusqu'à la mort.
La mort est une chose sérieuse, hein ?
On meurt en héros, ou en idiot ce qui est même chose. Le seul mot qui ne soit pas
15 éphémère c'est le mot mort. Vous aimez la mort pour les autres.
À mort, à mort, à mort.
Il n'y a que l'argent qui ne meurt pas, il part seulement en voyage.
C'est le Dieu, celui que l'on respecte, le personnage sérieux
— argent respect des familles. Honneur, honneur à l'argent ; l'homme qui a de
20 l'argent est un homme honorable.
L'honneur s'achète et se vend comme le cul. Le cul, le cul représente la vie comme les pommes frites, et vous tous qui êtes sérieux, vous sentirez plus mauvais que la merde de vache.

DADA lui ne sent rien, il n'est rien, rien, rien.

25 Il est comme vos espoirs : rien

comme vos paradis : rien

comme vos idoles : rien

comme vos hommes politiques : rien

comme vos héros : rien

30 comme vos artistes : rien

comme vos religions : rien

Sifflez, criez, cassez-moi la gueule et puis, et puis ? Je vous dirai encore que vous êtes tous des poires. Dans trois mois nous vous vendrons, mes amis et moi, nos tableaux pour quelques francs.

■ L'ŒUVRE ET SON TEMPS

LE MOUVEMENT NIHILISTE DADA Tristan Tzara proclame sa volonté de démanteler, pourrait-on dire, l'ordre social (il dénonce les valeurs bourgeoises avec une verve véhémente) et d'attaquer les théories esthétiques sur l'art et la littérature. Sept manifestes paraissent entre 1916 et 1924.

■ L'ŒUVRE ET LA DISSERTATION

Montrez comment le texte installe une distance idéologique entre le mouvement dada et la société bourgeoise de l'époque.

MODE D'ÉCRITURE AUTOMATIQUE,
DANS LE PREMIER *MANIFESTE DU SURRÉALISME* (1924)
ANDRÉ BRETON

► BIOGRAPHIE, P. 136

■ L'ŒUVRE EN BREF

La parution de ce premier *Manifeste du surréalisme* lance officiellement le mouvement du même nom. André Breton y propose un véritable mode d'écriture automatique, qui permettrait à l'inconscient de s'inscrire de lui-même dans l'œuvre. Selon lui, la poésie n'est pas l'apanage de l'écrivain professionnel, puisque chacun peut y accéder, pourvu qu'il laisse la «vérité» surgir d'elle-même.

■ UNE LECTURE DE L'ŒUVRE

L'extrait du manifeste annonce ce que sera le poème automatiste. Il ne s'agira pas d'une œuvre cohérente et structurée selon des règles de versification ou relevant de quelque autre logique. Le poème doit être le fruit d'un seul jet d'écriture, que son auteur exécute dans un état semblable à celui du rêve afin de laisser s'exprimer l'inconscient. C'est ainsi qu'il sera possible, comme l'affirme Breton, de «débusquer le réel».

EXTRAIT

Faites-vous apporter de quoi écrire, après vous être établi en un lieu aussi favorable que possible à la concentration de votre esprit sur lui-même. Placez-vous dans l'état le plus passif, ou réceptif, que vous pourrez. Faites abstraction de votre génie, de vos talents et de ceux de tous les autres. Dites-vous bien que la littérature est un des plus
5   tristes chemins qui mènent à tout. Écrivez vite sans sujet préconçu, assez vite pour ne pas retenir et ne pas être tenté de vous relire. La première phrase viendra toute seule, tant il est vrai qu'à chaque seconde il est une phrase étrangère à notre pensée consciente qui ne demande qu'à s'extérioriser. Il est assez difficile de se prononcer sur le cas de la phrase suivante; elle participe sans doute à la fois de notre activité
10   consciente et de l'autre, si l'on admet que le fait d'avoir écrit la première entraîne un minimum de perception. Peu doit vous importer, d'ailleurs; c'est en cela que réside, pour la plus grande part, l'intérêt du jeu surréaliste. Toujours est-il que la ponctuation s'oppose sans doute à la continuité absolue de la coulée qui nous occupe, bien qu'elle paraisse aussi nécessaire que la distribution des nœuds sur une corde vibrante.
15   Continuez autant qu'il vous plaira. Fiez-vous au caractère inépuisable du murmure. Si le silence menace de s'établir pour peu que vous ayez commis une faute : une faute, peut-on dire, d'inattention, rompez sans hésiter avec une ligne claire. À la suite du mot dont l'origine vous semble suspecte, posez une lettre quelconque, la lettre *l* par exemple, toujours la lettre *l*, et ramenez l'arbitraire en imposant cette lettre pour
20   initiale au mot qui suivra.

René Magritte (1898-1967). *Golconde* (1953).
Menil Collection, Houston, États-Unis.

◾ L'ŒUVRE ET SON TEMPS

Jusqu'en 1921, André Breton, père du surréalisme, adhère au mouvement dada et participe activement aux manifestations qui ont lieu à Paris. Il entrevoit cependant dans ce mouvement nihiliste une façon inexorable de «tuer l'art» et il s'en éloigne pour chercher une autre avenue, avec l'idée de fonder une poésie nouvelle.

◾ L'ŒUVRE ET LA DISSERTATION

Le *mode d'emploi* préconisé dans le texte pour accéder à un réel plus vrai que nature, peut refléter la soif de liberté des années d'après-guerre. Montrez cette affirmation.

Dadaïsme et surréalisme

LA ROUTE DE LA RÉVOLTE,
DANS *LE MOUVEMENT PERPÉTUEL* (1926)
LOUIS ARAGON

▶ BIOGRAPHIE, P. 137

■ L'ŒUVRE EN BREF

Le recueil à caractère surréaliste que fait paraître Louis Aragon en 1926 regroupe la majorité des poèmes écrits depuis 1919 et porte la dédicace suivante: «Je dédie ce livre à LA POÉSIE et merde pour ceux qui le liront», dédicace qui n'est pas sans rappeler l'impertinence des écrivains dada.

■ UNE LECTURE DE L'ŒUVRE

La révolte dont il est question dans ce poème est avant tout celle de l'esthétique surréaliste, qui refuse la structure formelle, les règles grammaticales et même l'emploi classique de la majuscule. Cependant, par la répétition du «Ni», le poème traduit aussi la révolte contre le quotidien et la guerre, et privilégie l'amour, tel qu'il est exprimé dans les derniers vers.

Yves Tanguy (1900-1955). *Composition* (1927).
Collection privée.

POÈME

À André Breton

Ni les couteaux ni la salière

Ni les couchants ni le matin

Ni la famille familière

5   Ni j'accepte soldat ni Dieu

Ni le soleil attendre ou vivre

Les larmes danseuses du rire

N-I ni tout est fini

Mais *Si* qui ressemble au désir

10   Son frère le regard le vin

Mai le cristal des roches d'aube

Mais MOI le ciel le diamant

Mais le baiser la nuit où sombre

Mais sous ses robes de scrupule

15   **M-É mé tout est aimé**

L'ŒUVRE ET SON TEMPS

En 1919, Louis Aragon, André Breton et Philippe Soupault fondent *Littérature*, une revue d'avant-garde qui regroupe les textes des surréalistes. Le titre trouverait son origine dans un vers de Verlaine (« Et tout le reste est littérature »), l'un des poètes dont les surréalistes se réclament.

L'ŒUVRE ET LA DISSERTATION

La juxtaposition d'éléments hétéroclites sert à rejeter une certaine dimension de la vie pour en faire ressortir une autre, plus optimiste et plus libre. Démontrez cette affirmation.

Dadaïsme et surréalisme

LA COURBE DE TES YEUX,
DANS *CAPITALE DE LA DOULEUR* (1926)
PAUL ÉLUARD

► Biographie, p. 136

■ L'ŒUVRE EN BREF

Le titre *Capitale de la douleur* renvoie notamment à la réflexion douloureuse du poète sur la poursuite de sa démarche littéraire. Le recueil regroupe des textes dada et surréalistes.

■ UNE LECTURE DE L'ŒUVRE

La juxtaposition d'éléments disparates dans le poème vise à provoquer des visions nouvelles de la réalité. Les références qu'on y trouve s'éloignent toutefois du quotidien pour évoquer des images plus rares, qui rappellent la poésie symboliste. Tout comme la courbe des yeux qui fait le tour du cœur, la référence au regard dans le premier vers ainsi que dans les deux derniers vers constitue une façon d'encercler les représentations métaphoriques du poème, d'en faire le tour.

POÈME

La courbe de tes yeux fait le tour de mon cœur,

Un rond de danse et de douceur,

Auréole du temps, berceau nocturne et sûr,

Et si je ne sais plus tout ce que j'ai vécu

5 C'est que tes yeux ne m'ont pas toujours vu.

Feuilles de jour et mousse de rosée,

Roseaux du vent, sourires parfumés,

Ailes couvrant le monde de lumière,

Bateaux chargés du ciel et de la mer,

10 Chasseurs des bruits et sources des couleurs,

Parfums éclos d'une couvée d'aurores

Qui gît toujours sur la paille des astres,

Comme le jour dépend de l'innocence

Le monde entier dépend de tes yeux purs

15 Et tout mon sang coule dans leurs regards.

Cette photographie est remarquable par la fusion de contrastes entre la femme et la statuette dont les visages de couleurs opposées sont de formes similaires.

Man Ray (1890-1976).
Noire et blanche (1926).

◼ L'ŒUVRE ET SON TEMPS

LE TEMPS DE L'ENGAGEMENT Les premières heures du mouvement surréaliste voient se démarquer deux poètes aux itinéraires très semblables. Louis Aragon et Paul Éluard participent très tôt à la revue **Littérature**[1] ; tous deux font paraître un recueil de poèmes surréalistes en 1926 ; tous deux adhèrent au parti communiste et deviendront, lors de la Seconde Guerre mondiale, des symboles importants de la résistance française.

◼ L'ŒUVRE ET LA DISSERTATION

Montrez comment, dans ce poème, le poète ne vit que par le regard de la femme-muse.

---

1. Lisez la présentation de cette revue, p. 145.

NADJA (1928)
ANDRÉ BRETON

► BIOGRAPHIE, P. 136

■ L'ŒUVRE EN BREF

Nadja, le personnage éponyme du texte de Breton, est l'image parfaite de la femme telle que la conçoivent les surréalistes : inaccessible, aérienne, voire précisément surréelle. La rencontre entre la muse et le narrateur souligne aussi la générosité du hasard et du fortuit dont se nourrit l'espoir des surréalistes. Tout le mythe de Nadja vient de son affirmation finale, « Je suis l'âme errante », qui la fait surgir de l'insolite.

■ UNE LECTURE DE L'ŒUVRE

Même si la poésie en général est la voie la plus appropriée, sinon la plus utilisée pour faire émerger l'écriture automatique, certains auteurs, comme Breton lui-même dans *Nadja*, ont montré que la prose pouvait aussi jouer ce rôle.

Marc Chagall (1887-1985). *Les Mariés de la Tour Eiffel* (1928).
Collection Fukutake, Okayama, Japon.

Je venais de traverser ce carrefour dont j'oublie ou ignore le nom, là, devant une église. Tout à coup, alors qu'elle est peut-être encore à dix pas de moi, venant en sens inverse, je vois une jeune femme, très pauvrement vêtue, qui, elle aussi, me voit ou m'a vu. Elle va la tête haute, contrairement à tous les autres passants.

5 [...]

Je n'avais jamais vu de tels yeux. Sans hésitation j'adresse la parole à l'inconnue, tout en m'attendant, j'en conviens du reste, au pire. Elle sourit, mais très mystérieusement, et, dirai-je, comme *en connaissance de cause*, bien qu'alors je n'en puisse rien croire. Elle se rend, prétend-elle, chez un coiffeur du boulevard Magenta (je dis :

10 prétend-elle, parce que sur l'instant j'en doute et qu'elle devait reconnaître par la suite qu'elle allait sans but aucun). Elle m'entretient bien avec une certaine insistance de difficultés d'argent qu'elle éprouve, mais ceci, semble-t-il, plutôt en manière d'excuse et pour expliquer l'assez grand dénuement de sa mise. Nous nous arrêtons à la terrasse d'un café proche de la gare du Nord. Je la regarde mieux. Que peut-il bien

15 passer de si extraordinaire dans ces yeux ? Que s'y mire-t-il à la fois obscurément de détresse et lumineusement d'orgueil ?

[...]

Je suis extrêmement ému. Pour faire diversion je demande où elle dîne. Et soudain cette légèreté que je n'ai vue qu'à elle, cette *liberté* peut-être précisément : «Où ? (le

20 doigt tendu :) mais là, ou là (les deux restaurants les plus proches), où je suis, voyons. C'est toujours ainsi.» Sur le point de m'en aller, je veux lui poser une question qui résume toutes les autres, une question qu'il n'y a que moi pour poser, sans doute, mais qui, au moins une fois, a trouvé une réponse à sa hauteur : «Qui êtes-vous ?» Et elle, sans hésiter : «Je suis l'âme errante.»

■ L'ŒUVRE ET SON TEMPS

On s'entend généralement pour situer la période d'activité du mouvement surréaliste de 1920 à 1966, date de la mort de Breton, mais à vrai dire, en dépit d'un certain renouveau durant les années 1950, le mouvement s'essouffle dès les années 1940.

■ L'ŒUVRE ET LA DISSERTATION

L'œuvre *Nadja*, comme plusieurs œuvres surréalistes, présente la femme comme un être éthéré et idéel. Démontrez cette affirmation.

J'AI TANT RÊVÉ DE TOI, DANS *CORPS ET BIENS* (1930)
ROBERT DESNOS

► BIOGRAPHIE, P. 137

◼ L'ŒUVRE EN BREF

Le recueil *Corps et biens*, paru en 1930, regroupe des poèmes écrits entre 1919 et 1929. Si certains de ses textes peuvent laisser croire à la forme déconstruite, ou sans construction, de l'écriture automatique, le poème présenté ici ne laisse aucun doute quant à sa réécriture.

◼ UNE LECTURE DE L'ŒUVRE

Bien qu'inaccessible, la femme-muse des surréalistes n'en possède pas moins un corps, que le poète, obsédé par la beauté de celui-ci, ne cesse de nommer, le décomposant dans ses parties. Desnos multiplie les procédés sonores, l'assonance par exemple, afin de donner au poème l'aspect mélodieux qui convient à sa lamentation. Par ailleurs, l'oxymore l'« apparence réelle » évoque l'aspect ambivalent de la femme réelle devenue fantomatique par la force du rêve.

POÈME

J'ai tant rêvé de toi que tu perds ta réalité.

Est-il encore temps d'atteindre ce corps vivant et de baiser sur cette bouche la naissance de la voix qui m'est chère ?

J'ai tant rêvé de toi que mes bras habitués, en étreignant ton ombre, à se croiser sur
5   ma poitrine ne se plieraient pas au contour de ton corps, peut-être.

Et que, devant l'apparence réelle de ce qui me hante et me gouverne depuis des jours et des années, je deviendrais une ombre sans doute.

Ô balances sentimentales.

J'ai tant rêvé de toi qu'il n'est plus temps sans doute que je m'éveille.

10   Je dors debout, le corps exposé à toutes les apparences de la vie et de l'amour et toi, la seule qui compte aujourd'hui pour moi, je pourrais moins toucher ton front et tes lèvres que les premières lèvres et le premier front venus.

J'ai tant rêvé de toi, tant marché, parlé, couché avec ton fantôme qu'il ne me reste plus peut-être, et pourtant, qu'à être fantôme parmi les fantômes et plus ombre cent
15   fois que l'ombre qui se promène et se promènera allègrement sur le cadran solaire de ta vie.

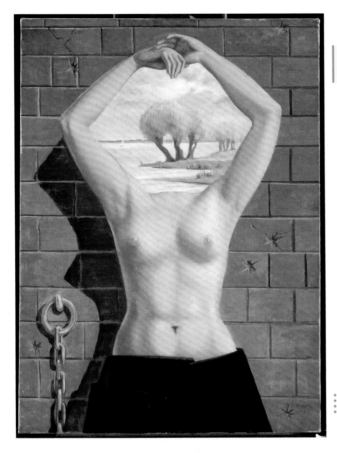

La femme muse, idéale et irréelle, ouvre la voie à l'imaginaire du surréaliste.

Roland Penrose (1900-1984).
Good shooting (*Bien visé*) (1939).
Southampton City Art Gallery,
Southampton, Royaume-Uni.

■ L'ŒUVRE ET SON TEMPS

LES DIFFICILES LIENS POLITIQUES ET POÉTIQUES Dans le *Second manifeste du surréalisme*, paru en 1930, Breton rappelle la vision de la littérature qu'il avait déjà exprimée dans le premier manifeste. Il y présente la nécessité pour l'écrivain de participer aux mouvements social et politique. Ses règlements de compte contre ceux qui se sont éloignés du mouvement lui valent des critiques virulentes de ses anciens proches, notamment de Robert Desnos.

■ L'ŒUVRE ET LA DISSERTATION

Montrez comment la femme-muse des surréalistes, celle qui peut faire sombrer le poète dans l'amour fou, ne se trouve nulle part ailleurs que dans une représentation idéalisée de la vie. On la muselle afin de l'empêcher d'accéder à la banalité du réel. On la veut distante et belle ; elle est précisément irréelle, comme un ange, une fée ou un spectre.

RROSE SÉLAVY (1939)
ROBERT DESNOS

➤ BIOGRAPHIE, P. 137

■ L'ŒUVRE EN BREF

Inventé d'abord par le peintre Marcel Duchamp, dont les tableaux surréalistes ont choqué le public des années 1920, le personnage de Rrose Sélavy est ensuite repris par son ami Robert Desnos, qui lui rend en quelque sorte hommage.

■ UNE LECTURE DE L'ŒUVRE

La contrepèterie, dont la définition apparaît à la page 134, s'associe ici à l'aphorisme, que le *Petit Robert* définit comme une «formule ou prescription concise résumant une théorie, une série d'observations ou renfermant un précepte».

EXTRAIT

24. Croyez-vous que Rrose Sélavy connaisse ces jeux de fous qui mettent le feu aux joues?

25. Rrose Sélavy c'est peut-être aussi ce jeune apache qui de la paume de sa main colle un pain à sa môme.

5   35. Si le silence est d'or, Rrose Sélavy abaisse ses cils et s'endort.

39. Rrose Sélavy propose que la pourriture des passions devienne la nourriture des nations.

40. Quelle est donc cette marée sans cause dont l'onde amère inonde l'âme acérée de Rrose?

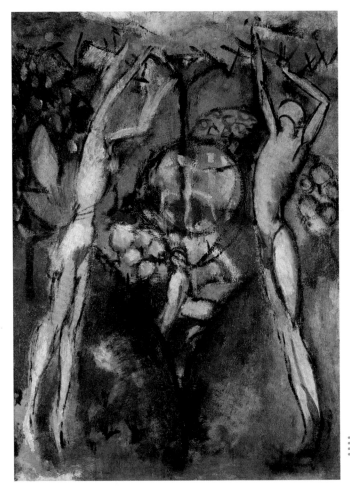

Marcel Duchamp (1887-1968).
Le printemps ou Jeune homme et jeune fille dans le printemps (1911). Collection privée.

◼ L'ŒUVRE ET SON TEMPS

BOUILLONNEMENT CULTUREL ET RÉVOLUTION SURRÉALISTE Au cours des années 1920, les jeunes écrivains que sont alors André Breton, Paul Éluard, Louis Aragon et Robert Desnos tentent de couper les liens avec le passé en proposant une véritable révolution dans la forme et les idées, qualifiée de *révolution surréaliste*.

◼ L'ŒUVRE ET LA DISSERTATION

La contrepèterie surréaliste réforme la langue par une déconstruction ludique. Démontrez cette affirmation.

REFUS GLOBAL (1947)
PAUL-ÉMILE BORDUAS

▶ BIOGRAPHIE, P. 137

■ L'ŒUVRE EN BREF

Le manifeste *Refus global* paraît en 1947 dans un Québec sclérosé par le pouvoir à la fois gouvernemental et clérical. Les dénonciations sont diverses et les recommandations apparaissent à la fin de l'extrait retenu.

■ UNE LECTURE DE L'ŒUVRE

L'extrait comporte deux parties: un constat historique de la réalité canadienne-française, et les actions contestataires que cette réalité exige. La répétition du terme «Refus» met l'accent sur la nécessité de faire table rase des valeurs qui gouvernent le monde et invite à faire place à des valeurs opposées.

EXTRAIT

Rejetons de modestes familles canadiennes-françaises, ouvrières ou petites bourgeoises, de l'arrivée au pays à nos jours restées françaises et catholiques par résistance au vainqueur, par attachement arbitraire au passé, par plaisir et orgueil sentimental et autres nécessités.

5 Colonie précipitée dès 1760 dans les murs lisses de la peur, refuge habituel des vaincus; là, une première fois abandonnée. L'élite reprend la mer ou se vend au plus fort. Elle ne manquera plus de le faire chaque fois qu'une occasion sera belle.

Un petit peuple serré de près aux soutanes restées les seules dépositaires de la foi, du savoir, de la vérité et de la richesse nationale. Tenu à l'écart de l'évolution univer-
10 selle de la pensée pleine de risques et de dangers, éduqué sans mauvaise volonté, mais sans contrôle, dans le faux jugement des grands faits de l'histoire quand l'ignorance complète est impraticable.

Petit peuple issu d'une colonie janséniste, isolé, vaincu, sans défense contre l'invasion, de toutes les congrégations de France et de Navarre, en mal de perpétuer en
15 ces lieux bénis de la peur (c'est-le-commencement-de-la-sagesse!) le prestige et les bénéfices du catholicisme malmené en Europe. Héritières de l'autorité papale, mécanique, sans réplique, grands maîtres des méthodes obscurantistes, nos maisons d'enseignement ont dès lors les moyens d'organiser en monopole le règne de la mémoire exploiteuse, de la raison immobile, de l'intention néfaste.

20 Petit peuple qui malgré tout se multiplie dans la générosité de la chair sinon dans celle de l'esprit, au nord de l'immense Amérique au corps sémillant de la jeunesse au cœur d'or, mais à la morale simiesque, envoûtée par le prestige annihilant du

souvenir des chefs-d'œuvre d'Europe, dédaigneuse des authentiques créations de ses classes opprimées.

25 | Notre destin sembla durement fixé.

[...]

D'ici là notre devoir est simple.

Rompre définitivement avec toutes les habitudes de la société, se désolidariser de son esprit utilitaire. Refus d'être sciemment au-dessous de nos possibilités

30 | psychiques. Refus de fermer les yeux sur les vices, les duperies perpétrées sous le couvert du savoir, du service rendu, de la reconnaissance due. Refus d'un cantonnement dans la seule bourgade plastique, place fortifiée mais trop facile d'évitement. Refus de se taire — faites de nous ce qu'il vous plaira mais vous devez nous entendre — refus de la gloire, des honneurs (le premier consenti) : stigmates de la nuisance,

35 | de l'inconscience, de la servilité. Refus de servir, d'être utilisables pour de telles fins. Refus de toute INTENTION, arme néfaste de la RAISON. À bas toutes deux, au second rang !

Place à la magie ! Place aux mystères objectifs !

Place à l'amour !

40 | Place aux nécessités !

Au refus global nous opposons la responsabilité entière.

Les cosignataires du *Refus global* :

Magdeleine Arbour, Marcel Barbeau, Bruno Cormier, Claude Gauvreau,
Pierre Gauvreau, Muriel Guilbault, Marcelle Ferron-Hamelin, Fernand Leduc,
Thérèse Leduc, Jean-Paul Mousseau, Maurice Perron, Louis Renaud,
Françoise Riopelle, Jean-Paul Riopelle, Françoise Sullivan.

▇ L'ŒUVRE ET SON TEMPS

L'ÉCHO DE LA RÉVOLTE SURRÉALISTE AU QUÉBEC Le mouvement artistique et littéraire qu'on nomme «automatisme» ainsi que le manifeste du *Refus global* sont associés au mouvement surréaliste français, bien qu'ils s'en éloignent sur certains aspects. En tout, quinze signataires ont joint leurs voix à celle de Paul-Émile Borduas, auteur du manifeste, pour protester contre différentes formes d'exploitation, souvent engendrées par le rationalisme et la cupidité humaine. Certaines de ces dénonciations — et

c'est là l'impact majeur du manifeste, même s'il est demeuré dans l'oubli presque total jusque dans les années 1960 — sont directement reliées à la réalité canadienne-française des années 1940.

▇ L'ŒUVRE ET LA DISSERTATION

Héritier du mouvement surréaliste français, le mouvement automatiste au Québec reprend les valeurs prônées par le premier dans les années 1920. Expliquez cette affirmation.

> « Le sens du mot *art* est tenter de donner conscience
> à des hommes de la grandeur qu'ils ignorent en eux. »
>
> *André Malraux*

L'entre-deux-guerres est à la fois marqué par le désespérant constat que les conflits mondiaux ne sont pas résolus et par la conviction profonde que l'humanité peut encore réaliser l'impossible, qui serait de se détourner de l'inexorable marche vers de nouveaux conflits.

● Peu d'éléments relient les œuvres écrites en marge du surréalisme et de l'existentialisme, sinon peut-être la préoccupation de l'auteur, dans ce qu'il a d'intime, mais aussi d'universel, de mener une réflexion sur l'humanité par le regard d'un personnage. Voilà pourquoi cette partie portera le titre de « nouvel humanisme ».

UN NOUVEL HUMANISME
EN THÉORIE

DES ŒUVRES ÉTHIQUES

Se situant parfois entre fiction et réalité, les œuvres littéraires montrent des héros dont la force individuelle et les préoccupations humanitaires viennent à bout des plus tristes destins. La fraternité et la détermination individuelle forment donc le nouvel être humaniste, personnage déterminant des années 1930.

LA CONSCIENCE MORALE

Conscients qu'il faut, plus que jamais, se pencher sur l'avenir collectif, les écrivains mettent l'accent sur les traits d'humanité qui définissent l'individu, et qui font surgir le courage insoupçonné qui est en lui. Un engagement moral anime souvent les œuvres, les personnages incarnant « la complexité des attitudes possibles de l'homme devant la vie[1] ».

Fernand Léger (1881-1955). *Les deux figures* (1929).
Collection privée.

---

1. Tiré de l'introduction de Maurice Nadeau dans André Gide, *Romans, récits et soties, œuvres lyriques*, Paris, 1958, NRF, La Pléiade, Gallimard, 1616 p., p. IX.

UN NOUVEL HUMANISME
EN THÈMES

Les traits d'humanité, récurrents dans les œuvres de cette période, marquent les différents thèmes qui s'articulent autour de cette idée d'un individu simple et courageux, prêt à changer sa destinée.

UN HÉROS PLEINEMENT HUMAIN

L'héroïsme dans la littérature de cette époque réside dans les défis personnels qui permettent au personnage central d'assumer pleinement sa condition humaine, plutôt que dans des exploits dignes des grandes épopées. La prise de conscience de son humanité incite le héros à mener sa vie de façon exemplaire, convaincu qu'une multitude d'expériences individuelles empreintes des grandes valeurs humaines conduit plus sûrement à la fraternité et à la paix que les révolutions ou les actions militaires.

MATER LE DESTIN

Profondément marqué par les ravages de la Première Guerre mondiale et sentant, dans les années 1930, l'humanité s'aventurer dans des voies très semblables, le héros humaniste, à l'instar de son auteur, cherche à trouver en lui la grandeur nécessaire pour affronter la fatalité, pour mater le destin, tant individuel que collectif, le dominer afin de le transformer.

Le 26 avril 1937, la ville basque espagnole de Guernica est bombardée par l'Allemagne nazie et l'Italie. Cette violente agression est dénoncée par Picasso dans ce célèbre tableau.

Pablo Picasso (1881-1973). *Guernica* (1937). Museo Nacional Centro de Arte Reina Sofia, Madrid, Espagne.

UN NOUVEL HUMANISME
EN PERSONNES

Jean Cocteau (1889-1963)

Se situant en marge du surréalisme, dont il condamne l'aspect dogmatique, Jean Cocteau poursuit jusque dans les années 1960 une carrière artistique et littéraire aussi brillante que polymorphe. L'enfant prodige, ainsi qu'on le qualifie avant la Première Guerre mondiale, éblouit le tout-Paris. Il s'inquiète moins par la suite de plaire à son public que d'explorer les limites nouvelles de la littérature. Cocteau sera tour à tour poète, romancier et dramaturge, dessinateur, illustrateur et peintre, cinéaste, essayiste et critique. Son génie se manifeste dans tous les domaines ; il est indéniablement l'un des plus grands créateurs français du XXᵉ siècle.

➤ Extrait, p. 160

Louis-Ferdinand Céline (1894-1961)

Louis Ferdinand Destouches prend Céline comme nom de plume. Son œuvre magistrale, *Voyage au bout de la nuit*, dont l'écriture s'approche de la langue parlée pour mieux exprimer la souffrance des personnages, a marqué les générations d'écrivains qui lui succèdent. La France refuse toutefois toujours de rendre hommage à son grand talent littéraire à cause des pamphlets antisémites dont il est l'auteur.

➤ Extrait, p. 164

Marcel Pagnol (1895-1974)

Marcel Pagnol naît à Aubagne, petit village de Provence, au tournant du siècle. Il quitte le pays de son enfance pour enseigner à Paris en 1922. Au cours des années 1920, son théâtre est porté à l'écran et lui vaut une reconnaissance internationale. Élu à l'Académie française en 1946, il cesse ses activités cinématographiques pour se consacrer à l'écriture de romans autobiographiques, notamment.

► Extrait, p. 170

Antoine de Saint-Exupéry (1900-1944)

L'auteur du *Petit Prince* (1943) fait carrière dans l'aviation, et c'est dans cet univers particulier que prend place chacune de ses œuvres. Tout comme ses personnages, Saint-Exupéry s'engage pendant la guerre dans des expéditions aériennes héroïques, souvent dangereuses. Il finit par y laisser sa vie.

► Extrait, p. 166

Georges Simenon (1903-1989)

Auteur remarquablement prolifique, Georges Simenon a déjà rédigé plus de cent romans avant de faire connaître son personnage légendaire, Jules Maigret, commissaire divisionnaire à la P.J. (police judiciaire) de Paris. En 1922, il quitte sa Belgique natale pour découvrir Paris. En 1929, il entreprend de traverser la France par les canaux, à bord de son bateau baptisé l'Ostrogoth. Il y vivra jusqu'en 1931.

► Extrait, p. 168

UN NOUVEL HUMANISME
EN TEXTES

LES ENFANTS TERRIBLES (1929)
JEAN COCTEAU

▶ BIOGRAPHIE, P. 158

■ L'ŒUVRE EN BREF

Deux orphelins laissés à eux-mêmes vivent dans un monde onirique, clos, cerné par leur imaginaire et auquel peu de gens ont accès. Le frère et la sœur sont unis par des liens antagonistes, mélange d'amour et de haine, qu'ils n'arriveront jamais à dépasser. L'extrait qui suit présente les enfants, Élisabeth (dont le diminutif est «Lise») et Paul, ainsi que Gérard (surnommé «Girafe»), un des rares amis tolérés dans le décor théâtral et intime de la chambre.

■ UNE LECTURE DE L'ŒUVRE

Cette œuvre explore jusqu'au profond désespoir la douleur humaine, sans toutefois vraiment la nommer.

EXTRAIT

Chapitre 7

Ce fut seulement à partir de cette date que la chambre prit le large. Son envergure était plus vaste, son arrimage plus dangereux, plus hautes ses vagues.

Dans le monde singulier des enfants, on pouvait faire la planche et aller vite. Semblable à celle de l'opium, la lenteur y devenait aussi périlleuse qu'un record
5 de vitesse.

Chaque fois que son oncle voyageait, inspectait les usines, Gérard restait coucher rue Montmartre. On l'installait sur des piles de coussins et on le couvrait de vieux manteaux. En face, les lits le dominaient comme un théâtre. L'éclairage de ce théâtre était l'origine d'un prologue qui situait tout de suite le drame. En effet, la lumière se
10 trouvait au-dessus du lit de Paul. Il la rabattait avec un lambeau d'andrinople. L'andrinople emplissait la chambre d'une ombre rouge et empêchait Élisabeth de voir clair. Elle tempêtait, se relevait, déplaçait l'andrinople. Paul la replaçait; après une lutte où chacun tirait sur le lambeau, le prologue finissait par la victoire de Paul qui brutalisait sa sœur et recoiffait la lampe. Car, depuis la mer, Paul dominait sa sœur. Les craintes
15 de Lise lorsqu'il s'était levé et qu'elle avait constaté sa croissance étaient bien fondées. Paul n'acceptait plus un rôle de malade et la cure morale de l'hôtel dépassait le but. Elle avait beau dire: «Monsieur trouve tout très *agréable*. Un film est très

agréable, un livre est très *agréable*, une musique est très *agréable*, un fauteuil est très *agréable*, la grenadine et l'orgeat sont très *agréables*. Tenez, Girafe, il me dégoûte !
20 | Regardez-le ! Regardez. Il se pourlèche ! Regardez cette tête de veau !» elle n'en sentait pas moins l'homme se substituer au nourrisson. Comme aux courses, Paul la gagnait presque d'une tête. La chambre le publiait. Dessus, c'était la chambre de Paul ; il n'avait aucun effort à faire pour atteindre de la main ou de l'œil les accessoires du songe. Dessous, c'était la chambre d'Élisabeth, et lorsqu'elle voulait les
25 | siens, elle fouillait, plongeait, avec l'air de chercher un vase de nuit.

Mais elle ne fut pas longue à trouver des tortures et à reprendre l'avantage dérobé. Elle qui, jadis, agissait avec des armes garçonnières, se replia vers les ressources d'une nature féminine toute neuve et prête à servir. C'est pourquoi elle accueillait Gérard de bonne grâce, pressentant qu'un public serait utile et les tortures de Paul
30 | plus vives si elles avaient un spectateur.

Le théâtre de la chambre s'ouvrait à onze heures du soir. Sauf le dimanche, il ne donnait pas de matinées.

À dix-sept ans, Élisabeth en paraissait dix-sept ; Paul en paraissait dix-neuf à quinze. Il sortait. Il traînait. Il allait voir des films *très agréables*, écouter des musiques *très*
35 | *agréables*, suivre des filles *très agréables*. Plus ces filles étaient des filles, plus elles raccrochaient, plus il les trouvait *agréables*.

◼ L'ŒUVRE ET SON TEMPS

LA LITTÉRATURE COMME MOYEN PRIVILÉGIÉ DE RETROUVER L'HUMANITÉ EN L'INDIVIDU Témoin d'un monde qui semble condamné à basculer irrémédiablement dans la barbarie, l'écrivain de la première moitié du XXᵉ siècle tente d'immortaliser le chaos, de le dépasser, ou encore de le sublimer en forgeant un univers d'une humanité exemplaire ou d'une magie débridée. Dans tous les cas, il peut difficilement ignorer la barbarie de sa civilisation, et les années d'après-guerre gardent encore les stigmates de l'incompréhension généralisée. Les créateurs s'interrogent profondément sur le sens de la vie, convaincus que des conflits d'une telle absurdité restent inconciliables avec une quelconque forme de cohésion universelle.

◼ L'ŒUVRE ET LA DISSERTATION

Montrez comment la vision onirique de la chambre reflète l'égarement moral des personnages.

COMPARAISON

Une des caractéristiques de l'extrait suivant d'*Ines Pérée et Inat Tendu*, de Réjean Ducharme, montre que le désemparement des personnages se traduit par leur agressivité. Les personnages de Réjean Ducharme sont en ce sens tout autant enfants terribles que ceux de Cocteau. Démontrez cette affirmation.

Ines Pérée et Inat Tendu sont deux orphelins qui cherchent l'hospitalité ou à être adoptés, mais pas à n'importe quel prix ni par n'importe qui.

EXTRAIT

NEW-YORK – Ah ?... Mais pourquoi cherches-tu a chicane ? As-tu perdu ta bonne idée, toi aussi ?

INES PÉRÉE, *désignant Inat* – Il vous a tout dit, je gagerais. Tous nos secrets ! Pie ! Porte-panier ! Tu l'as, la dieuse qui t'attendait. Reste ! Reste avec elle ! Moi, je m'en vais. Je retourne
5   à la recherche du bordel où j'aurais le choix.

NEW-YORK, *se prenant la tête* – Distraite que je suis ! Depuis une heure que vous vous vantez que vous êtes pauvres et je n'ai pas pensé une seconde que vous devriez avoir faim. Je cours au réfectoire. Je reviens avec le rôti, deux bouteilles de vin et quatre-cinq poulets frits.

INES PÉRÉE, *l'empêche encore, brutalement* – Pas question ! Demandez à Inat. Ça fait cinq-six
10   mois qu'on se bourre, qu'on se saoule, on est écœurés, dégoûtés, dégoûtants, gras. Deman-dez à Inat. Vous l'avez piqué avec l'aiguille de votre gramophone. Il ne demande pas mieux que de partager avec vous ses opinions. Et moi je connais le tabac. Ramassez-moi cette cigarette et allumez-la-moi, que je vous fume comme un jambon.

INAT TENDU, *pendant que New-York obéit, chagrine* – quelqu'un nous tend enfin les bras pour
15   nous prendre, et tu les frappes. Comment peux-tu être si traître ? Et flancher au moment où nous touchons ce que nous avons toujours cherché ?

INES PÉRÉE – Je te demande bien pardon ! Je ne lui fais rien moi. C'est toi qui touches, toi seul. (*Prend la cigarette allumée, fume, tousse.*)

INAT TENDU – Tu appelles une sorte de peau, cette toute-dévouée ! Tu appelles cette sainte,
20   cet ange, une hétaïre ! (*choqué*) Mais... mais... mais tu délires !

INES PÉRÉE – 99 % pure, elle flotte ! Dans les airs ! Elle rase le plafond ! Juste au-dessus de tes yeux ! Pour te montrer ses petites culottes ! On n'apprend pas à un vieux singe à faire des grimaces ! Et ces lions sont si loin qu'on ne sait pas si c'en sont ! Non, il n'est rien que Nanine n'honore !

25   INAT TENDU, *à bout scandalisé scandalisé* – Arrête ! Vite !

INES PÉRÉE – De toute façon, cette femme est idiote, sotte, stupide à pierre fendre ! Ne proteste pas, tu le lui as dit toi-même avec des ménagements. Je t'ai entendu parler pendant que j'étais étendue et que je mettais au point ma farce pour que le monde rie à ta fameuse fête ! Comment veux-tu qu'une femme, qu'une fille telle qu'elle, qui ne s'aperçoit pas que
30   c'est sous ses pieds que la terre roule, nous accueille bien sur la terre ? Je te fais l'honneur de croire – je te le fais encore mais je ne sais plus pour combien de temps – que l'amour que tu cherches n'est pas du genre le-bonheur-est-entré-dans-mon-cœur-une-nuit-par-un-beau-clair-de-lune !

Réjean Ducharme alias Roch Plante (1941-2017).
à gauche : *Grossier perce-neige* (1997) ;
à droite : *Bébé boumeur* (1994).
Collection Forget-Georgesco.

VOYAGE AU BOUT DE LA NUIT (1932)
LOUIS-FERDINAND CÉLINE

▶ BIOGRAPHIE, P. 158

■ L'ŒUVRE EN BREF

Voyage au bout de la nuit est une véritable descente aux enfers, celle surtout de la Première Guerre mondiale. Le roman de Louis-Ferdinand Céline connaît en 1932 une sortie fracassante. Aussi adulée que détestée, cette œuvre transporte le cri de désespoir de ceux qui sont témoins des grands conflits meurtriers de cette première moitié du siècle.

■ UNE LECTURE DE L'ŒUVRE

L'impuissance du narrateur, que la vie malmène dans un XXe siècle de mensonges, de violence et de désespoir, se trahit par l'usage d'une langue proche de la langue orale, qui choque le lecteur habitué au style littéraire. On peut observer cette caractéristique notamment aux lignes 12 et 13.

EXTRAIT

J'allais faire cette démarche décisive quand, à l'instant même, arriva vers nous au pas de gymnastique, fourbu, dégingandé, un cavalier à pied (comme on disait alors) avec son casque renversé à la main, comme Bélisaire, et puis tremblant et bien souillé de boue, le visage plus verdâtre encore que celui de l'autre agent de liaison. Il bredouillait et semblait éprouver comme
5   un mal inouï, ce cavalier, à sortir d'un tombeau et qu'il en avait tout mal au cœur. Il n'aimait donc pas les balles ce fantôme lui non plus ? Les prévoyait-il comme moi ?

— Qu'est-ce que c'est ? l'arrêta net le colonel, brutal, dérangé, en jetant dessus ce revenant une espèce de regard en acier.

De le voir ainsi cet ignoble cavalier dans une tenue aussi peu réglementaire, et tout foirant
10   d'émotion, ça le courrouçait fort notre colonel. Il n'aimait pas cela du tout la peur. C'était évident. Et puis ce casque à la main surtout, comme un chapeau melon, achevait de faire joliment mal dans notre régiment d'attaque, un régiment qui s'élançait dans la guerre. Il avait l'air de la saluer lui, ce cavalier à pied, la guerre, en entrant.

Sous ce regard d'opprobre, le messager vacillant se remit au « garde-à-vous », les petits doigts
15   sur la couture du pantalon, comme il se doit dans ces cas-là. Il oscillait ainsi, raidi, sur le talus, la transpiration lui coulant le long de la jugulaire, et ses mâchoires tremblaient si fort qu'il en poussait des petits cris avortés, tel un petit chien qui rêve. On ne pouvait démêler s'il voulait nous parler ou bien s'il pleurait.

Nos Allemands accroupis au fin bout de la route venaient justement de changer d'instrument.
20   C'est à la mitrailleuse qu'ils poursuivaient à présent leurs sottises ; ils en craquaient comme de gros paquets d'allumettes et tout autour de nous venaient voler des essaims de balles rageuses, pointilleuses comme des guêpes.

L'homme arriva tout de même à sortir de sa bouche quelque chose d'articulé :

— Le maréchal des logis Barousse vient d'être tué, mon colonel, qu'il dit tout d'un trait.

25   — Et alors ?

— Il a été tué en allant chercher le fourgon à pain sur la route des Étrapes, mon colonel !

— Et alors ?

— Il a été éclaté par un obus !

— Et alors, nom de Dieu !

30 — Et voilà ! Mon colonel…

— C'est tout ?

— Oui, c'est tout, mon colonel.

— Et le pain ? demanda le colonel.

Ce fut la fin de ce dialogue parce que je me souviens bien qu'il a eu le temps de dire tout juste :
35 « Et le pain ? ». Et puis ce fut tout. Après ça, rien que du feu et puis du bruit avec. Mais alors un de ces bruits comme on ne croirait jamais qu'il en existe. On en a eu tellement plein les yeux, les oreilles, le nez, la bouche, tout de suite, du bruit, que je croyais bien que c'était fini, que j'étais devenu du feu et du bruit moi-même.

Et puis non, le feu est parti, le bruit est resté longtemps dans ma tête, et puis les bras et les
40 jambes qui tremblaient comme si quelqu'un vous les secouait de par-derrière. Ils avaient l'air de me quitter, et puis ils me sont restés quand même mes membres. Dans la fumée qui piqua les yeux encore pendant longtemps, l'odeur pointue de la poudre et du soufre nous restait comme pour tuer les punaises et les puces de la terre entière.

[…]

45 Quant au colonel, lui, je ne lui voulais pas de mal. Lui pourtant aussi il était mort. Je ne le vis plus, tout d'abord. C'est qu'il avait été déporté sur le talus, allongé sur le flanc par l'explosion et projeté jusque dans les bras du cavalier à pied, le messager, fini lui aussi. Ils s'embrassaient tous les deux pour le moment et pour toujours, mais le cavalier n'avait plus sa tête, rien qu'une ouverture au-dessus du cou, avec du sang dedans qui mijotait en glouglous comme de la confi-
50 ture dans la marmite. Le colonel avait son ventre ouvert, il en faisait une sale grimace. Ça avait dû lui faire du mal ce coup-là au moment où c'était arrivé. Tant pis pour lui ! S'il était parti dès les premières balles, ça ne lui serait pas arrivé.

■ L'ŒUVRE ET SON TEMPS

Voyage au bout de la nuit, dont le titre laisse présager le plus terrifiant dénouement, rejoint l'idée que la littérature peut offrir une représentation du monde qui, bien qu'elle soit le fait d'un seul auteur, traduit la pensée de toute une collectivité en permettant la mise en mots d'une expérience humaine commune. Des années 1910 aux années 1940, l'horreur de la guerre est sans conteste une des préoccupations majeures qui motivent le propos littéraire.

■ L'ŒUVRE ET LA DISSERTATION

L'univers cauchemardesque dans lequel le narrateur plonge le lecteur invalide la vision honorable de la guerre. Expliquez cette affirmation.

TERRE DES HOMMES (1939)

ANTOINE DE SAINT-EXUPÉRY

► BIOGRAPHIE, P. 159

■ L'ŒUVRE EN BREF

Dans *Terre des hommes*, l'initiation à l'aviation devient l'initiation à la vie. Le narrateur, Saint-Exupéry, s'adresse à son camarade Guillaumet, que tous croyaient mort à la suite d'un accident d'avion dans les Andes. En soulignant son courage et le bonheur des autres de le retrouver vivant, c'est à toute l'humanité que l'auteur rend hommage.

■ UNE LECTURE DE L'ŒUVRE

Le ton intimiste du narrateur fait partager au lecteur la tendresse qui anime la relation d'amitié entre les personnages.

Dessin tiré du *Petit Prince*,
d'Antoine de Saint-Exupéry.

EXTRAIT

Tu avais disparu depuis cinquante heures, en hiver, au cours d'une traversée des Andes. Rentrant du fond de la Patagonie, je rejoignis le pilote Deley à Mendoza. L'un et l'autre, cinq jours durant, nous fouillâmes, en avion, cet amoncellement de montagnes, mais sans rien découvrir. Nos deux appareils ne suffisaient guère. Il nous
5   semblait que cent escadrilles, naviguant pendant cent années, n'eussent pas achevé d'explorer cet énorme massif dont les crêtes s'élèvent jusqu'à sept mille mètres. Nous avions perdu tout espoir. Les contrebandiers mêmes, des bandits qui, là-bas, osent un crime pour cinq francs, nous refusaient d'aventurer, sur les contreforts de la montagne, des caravanes de secours : «Nous y risquerions notre vie», nous
10 disaient-ils. «Les Andes, en hiver, ne rendent point les hommes.» Lorsque Deley ou moi atterrissions à Santiago, les officiers chiliens, eux aussi, nous conseillaient de suspendre nos explorations. «C'est l'hiver. Votre camarade, si même il a survécu à la chute, n'a pas survécu à la nuit. La nuit, là-haut, quand elle passe sur l'homme, elle le change en glace.» Et lorsque de nouveau, je me glissais entre les murs et les piliers
15 géants des Andes, il me semblait, non plus te rechercher, mais veiller ton corps, en silence, dans une cathédrale de neige.

Enfin, au cours du septième jour, tandis que je déjeunais entre deux traversées, dans un restaurant de Mendoza, un homme poussa la porte et cria, oh! peu de chose :

— Guillaumet… vivant !

20 Et tous les inconnus qui se trouvaient là s'embrassèrent.

Dix minutes plus tard, j'avais décollé, ayant chargé à bord deux mécaniciens, Lefebvre et Abri. Quarante minutes plus tard, j'avais atterri le long d'une route, ayant reconnu, à je ne sais quoi, la voiture qui t'emportait je ne sais où, du côté de San Raphael. Ce fut une belle rencontre, nous pleurions tous, et nous t'écrasions dans
25 nos bras, vivant, ressuscité, auteur de ton propre miracle. C'est alors que tu exprimas, et ce fut ta première phrase intelligible, un admirable orgueil d'homme : «Ce que j'ai fait, je te le jure, jamais aucune bête ne l'aurait fait.»

■ L'ŒUVRE ET SON TEMPS

Si, en contexte de guerre, il est fréquent de voir la littérature se mettre au service d'une cause, il arrive aussi que les littéraires participent aux combats. Antoine de Saint-Exupéry disparaît en Méditerranée en 1944, alors qu'il était en mission de reconnaissance photographique pour l'armée française.

Ce n'est qu'en 2004 qu'on a retrouvé les débris de son avion.

■ L'ŒUVRE ET LA DISSERTATION

Montrez comment le courage et le dépassement semblent expliquer la survie du personnage.

MAIGRET CHEZ LE MINISTRE (1954)
GEORGES SIMENON

▶ BIOGRAPHIE, P. 159

■ L'ŒUVRE EN BREF

Piégé par un journaliste retors, le ministre Point se trouve en possession pendant un court moment d'un document qui prédisait une tragédie et qui était resté pour cette raison jusqu'à ce jour retiré de la circulation. Le ministre fait appel à Maigret pour retrouver le rapport Calame et ainsi sauvegarder sa réputation d'homme intègre.

■ UNE LECTURE DE L'ŒUVRE

Le parallèle qui s'établit dans l'esprit de Maigret entre le ministre et lui permet au lecteur d'entrer dans l'intimité du commissaire. De cette façon, la défense simultanée de deux réputations devient le défi de Maigret et accroît l'intérêt du lecteur.

EXTRAIT

Sans doute, au cours de sa carrière, devait-il avoir déjà eu cette impression-là, mais jamais, lui sembla-t-il, avec la même intensité.

L'exiguïté de la pièce, sa chaleur, son intimité aidant à l'illusion, et aussi l'odeur d'alcool de campagne, le bureau qui ressemblait à celui de son père, les agrandisse-
5 ments photographiques des «vieux» sur les murs : Maigret se sentait vraiment comme un médecin qu'on a appelé d'urgence et entre les mains de qui le patient a remis son sort.

Le plus curieux, c'est que l'homme qui, en face de lui, avait l'air d'attendre son diagnostic, lui ressemblait, sinon comme un frère, tout au moins comme un cousin
10 germain. Ce n'était pas seulement au physique. Un coup d'œil aux portraits de famille disait au commissaire que Point et lui avaient à peu près les mêmes origines. Tous les deux étaient nés à la campagne, d'une souche paysanne déjà évoluée. Probablement les parents du ministre avaient-ils eu, dès sa naissance, l'ambition de faire de lui, comme les parents de Maigret, un médecin ou un avocat.

15 Point était allé au-delà de leurs espoirs. Étaient-ils encore là pour le savoir ?

Il n'osait pas, tout de suite, poser ces questions-là. Il avait devant lui un homme effondré et il sentait que ce n'était pas par faiblesse. En le regardant, Maigret était pénétré d'un sentiment complexe, fait d'écœurement et de colère, de découragement aussi.

20 Une fois dans sa vie, il s'était trouvé dans une situation similaire, encore que moins dramatique, et c'était venu aussi d'une affaire politique. Il n'y était pour rien. Il avait agi exactement comme il devait le faire, s'était conduit, non seulement en honnête homme, mais selon son strict devoir de fonctionnaire.

25 Il n'en avait pas eu moins tort aux yeux de tous ou de presque tous. Il avait dû passer devant un conseil de discipline et, comme tout était contre lui, on avait été obligé de lui donner tort.

[…]

Comme sa femme et ses amis le lui répétaient, il avait sa conscience pour lui, et pourtant il lui arrivait, sans s'en rendre compte, de prendre des attitudes de coupable.

30 […]

Il s'écoula bien une minute avant que la voix de son ami Chabot lui parvînt.

[…]

— Tu as connu Auguste Point?

[…]

35 — C'est un homme remarquable.

[…]

« Pendant les années d'Occupation, il n'a pas fait parler de lui, menant son petit train de vie comme si de rien n'était. Tout le monde a été surpris quand, quelques semaines avant la retraite des Allemands, ceux-ci l'ont arrêté et amené à Niort, puis
40 quelque part en Alsace […] C'est ainsi qu'on a appris que, durant toute la guerre, Point avait logé, dans une ferme qu'il possède près de La Roche, des agents anglais et des aviateurs échappés des camps allemands.

« On l'a vu revenir, maigre et mal portant, quelques jours après la Libération. Il n'a pas essayé de se mettre en valeur, ne s'est glissé dans aucun comité, n'a défilé dans
45 aucun cortège.

« Tu te rappelles le désordre qui régnait à l'époque. La politique s'en mêlait. On ne savait plus où étaient les purs et les impurs.

« C'est vers lui qu'on a fini par se tourner quand on n'a plus été sûr de rien. »

■ L'ŒUVRE ET SON TEMPS

LES HOMMES POLITIQUES QUI FONT LA DIFFÉRENCE C'est depuis Londres, le 18 juin 1940, que Charles de Gaulle, futur président de la République, exhorte les Français à la résistance contre l'ennemi et, de ce fait, à la résistance contre le régime collaborationniste de Vichy, dirigé par le maréchal Pétain. Ce dernier le condamne alors à la peine de mort pour trahison. L'appel à la résistance du général de Gaulle, retrans-mis par radio, reste l'une des interventions les plus influentes des années de guerre pour le peuple français.

■ L'ŒUVRE ET LA DISSERTATION

En se portant à la défense de la réputation du ministre Point, c'est autant sa propre réputation que Maigret veut rétablir. Expliquez cette affirmation.

LA GLOIRE DE MON PÈRE (1957)

MARCEL PAGNOL

➤ BIOGRAPHIE, P. 159

■ L'ŒUVRE EN BREF

La gloire de mon père est la première œuvre du diptyque autobiographique de Marcel Pagnol. On y découvre une Provence bucolique et nostalgique, dans laquelle le jeune Marcel vit la vie exaltée de la Belle Époque.

Comme Marcel insiste pour accompagner son père et l'oncle Jules à la chasse, ils lui promettent de l'emmener avec eux. Mais, au matin, ils ne le réveillent pas et partent sans lui. Marcel décide de les suivre tout de même.

■ UNE LECTURE DE L'ŒUVRE

C'est par les yeux de l'enfant, trompé par les promesses non tenues de l'oncle, que les deux chasseurs sont présentés. Il en résulte une description très négativement connotée.

EXTRAIT

Je m'éveillai pour tout de bon. Paul était près de mon lit, et tirait doucement mes cheveux.

— Je les ai entendus, dit-il. Ils sont passés devant la porte. Ils ont écouté. J'ai vu la lumière par le trou de la serrure. Après, ils sont descendus sur la pointe des
5   pieds.

Un robinet coulait dans la cuisine. J'embrassai Paul et je m'habillai en silence. La lune s'était couchée. Il faisait nuit noire. À tâtons, je trouvai mes vêtements.

— Qu'est-ce que tu fais ? dit Paul.

— Je vais avec eux.

10 — Ils ne te veulent pas.

— Je vais les suivre de loin, à l'indienne, pendant la matinée... À midi, ils ont dit qu'ils mangeraient près d'un puits. Alors, à ce moment, je me ferai voir, et, s'ils veulent me renvoyer, je dirai que je vais me perdre, et alors ils n'oseront pas.

[…]

15 — Et maman, qu'est-ce qu'il faut lui dire ?

[…]

— Je lui laisserai un petit billet sur la table de la cuisine.

Avec de grandes précautions, j'ouvris la fenêtre, sans toucher aux volets extérieurs. Je grimpai sur la barre d'appui, et je collai mon œil au trou de la lune.

20 Le jour pointait ; le sommet du Taoumé, au-dessus des plateaux encore sombres, était bleu et rose. En tout cas, je voyais nettement le chemin des collines : ils ne pourraient pas m'échapper.

J'attendis. Le robinet ne coulait plus.

— Et si tu rencontres un ours, chuchota Paul.

25 — On n'en a jamais vu dans le pays.

— Peut-être qu'ils se cachent. Fais bien attention. Prends le couteau pointu dans le tiroir de la cuisine.

— C'est une bonne idée, je le prendrai.

Dans le silence, nous entendîmes des pas, sur des souliers ferrés. Puis la porte
30 s'ouvrit, et se referma.

Je courus aussitôt à la fenêtre, et j'entrebâillai très légèrement les volets. Les pas faisaient le tour de la maison : les deux traîtres parurent, et commencèrent à monter vers la lisière des pinèdes. Papa avait mis sa casquette et ses jambières de cuir. L'oncle Jules, son béret et ses bottes lacées. Ils étaient beaux, malgré leur
35 mauvaise conscience, et ils marchaient d'un bon pas comme s'ils me fuyaient.

J'embrassai Paul, qui se recoucha aussitôt, et je descendis au rez-de-chaussée. Rapidement, je rallumai la bougie, je déchirai une page de mon cahier.

« Ma chère petite maman. Ils ont fini par m'emmener avec eux. Ne te fais pas de Mauvais Sang. Garde-moi de la crème fouettée. Je te fais deux mille bises. »

40 Je mis ce papier bien en évidence sur la table de la cuisine. Puis je glissai dans ma musette un morceau de pain, deux barres de chocolat, une orange. Enfin, serrant le manche du couteau pointu, je m'élançai sur la piste des fusilleurs.

■ L'ŒUVRE ET SON TEMPS

Un demi-siècle de guerre aura marqué l'imaginaire des hommes et des femmes du XXᵉ siècle. Dans les années 1950, les répercussions engendrent les guerres d'indépendance des colonies françaises d'Afrique. Seule la mémoire d'une époque couvrant la dernière décennie du XIXᵉ siècle et la première du XXᵉ permet encore de revendiquer une certaine innocence.

■ L'ŒUVRE ET LA DISSERTATION

Expliquez comment le regard de l'enfant déçu nous propose une vision fourbe du monde adulte.

« Nous autres, civilisations, nous savons maintenant que nous sommes mortelles. »

Paul Valéry

La phrase de Paul Valéry, tirée de *La crise de l'esprit* (1919), peut sans doute servir de leit-motiv (idée ou thème récurrent) jusqu'à la fin des années 1940.

EXISTENTIALISME ET ABSURDE
EN THÉORIE

L'EXISTENTIALISME SELON SARTRE

Dans son texte intitulé *L'existentialisme est un humanisme*, Jean-Paul Sartre tente de clarifier sa philosophie de l'existence. Il y souligne l'entière liberté humaine, les répercussions sociales des choix de chacun, la nécessité pour l'individu de prendre position sur les enjeux sociaux et d'agir en conséquence.

LES ROMANS À THÈSE ET LE THÉÂTRE ENGAGÉ

Si la philosophie existentialiste acquiert auprès des jeunes des années 1940 et 1950 une auto-rité idéologique et intellectuelle indiscutable, c'est que, pour cette jeune génération, la litté-rature doit servir une cause : elle doit être enga-gée. Les œuvres littéraires de Jean-Paul Sartre et de Simone de Beauvoir servent à démontrer et à mettre en scène leur vision existentialiste du monde. On parlera donc dans leur cas de « romans à thèse » et de « théâtre engagé ».

Anton Raederscheidt (1892 -1970). *L'intellectuel* (1948). Collection privée.

LA LIBERTÉ HUMAINE

Selon les existentialistes, l'idée de la mort de Dieu, qu'avait affirmée Nietzsche à la fin du XIXᵉ siècle, met l'individu seul dans l'univers, d'aucune façon assujetti à des lois au-dessus des lois humaines. Il est de ce fait entièrement libre de sa destinée.

LA RESPONSABILITÉ HUMAINE

Le constat de l'entière responsabilité de l'individu est la conséquence directe de son entière liberté. Chaque choix, chaque décision, chaque geste individuel contribue aux choix, aux décisions et aux actions collectives.

L'ABSURDE SELON CAMUS

L'idée de l'absurde de la vie, durement ressentie dans la première moitié du XXᵉ siècle par les témoins des deux grandes guerres, est déjà présente dans l'œuvre d'André Malraux. Chez Camus, elle devient le centre de la réflexion sur la condition humaine. Devant le questionnement de l'individu sur sa place dans le monde, sur sa raison d'être, le monde reste muet et le laisse aux prises avec son angoisse.

> ● **LES LIMITES DE LA LIBERTÉ INDIVIDUELLE**
>
> Conscient que la liberté de chaque individu ne peut être entière, sinon elle deviendrait égoïste et unilatérale, Jean-Paul Sartre prend soin de préciser que la liberté de l'un s'arrête là où commence celle de l'autre : « En voulant la liberté, nous découvrons qu'elle dépend entièrement de la liberté des autres, et que la liberté des autres dépend de la nôtre », affirme-t-il dans *L'existentialisme est un humanisme*.

EXISTENTIALISME ET ABSURDE EN THÈMES

LA LIBERTÉ ET LA RESPONSABILITÉ HUMAINES

Selon la pensée existentialiste, chacun naît entièrement libre, et non assujetti à un quelconque déterminisme qui déciderait du cours de sa vie, comme le prétendaient les écrivains réalistes. Poursuivant la démarche des auteurs humanistes qui les ont précédés, les existentialistes voient dans l'individu un être entièrement maître de son présent et de son avenir. Intimement liée à la notion de responsabilité qui en découle, cette liberté doit être pleinement assumée, ce qui en fait tout le contraire d'une liberté frivole. Le propos existentialiste parle de l'humain condamné à être libre et, donc, à être responsable du monde et de lui-même.

L'ABSURDE

Dans son essai intitulé *Le mythe de Sisyphe* (1942), Albert Camus expose clairement l'obstination dont l'humain doit faire preuve pour vivre pleinement, malgré le vide qui entoure sa vie, malgré le vide de sa vie même, malgré la mort comme seul aboutissement.

LA SOLITUDE

Conséquence immédiate de la mort de Dieu, de cette récente condition humaine qui fait que chacun se retrouve seul dans l'univers et incapable de communication profonde avec le reste du monde, le thème de la solitude vient en partie de ce que Camus appelle « la douce indifférence du monde ».

EXISTENTIALISME ET ABSURDE
EN PERSONNES

Jacques Prévert (1900-1977)

D'abord membre du groupe surréaliste, Jacques Prévert n'a cessé de s'amuser avec la langue. Il invente le «cadavre exquis» dans les années 1920. On lui doit notamment les dialogues de certains des meilleurs films de Marcel Carné, dont *Les enfants du paradis* (1945) et *Quai des brumes* (1938). Son œuvre *Paroles*, parue en 1946, est le seul recueil de poésie de l'histoire à s'être hissé au palmarès des librairies. Prévert est un moqueur invétéré, mais aussi un critique virulent du pouvoir et un antimilitariste convaincu.

▶ Extrait, p. 184

Jean-Paul Sartre (1905-1980)

L'œuvre immense de celui qui fut philosophe, critique, moraliste, activiste, dramaturge et romancier dépasse de loin le cadre de la théorie philosophique à laquelle on l'associe immanquablement. Ce penseur dérangeant, hostile à tout dogmatisme, marque son époque de sa présence. On le considère volontiers aujourd'hui comme le dernier représentant de ce que certains appellent l'«intellectuel total».

▶ Extrait, p. 182

Simone de Beauvoir (1908-1986)

Simone de Beauvoir étudie la philosophie à la Sorbonne, où elle fait la rencontre de Jean-Paul Sartre, son «amour nécessaire» (par opposition aux «amours contingentes»), dont elle ne se séparera jamais véritablement. Sensible à toutes les injustices, à tous les assujettissements, Simone de Beauvoir milite en faveur du communisme (elle rencontrera Fidel Castro, Che Guevara, Mao Zedong), pour l'indépendance de l'Algérie et, avant tout, pour l'émancipation des femmes.

▶ Extrait, p. 188

Albert Camus (1913-1960)

Albert Camus naît en Algérie, où il passe une bonne partie de sa vie. Passionné de soccer, un sport qu'il pratique dans son club universitaire, il songe à une carrière professionnelle dans ce domaine. Mais, atteint de tuberculose, il est bientôt condamné par les médecins. Durement secoué par la nouvelle, il fait alors l'expérience de l'annonce de la mort imminente confrontée au bonheur qu'il ressent à vivre. Sa réflexion sur l'absurde n'est pas étrangère à cette réalité personnelle.

► Extrait, p. 180

Boris Vian (1920-1959)

Reconnu d'abord pour ses talents de musicien et de chansonnier, Boris Vian est une figure marquante de Saint-Germain-des-Prés, où il est connu comme trompettiste de jazz. Très engagé dans le milieu musical, il devient directeur artistique de diverses maisons de disques. Ses chansons, qu'il interprète lui-même, sont souvent empreintes d'humour noir, mais parfois sérieuses, voire tragiques.

► Extraits, p. 186 et 192

André Langevin (1927-2009)

André Langevin est écrivain et journaliste, deux métiers pour lesquels il sera primé à plusieurs reprises. Il reçoit entre autres le prix Athanase-David, en 1988, pour l'ensemble de son œuvre littéraire. Il écrit ses romans à portée universelle dans un Québec encore dominé par un gouvernement traditionaliste et clérical. Plusieurs de ses écrits sont réédités par des maisons d'édition françaises et traduits par des éditeurs américains.

► Extrait, p. 190

EXISTENTIALISME ET ABSURDE
EN TEXTES

LIBERTÉ, DANS *POÉSIE ET VÉRITÉ* (1942)
PAUL ÉLUARD

▶ Biographie, p. 136

■ L'ŒUVRE EN BREF

À l'origine, le poème «Liberté», illustré par Fernand Léger en 1953, s'intitulait «Une seule pensée». L'intention était en effet que la seule pensée qui devait occuper l'esprit des Français était de recouvrer la liberté que leur avait enlevée l'envahisseur nazi.

■ UNE LECTURE DE L'ŒUVRE

Ce texte est une longue énumération d'éléments simples, donnant à l'ensemble une saveur de naïveté et une fraîcheur qui tranchent durement avec la réalité vécue à cette époque.

POÈME

Sur mes cahiers d'écolier
Sur mon pupitre et les arbres
Sur le sable de neige
J'écris ton nom

5 Sur les pages lues
Sur toutes les pages blanches
Pierre sang papier ou cendre
J'écris ton nom

Sur les images dorées
10 Sur les armes des guerriers
Sur la couronne des rois
J'écris ton nom

Sur la jungle et le désert
Sur les nids sur les genêts
15 Sur l'écho de mon enfance
J'écris ton nom

Sur les merveilles des nuits
Sur le pain blanc des journées
Sur les saisons fiancées
20 J'écris ton nom

Sur tous mes chiffons d'azur
Sur l'étang soleil moisi
Sur le lac lune vivante
J'écris ton nom

25 Sur les champs sur l'horizon
Sur les ailes des oiseaux
Et sur le moulin des ombres
J'écris ton nom

Sur chaque bouffée d'aurore
30 Sur la mer sur les bateaux
Sur la montagne démente
J'écris ton nom

Sur la mousse des nuages
Sur les sueurs de l'orage
35 Sur la pluie épaisse et fade
J'écris ton nom

Sur les formes scintillantes
Sur les cloches des couleurs
Sur la vérité physique
40 J'écris ton nom

Sur les sentiers éveillés
Sur les routes déployées
Sur les places qui débordent
J'écris ton nom

45 Sur la lampe qui s'allume
Sur la lampe qui s'éteint
Sur mes raisons réunies
J'écris ton nom

Sur le fruit coupé en deux
50 Du miroir et de ma chambre
Sur mon lit coquille vide
J'écris ton nom

Sur mon chien gourmand et tendre
Sur ses oreilles dressées
55 Sur sa patte maladroite
J'écris ton nom

Sur le tremplin de ma porte
Sur les objets familiers
Sur le flot du feu béni
60 J'écris ton nom

Sur toute chair accordée
Sur le front de mes amis
Sur chaque main qui se tend
J'écris ton nom

65 Sur la vitre des surprises
Sur les lèvres attentives
Bien au-dessus du silence
J'écris ton nom

Sur mes refuges détruits
70 Sur mes phares écroulés
Sur les murs de mon ennui
J'écris ton nom

Sur l'absence sans désir
Sur la solitude nue
75 Sur les marches de la mort
J'écris ton nom

Sur la santé revenue
Sur le risque disparu
Sur l'espoir sans souvenir
80 J'écris ton nom

Et par le pouvoir d'un mot
Je recommence ma vie
Je suis né pour te connaître
Pour te nommer

85 Liberté.

■ L'ŒUVRE ET SON TEMPS

L'ESPOIR TOMBÉ DU CIEL À l'instar des Allemands, les Français découvrent pendant la Seconde Guerre mondiale le pouvoir des mots. Tout le système de propagande est fondé sur cette conviction que la parole est une arme redoutable. Au milieu des tracts annonçant les victoires des ennemis et qui sont jetés du ciel dans l'espoir de décourager les Français, ceux-ci reçoivent aussi, diffusés de la même manière, des messages d'espoir et d'exhortation à la résistance. Ainsi en est-il du poème « Liberté », de Paul Éluard. Publié clandestinement en 1942, le poème sera largué par centaines d'exemplaires à partir d'avions britanniques et cueilli au vol dans les maquis de France.

■ L'ŒUVRE ET LA DISSERTATION

Montrez comment, d'après le poème d'Éluard, l'espoir naîtra de l'essentiel du quotidien, qui manque cruellement aux populations en temps de guerre.

ANALYSE

LIBERTÉ

Sur mes cahiers d'écolier
Sur mon pupitre et les arbres
Sur le sable de neige
J'écris ton nom

5 Sur les pages lues
Sur toutes les pages blanches
Pierre sang papier ou cendre
J'écris ton nom

Sur les images dorées
10 Sur les armes des guerriers
Sur la couronne des rois
J'écris ton nom

Sur la jungle et le désert
Sur les nids sur les genêts
15 Sur l'écho de mon enfance
J'écris ton nom

Sur les merveilles des nuits
Sur le pain blanc des journées
Sur les saisons fiancées
20 J'écris ton nom

Sur tous mes chiffons d'azur
Sur l'étang soleil moisi
Sur le lac lune vivante
J'écris ton nom

25 Sur les champs sur l'horizon
Sur les ailes des oiseaux
Et sur le moulin des ombres
J'écris ton nom

Sur chaque bouffée d'aurore
30 Sur la mer sur les bateaux
Sur la montagne démente
J'écris ton nom

Sur la mousse des nuages
Sur les sueurs de l'orage
35 Sur la pluie épaisse et fade
J'écris ton nom

Sur les formes scintillantes
Sur les cloches des couleurs
Sur la vérité physique
40 J'écris ton nom

Sur les sentiers éveillés
Sur les routes déployées
Sur les places qui débordent
J'écris ton nom

45 Sur la lampe qui s'allume
Sur la lampe qui s'éteint
Sur mes raisons réunies
J'écris ton nom

Sur le fruit coupé en deux
50 Du miroir et de ma chambre
Sur mon lit coquille vide
J'écris ton nom

Sur mon chien gourmand et tendre
Sur ses oreilles dressées
55 Sur sa patte maladroite
J'écris ton nom

Sur le tremplin de ma porte
Sur les objets familiers
Sur le flot du feu béni
60 J'écris ton nom

Sur toute chair accordée
Sur le front de mes amis
Sur chaque main qui se tend
J'écris ton nom

65 Sur la vitre des surprises
Sur les lèvres attentives
Bien au-dessus du silence
J'écris ton nom

Sur mes refuges détruits
70 Sur mes phares écroulés
Sur les murs de mon ennui
J'écris ton nom

Sur l'absence sans désir
Sur la solitude nue
75 Sur les marches de la mort
J'écris ton nom

Sur la santé revenue
Sur le risque disparu
Sur l'espoir sans souvenir
80 J'écris ton nom

Et par le pouvoir d'un mot
Je recommence ma vie
Je suis né pour te connaître
Pour te nommer

85 Liberté.

Le poème, reproduit à l'aide de la technique du pochoir, est accompagné du portrait de Paul Éluard et d'une main sur laquelle est inscrit «j'écris», montrant ainsi la paternité du texte écrit onze ans plus tôt.

Fernand Léger (1881-1955). *Liberté – J'écris ton nom* (1953).
Collection privée.

OBSERVONS :

- À la première lecture, nous observons l'épiphore «J'écris ton nom» qui apparaît 19 fois dans l'extrait. La répétition se présente comme un leitmotiv (idée ou thème récurrent), comme une obsession. En écrivant le nom, on peut sembler s'adresser à un être aimé. On peut aussi comprendre qu'on inscrit partout le même nom, comme pour enlacer les choses et les idées, les englober dans un même tout.

- Les deux derniers vers : «Pour te nommer/Liberté»

On comprend donc que la quête ultime, la liberté, ce qui est retiré aux populations en temps de guerre, devra s'imprégner sur toute chose, laisser sa marque sur l'ensemble des éléments de la réalité.

- Quels sont ces éléments ?
  - En orange, l'enfance et les apprentissages, les souvenirs
  - En bleu, les éléments de la nature observables chaque jour de la vie ordinaire
  - En vert, les aspects affectifs et familiers du quotidien.

Ce sont donc tous ces éléments de la réalité quotidienne, auxquels on ne fait plus attention en temps de paix, qui ressurgissent de la mémoire dans le poème, forçant les souvenirs à émerger et à devenir la quête de tout un chacun, la quête du poète et du lecteur.

- Si la mort semble surgir des deux quatrains en brun, la vie reprend vite le terrain dans les deux quatrains suivants, en mauve, pour faire renaître l'espoir.

Ainsi, la liberté devient-elle l'ultime aboutissement de toute la résistance humaine. Le dernier quatrain («Et par le pouvoir d'un mot/Je recommence ma vie/Je suis né pour te connaître/Pour te nommer») est un hommage à la prise de parole, qui permet d'évoquer et de faire renaître cette liberté.

L'ÉTRANGER (1942)
ALBERT CAMUS

▶ BIOGRAPHIE, P. 175

■ L'ŒUVRE EN BREF

Meursault, le personnage central du roman, est condamné à mort pour le meurtre d'un homme. Ce qui influence le jury dans sa décision est bien moins le meurtre lui-même que l'insensibilité dont semble faire preuve Meursault (il n'a pas pleuré aux funérailles de sa mère).

■ UNE LECTURE DE L'ŒUVRE

L'incapacité du personnage à faire comprendre ce qu'il ressent et ce qu'il pense, son apparente indifférence vis-à-vis de tout font toujours avorter la prise de contact avec autrui, comme c'est le cas lors de sa rencontre avec le juge. On observera le style dépouillé du récit, la brièveté des répliques du personnage, peu enclin à dépenser de l'énergie dans son rapport forcé avec l'autre.

EXTRAIT

Nous nous sommes tous les deux carrés dans nos fauteuils. L'interrogatoire a commencé. Il m'a d'abord dit qu'on me dépeignait comme étant d'un caractère taciturne et renfermé et il a voulu savoir ce que j'en pensais. J'ai répondu : « C'est que je n'ai jamais grand-chose à dire. Alors je me tais. »

5 […]

Sans transition, il m'a demandé si j'aimais maman. J'ai dit : « Oui, comme tout le monde » et le greffier, qui jusqu'ici tapait régulièrement sur sa machine, a dû se tromper de touches, car il s'est embarrassé et a été obligé de revenir en arrière. Toujours sans logique apparente, le juge m'a alors demandé si j'avais tiré les cinq
10 coups de revolver à la suite. J'ai réfléchi et précisé que j'avais tiré une seule fois d'abord et, après quelques secondes, les quatre autres coups. « Pourquoi avez-vous attendu entre le premier et le second coup ? » dit-il alors. Une fois de plus, j'ai revu la plage rouge et j'ai senti sur mon front la brûlure du soleil. Mais cette fois, je n'ai rien répondu. Pendant tout le silence qui a suivi le juge a eu l'air de s'agiter. Il s'est assis,
15 a fourragé dans ses cheveux, a mis ses coudes sur son bureau et s'est penché un peu vers moi avec un air étrange : « Pourquoi, pourquoi avez-vous tiré sur un corps à terre ? » Là encore, je n'ai pas su répondre. Le juge a passé ses mains sur son front et a répété sa question d'une voix un peu altérée : « Pourquoi ? Il faut que vous me le disiez. Pourquoi ? » Je me taisais toujours.

20 Brusquement, il s'est levé, a marché à grands pas vers une extrémité de son bureau
et a ouvert un tiroir dans un classeur. Il en a tiré un crucifix d'argent qu'il a brandi
en revenant vers moi. Et d'une voix toute changée, presque tremblante, il s'est écrié :
« Est-ce que vous le connaissez, celui-là ? » J'ai dit : « Oui, naturellement. » Alors il m'a
dit très vite et d'une façon passionnée que lui croyait en Dieu, que sa conviction était

25 qu'aucun homme n'était assez coupable pour que Dieu ne lui pardonnât pas, mais
qu'il fallait pour cela que l'homme par son repentir devînt comme un enfant dont
l'âme est vide et prête à tout accueillir. Il avait tout son corps penché sur la table. Il
agitait son crucifix presque au-dessus de moi. À vrai dire, je l'avais très mal suivi dans
son raisonnement, d'abord parce que j'avais chaud et qu'il y avait dans son cabinet

30 de grosses mouches qui se posaient sur ma figure, et aussi parce qu'il me faisait un
peu peur. Je reconnaissais en même temps que c'était ridicule parce que, après tout,
c'était moi le criminel.

■ L'ŒUVRE ET SON TEMPS

Autour de l'existentialisme Certains écrivains de Saint-Germain-des-Prés, dont Albert Camus, sont associés au couple Sartre et Beauvoir parce qu'ils fréquentent les mêmes cafés. Ils y échangent leurs idées et y confrontent leurs visions du monde. Mais au-delà des affinités partagées, il existe aussi d'importantes divergences d'opinion, notamment dans leur théorie centrale : l'absurde pour Camus, l'existentialisme pour Sartre et Beauvoir.

■ L'ŒUVRE ET LA DISSERTATION

Démontrez que, parce que Meursault refuse de mentir, de jouer le jeu de la convention sociale, il se retrouve continuellement confronté à l'incompréhension humaine.

HUIS CLOS (1944)
JEAN-PAUL SARTRE

▶ BIOGRAPHIE, P. 174

■ L'ŒUVRE EN BREF

La pièce *Huis clos* traite de la notion de responsabilité en même temps qu'elle souligne le poids cruellement lourd du regard de l'autre. Après avoir cherché des indices qui leur montreraient qu'ils sont bel et bien en enfer, les personnages en arrivent au constat que, pour s'y retrouver, il leur suffit d'être ensemble.

■ UNE LECTURE DE L'ŒUVRE

L'intensité émotive de l'extrait, observable notamment par l'usage fréquent d'exclamations, contraste curieusement avec la dernière phrase, qui montre la soumission des personnages.

EXTRAIT

INÈS. — Eh bien, qu'attends-tu? Fais ce qu'on te dit, Garcin le lâche tient dans ses bras Estelle l'infanticide. Les paris sont ouverts. Garcin le lâche l'embrassera-t-il? Je vous vois, je vous vois; à moi seule je suis une foule, la foule. Garcin, la foule, l'entends-tu? (*Murmurant.*) Lâche! Lâche! Lâche! Lâche! En vain tu me fuis, je ne te
5 lâcherai pas. Que vas-tu chercher sur ses lèvres? L'oubli? Mais je ne t'oublierai pas, moi. C'est moi qu'il faut convaincre. Moi. Viens, viens! Je t'attends. Tu vois, Estelle, il desserre son étreinte, il est docile comme un chien… Tu ne l'auras pas!

GARCIN. — Il ne fera donc jamais nuit?

INÈS. — Jamais.

10 GARCIN. — Tu me verras toujours?

INÈS. — Toujours.

Garcin abandonne Estelle et fait quelques pas dans la pièce. Il s'approche du bronze.

GARCIN. — Le bronze… (*Il le caresse.*) Eh bien, voici le moment. Le bronze est là, je le contemple et je comprends que je suis en enfer. Je vous dis que tout était prévu.
15 Ils avaient prévu que je me tiendrais devant cette cheminée, pressant ma main sur ce bronze, avec tous ces regards sur moi. Tous ces regards qui me mangent… (*Il se retourne brusquement.*) Ha! Vous n'êtes que deux? Je vous croyais beaucoup plus nombreuses. (*Il rit.*) Alors, c'est ça l'enfer. Je n'aurais jamais cru… Vous vous rappelez: le soufre, le bûcher, le gril… Ah! quelle plaisanterie. Pas besoin de gril: l'enfer,
20 c'est les Autres.

ESTELLE. — Mon amour !

GARCIN, *la repoussant.* — Laisse-moi. Elle est entre nous. Je ne peux pas t'aimer quand elle me voit.

ESTELLE. — Ha ! Eh bien, elle ne nous verra plus.

25 *Elle prend le coupe-papier sur la table, se précipite sur Inès et lui porte plusieurs coups.*

INÈS, *se débattant et riant.* — Qu'est-ce tu fais, qu'est-ce que tu fais, tu es folle ? Tu sais bien que je suis morte.

ESTELLE. — Morte ?

Elle laisse tomber le couteau. Un temps. Inès ramasse le couteau et s'en frappe avec rage.

30 INÈS. — Morte ! Morte ! Morte ! Ni le couteau, ni le poison, ni la corde. C'est *déjà* fait, comprends-tu ? Et nous sommes ensemble pour toujours.

Elle rit.

ESTELLE, éclatant de rire. — Pour toujours, mon Dieu que c'est drôle ! Pour toujours !

GARCIN, *rit en les regardant toutes deux.* — Pour toujours !

35 *Ils tombent assis, chacun sur son canapé. Un long silence. Ils cessent de rire et se regardent. Garcin se lève.*

GARCIN. — Eh bien, continuons.

■ L'ŒUVRE ET SON TEMPS

SAINT-GERMAIN-DES-PRÉS Saint-Germain-des-Prés devient rapidement le quartier où choisissent de se donner rendez-vous écrivains, artistes et musiciens des années 1940. La pensée existentialiste y rayonne principalement à partir de deux cafés, *Le Flore* et *Les Deux Magots*, que fréquentent assidûment Jean-Paul Sartre et Simone de Beauvoir, les principaux instigateurs du mouvement. Ils y établissent leurs quartiers, et leurs fidèles, dont beaucoup de jeunes, viennent épier leur travail.

■ L'ŒUVRE ET LA DISSERTATION

Montrez que la vie en société impose le regard de l'autre, lequel condamne l'individu à percevoir ce qu'il est dans l'image que l'autre lui renvoie de lui-même.

PATER NOSTER, DANS *PAROLES* (1946)
JACQUES PRÉVERT

▶ BIOGRAPHIE, P. 174

■ L'ŒUVRE EN BREF

Paroles est le premier recueil de Jacques Prévert. Il connaît rapidement un grand succès, grâce entre autres aux associations langagières ludiques qui réinventent les formules toutes faites.

■ UNE LECTURE DE L'ŒUVRE

La religion est l'une des cibles favorites de Prévert. La vie jouissive qu'il mène s'accommode mal de l'austérité cléricale. Dans *Pater noster*, l'énumération de choses belles dans un agencement hétéroclite permet de poser un regard généreusement naïf et tendre sur le quotidien.

POÈME

Notre Père qui êtes aux cieux
Restez-y
Et nous nous resterons sur la terre
Qui est quelquefois si jolie
5   Avec ses mystères de New York
Et puis ses mystères de Paris
Qui valent bien celui de la Trinité
Avec son petit canal de l'Ourcq
Sa grande muraille de Chine
10   Sa rivière de Morlaix
Ses bêtises de Cambrai
Avec son Océan Pacifique
Et ses deux bassins aux Tuileries
Avec ses bons enfants et ses mauvais sujets
15   Avec toutes les merveilles du monde
Qui sont là
Simplement sur la terre
Offertes à tout le monde
Éparpillées

20   Émerveillées elles-mêmes d'être de telles merveilles
                Et qui n'osent se l'avouer
      Comme une jolie fille nue qui n'ose pas se montrer
            Avec les épouvantables malheurs du monde
                    Qui sont légion
25   Avec leurs légionnaires
                  Avec leurs tortionnaires
               Avec les maîtres de ce monde
      Les maîtres avec leurs prêtres leurs traîtres et leurs
                        reîtres
30   Avec les saisons
                  Avec les années
         Avec les jolies filles et avec les vieux cons
      Avec la paille de la misère pourrissant dans l'acier
                    des canons.

■ L'ŒUVRE ET SON TEMPS

Les écrivains qui se côtoient dans les cafés de résistants sont parfois surréalistes, parfois existen-tialistes ou simplement engagés, contre le pouvoir (civique ou religieux) et pour la paix. Plusieurs ont joué avec la langue, avec les mots, et ont construit des univers très personnels. C'est le cas notamment de Boris Vian et de Jacques Prévert, qui ont fréquenté Saint-Germain-des-Prés et y ont laissé leur empreinte.

■ L'ŒUVRE ET LA DISSERTATION

Prévert oscille entre une vision surprenante du monde et un monde en constant décalage avec les associations habituelles d'idées et de choses. Expliquez.

L'ÉCUME DES JOURS (1947)
BORIS VIAN

▶ BIOGRAPHIE, P. 175

■ L'ŒUVRE EN BREF

Écrite tout de suite après la guerre, cette œuvre que Vian espérait voir primée n'a pas connu le succès avant les années 1960. Entouré de ses amis, de son amoureuse (Chloé) et de son cuisinier (Nicolas), Colin, le personnage central, coule des jours heureux. Vient pourtant un moment où son avenir semble se refermer : Chloé est rongée de l'intérieur par un nénuphar ; les murs de la chambre (qui n'est pas sans rappeler par sa puissance évocatrice celle des *Enfants terribles* de Jean Cocteau) rapetissent. Appauvri, Colin ne peut garder avec lui Nicolas.

■ UNE LECTURE DE L'ŒUVRE

À la fois drôle et pathétique, le roman le plus connu de Boris Vian présente au lecteur un monde qui tient du merveilleux, faisant se mouvoir d'eux-mêmes les objets, ou encore prenant les expressions métaphoriques de la langue au pied de la lettre.

EXTRAIT

— Tu vas prendre froid ! dit Alise. Couvre-toi !

— Non, murmura Chloé. Il le faut. C'est le traitement.

— Quelles jolies fleurs ! dit Alise. Colin est en train de se ruiner, ajouta-t-elle gaiement pour faire rire Chloé.

5 — Oui, murmura Chloé. Elle eut un pauvre sourire.

— Il cherche du travail, dit-elle à voix basse. C'est pour cela qu'il n'est pas là.

— Pourquoi parles-tu comme ça ? demanda Alise.

— J'ai soif… dit Chloé dans un souffle.

— Tu ne prends réellement que deux cuillerées par jour ? dit Alise.

10 — Oui… soupira Chloé.

Alise se pencha vers elle et l'embrassa.

— Tu vas bientôt être guérie.

— Oui, dit Chloé. Je pars demain avec Nicolas et la voiture.

— Et Colin ? demanda Alise.

15 — Il reste, dit Chloé. Il faut qu'il travaille. Mon pauvre Colin !… Il n'a plus de doublezons…

— Pourquoi ? demanda Alise.

— Les fleurs… dit Chloé.

— Est-ce qu'il grandit? murmura Alise.

20 — Le nénuphar? dit Chloé tout bas. Non, je crois qu'il va partir.

— Alors, tu es contente?

— Oui, dit Chloé. Mais j'ai si soif.

— Pourquoi n'allumes-tu pas? demanda Alise. Il fait très sombre ici.

— C'est depuis quelque temps, dit Chloé. C'est depuis quelque temps. Il n'y a rien
25 à faire. Essaye.

Alise manœuvra le commutateur et un léger halo se dessina autour de la lampe.

— Les lampes meurent, dit Chloé. Les murs se rétrécissent aussi. Et la fenêtre, ici,
aussi.

— C'est vrai? demanda Alise.

30 — Regarde…

La grande baie vitrée qui courait sur toute la largeur du mur n'occupait plus que
deux rectangles oblongs arrondis aux extrémités. Une sorte de pédoncule s'était
formé au milieu de la baie, reliant les deux bords, et barrant la route au soleil. Le
plafond avait baissé notablement et la plate-forme où reposait le lit de Colin et
35 Chloé n'était plus très loin du sol.

— Comment est-ce que cela peut se faire? demanda Alise.

— Je ne sais pas… dit Chloé. Tiens, voilà un peu de lumière.

La souris à moustaches noires venait d'entrer, portant un petit fragment d'un des
carreaux du couloir de la cuisine qui répandait une vive lueur.

40 — Sitôt qu'il fait trop noir, expliqua Chloé, elle m'en apporte un peu.

Elle caressa la petite bête qui déposa son butin sur la table de chevet.

■ L'ŒUVRE ET SON TEMPS

VIAN ET LE JAZZ L'œuvre de Boris Vian est traversée par le jazz, qu'il pratique en tant que trompettiste et dont il fréquente les plus grands représentants : Duke Ellington d'abord, puis Miles Davis et Charlie Parker. Après des années d'interdiction imposée par l'occupant durant la guerre, Paris reprend sa vie nocturne en 1945. Les clubs de jazz de la ville accueillent alors les plus grands musiciens de l'époque.

■ L'ŒUVRE ET LA DISSERTATION

Expliquez comment on peut affirmer que, malgré la tendresse et l'amour, la menace de la mort semble omniprésente dans l'univers onirique de *L'écume des jours*.

LE DEUXIÈME SEXE (1949)
SIMONE DE BEAUVOIR

► BIOGRAPHIE, P. 174

■ L'ŒUVRE EN BREF

Cet essai majeur montre comment, historiquement, dans toutes les civilisations, la femme a été confinée dans des rôles subalternes, une dépendance qui a fait d'elle un être dominé. Comme, par ailleurs, rien dans la nature humaine ne laisse supposer à priori cette infériorité, on peut en déduire que l'éducation seule emprisonne la femme dans cette condition.

■ UNE LECTURE DE L'ŒUVRE

La première phrase donne le ton à l'argumentaire tout à fait révolutionnaire sur l'égalité des sexes qui va suivre dans l'extrait. Jamais l'essayiste ne doute de ce qu'elle affirme ou ne se place en situation d'incertitude, ce qui contribue à lui donner cette force qu'elle revendique au nom des femmes.

EXTRAIT

On ne naît pas femme : on le devient. Aucun destin biologique, psychique, économique ne définit la figure que revêt au sein de la société la femelle humaine ; c'est l'ensemble de la civilisation qui élabore ce produit intermédiaire entre le mâle et le castrat qu'on qualifie de féminin. Seule la médiation d'autrui peut constituer un individu comme un *Autre*. En tant qu'il existe pour soi l'enfant ne saurait se saisir comme sexuellement différencié. Chez les filles et les garçons, le corps est d'abord le rayonnement d'une subjectivité, l'instrument qui effectue la compréhension du monde : c'est à travers les yeux, les mains, non par les parties sexuelles qu'ils appréhendent l'univers. Le drame de la naissance, celui du sevrage se déroulent de la même manière pour les nourrissons des deux sexes ; ils ont les mêmes intérêts et les mêmes plaisirs ; la succion est d'abord la source de leurs sensations les plus agréables ; puis ils passent par une phase anale où ils tirent leurs plus grandes satisfactions des fonctions excrétoires qui leur sont communes ; leur développement génital est analogue ; ils explorent leur corps avec la même curiosité et la même indifférence ; du clitoris et du pénis ils tirent un même plaisir incertain ; dans la mesure où déjà leur sensibilité s'objective, elle se tourne vers la mère : c'est la chair féminine douce, lisse, élastique qui suscite des désirs sexuels et ces désirs sont préhensifs ; c'est d'une manière agressive que la fille, comme le garçon, embrasse sa mère, la palpe, la caresse ; ils ont la même jalousie s'il naît un nouvel enfant ; ils la manifestent par les mêmes conduites : colères, bouderie, troubles urinaires ; ils recourent aux mêmes coquetteries pour capter l'amour des adultes. Jusqu'à douze ans la fillette est aussi robuste que ses frères, elle manifeste les mêmes capacités intellectuelles ; il n'y a aucun domaine où il lui soit interdit de rivaliser avec eux. Si, bien avant la puberté, et parfois même dès sa toute petite enfance, elle nous apparaît

25 | déjà comme sexuellement spécifiée, ce n'est pas que de mystérieux instincts immédiatement la vouent à la passivité, à la coquetterie, à la maternité : c'est que l'intervention d'autrui dans la vie de l'enfant est presque originelle et que dès ses premières années sa vocation lui est impérieusement insufflée.

Marie Laurencin (1883-1956). *Jeune fille* (sans date).
Collection privée.

■ L'ŒUVRE ET SON TEMPS

Simone de Beauvoir défend au nom des femmes le droit à l'autonomie, à l'entière liberté sexuelle, à l'avortement. Son ouvrage *Le deuxième sexe*, véritable bombe féministe lancée sur un Occident encore très phallocrate, lui vaut quelques appuis, de nombreux reproches et une condamnation du Vatican.

Dans les années 1970, les féministes ont abondamment puisé dans *Le deuxième sexe* les arguments de leur discours revendicateur.

■ L'ŒUVRE ET LA DISSERTATION

Selon Simone de Beauvoir, la femme, une fois libérée des modèles séculaires de subordination, pourra prendre pleinement part à l'avenir de l'humanité. Montrez comment les observations présentées dans le texte appuient cette idée.

POUSSIÈRE SUR LA VILLE (1953)
ANDRÉ LANGEVIN

▶ BIOGRAPHIE, P. 175

■ L'ŒUVRE EN BREF

Alain Dubois s'installe comme médecin dans une ville minière isolée et revêche, avec sa jeune épouse Madeleine, une femme sauvage et passionnée qu'il a soudain l'impression de tenir en cage. La souffrance de cette dernière, son ennui profond, accablent Dubois autant qu'elle.

■ UNE LECTURE DE L'ŒUVRE

Le narrateur s'est confiné chez lui, dans l'attente fébrile du retour de sa femme. Hésitant sur le comportement à adopter devant elle, il multiplie les scénarios en même temps qu'il prend conscience de l'irrémédiable distance qui s'est installée entre eux.

EXTRAIT

J'allume une lampe de table dans le salon et je m'efforce de lire une revue médicale qui me fatigue comme un thème grec. Dehors, il neige toujours. La tempête lèche la fenêtre par saccades, comme une flamme. Je pense au bracelet que j'ai laissé dans la cuisine. Je dépose la petite boîte bien en vue sur une table basse au milieu de la pièce. J'essaie de me mettre dans la peau de Madeleine lorsqu'elle rentrera. Rien ne va. Il n'y aura ni cris de joie ni étonnement. Elle filera directement dans sa chambre sans me voir et sans regarder la boîte. Il faudra que j'aille la rejoindre et elle ne fera rien pour alléger l'atmosphère. Elle est capable de me dire avec indifférence :

10   — Qu'est-ce qui t'arrive ?

La possibilité d'être ridicule devant elle m'empourpre déjà. Je reprends la boîte et la mets dans ma poche. J'attendrai le moment favorable.

Il y a plus d'une heure et demie maintenant qu'elle est entrée au cinéma. Elle devrait revenir d'un moment à l'autre à moins que... à moins qu'elle ne prolonge
15   mon supplice en retournant chez Kouri. J'éteins la lampe et j'attends. Je serai capable de simuler le sommeil et d'avoir tout oublié. Ce sera plus facile de reprendre naturellement si je parais m'éveiller. J'ouvre la radio et un jazz gluant comme un bonbon léché donne à la pénombre des vibrations rassurantes, abolit la rumeur de la rue. Le vent siffle aux fenêtres, mais apaisant, comme le bois dans
20   le feu.

Je n'ai pas de peine à évoquer le visage inquiétant de Madeleine. Je le vois comme si elle dormait ; une forme étrangère à mon amour, un corps qui s'est mis hors d'atteinte pour la nuit et Madeleine qui l'a quitté pour s'en aller ailleurs. Un corps mort que j'interrogerais, étonné de ne plus le reconnaître, irrité que

25 Madeleine n'y soit plus, de ce que je n'aie rien fait pour l'arrêter. J'avais charge de son âme, de son bonheur. Et pendant toute une vie, elle m'a filé entre les doigts. Et c'est terriblement vrai qu'elle m'échappe, que je ne peux la retenir par aucun point. Si elle mourait aujourd'hui, je souffrirais davantage de ne l'avoir pas mieux connue et aimée que de sa disparition. Pour la première fois je ressens une respon-
30 sabilité très lourde. Cette idée de sa mort, et c'est la fin logique de notre mariage, donne à mes paroles et à mes actes les plus anodins une impressionnante gravité. Il doit y avoir des femmes qui s'en vont avec un immense ressentiment contre l'homme qu'elles ont aimé. La mort est le plus égoïste de nos actes. Il ne saurait être question d'épargner les survivants. Quels seraient nos sentiments envers l'un
35 et l'autre si on nous annonçait que demain ce serait fini pour nous deux ? J'aime mieux ne pas y songer, ne pas imaginer le regard que pourrait avoir alors Madeleine. Comme il lui serait facile de me juger définitivement ! Je suis engagé envers elle, sans possibilité de recul. Cet engagement-là ne m'a été dicté par aucune loi, ni par aucune religion. Il ne peut souffrir d'atermoiements. Aussi essen-
40 tiel que le devoir de vivre. Le résilier serait aussi insensé que de s'enlever la vie, aussi dérisoire. Je n'ai pas acquis Madeleine. Elle m'a confié une part de sa vie en dépôt et elle s'est enfuie. Je cours à sa suite pour la lui remettre. Nous nous pour-suivons ainsi, sans nous atteindre, à moins qu'elle ne s'arrête et ne me quitte intacte, comme je l'ai prise.

45 J'ai considérablement vieilli en trois mois. Ce doit être cela la maturité, sentir ses chaînes tout à coup et les accepter parce que de fermer les yeux ne les abolit pas.

La musique de jazz emplit tout l'appartement, elle me prolonge dans toutes les pièces. Je suis seul, largement. Par la musique je touche les quatre murs.
50 Madeleine, en entrant, devra attendre que je me replie dans mon fauteuil. Cela se fera rapidement, parce que ma femme ne craint pas de bousculer.

■ L'ŒUVRE ET SON TEMPS

Dès la fin des années 1940 émerge une nouvelle menace, qui n'est pas sans lien avec les événements survenus durant la guerre, comme le largage des bombes atomiques. La conscience de notre fragilité, puis de notre responsabilité humaine, est plus que jamais au cœur de la pensée occidentale.

■ L'ŒUVRE ET LA DISSERTATION

L'obsession du narrateur pour les responsabilités qui lui échoient et le sentiment profond de solitude qui l'accompagne font de *Poussière sur la ville*, d'André Langevin, une œuvre représentative de la vision existentialiste du monde. Démontrez cette affirmation.

LE DÉSERTEUR (1954)
BORIS VIAN

► BIOGRAPHIE, P. 175

■ L'ŒUVRE EN BREF

Dans cette célèbre chanson, Boris Vian s'insurge contre la folie de la guerre qui sacrifie les enfants d'une nation aux intérêts de la classe dirigeante, que ses fonctions mêmes protègent des combats.

■ UNE LECTURE DE L'ŒUVRE

Ce texte, adressé directement au président de la République, est éminemment pacifiste et montre le volontaire dépouillement du personnage, qui préférera être mort plutôt que meurtrier.

POÈME

Monsieur le Président
Je vous fais une lettre
Que vous lirez peut-être
Si vous avez le temps
5　Je viens de recevoir
Mes papiers militaires
Pour partir à la guerre
Avant mercredi soir
Monsieur le Président
10　Je ne veux pas la faire
Je ne suis pas sur terre
Pour tuer des pauvres gens
C'est pas pour vous fâcher
Il faut que je vous dise
15　Ma décision est prise

Je m'en vais déserter
Depuis que je suis né
J'ai vu mourir mon père
J'ai vu partir mes frères
20　Et pleurer mes enfants
Ma mère a tant souffert
Elle est dedans sa tombe
Et se moque des bombes
Et se moque des vers
25　Quand j'étais prisonnier
On m'a volé ma femme

On m'a volé mon âme
Et tout mon cher passé
Demain de bon matin
30　Je fermerai ma porte
Au nez des années mortes
J'irai sur les chemins

Je mendierai ma vie
Sur les routes de France
35　De Bretagne en Provence
Et je dirai aux gens :
Refusez d'obéir
Refusez de la faire
N'allez pas à la guerre
40　Refusez de partir
S'il faut donner son sang
Allez donner le vôtre
Vous êtes bon apôtre
Monsieur le Président
45　Si vous me poursuivez
Prévenez vos gendarmes
Que je n'aurai pas d'armes
Et qu'ils pourront tirer

⋮ Marcel Gromaire (1892-1971).
⋮ *La guerre* (1925). Musée d'art
moderne de la Ville de Paris,
Paris, France.

■ L'ŒUVRE ET SON TEMPS

Émigration et désertion : deux façons de dire non à la guerre. À la fin des années 1930 et au début des années 1940, de nombreux artistes et écrivains qui étaient revenus d'exil après la guerre de 1914-1918 doivent, une fois de plus, fuir la France. Cette émigration de même que la collaboration de quelques intellectuels avec les occupants déchirent alors profondément les milieux artistique et littéraire.

■ L'ŒUVRE ET LA DISSERTATION

Le texte de Vian fait la démonstration que la résistance en temps de guerre ne se fait pas toujours par les armes. Expliquez.

CHAPITRE 4

INCERTITUDES ET MOUVANCES

Bridget Riley (1931-). *Winter Palace* (1981). Leeds Museums and Galleries (Leeds Art Gallery), Leeds, Royaume-Uni.

Repères historiques

LE PLAN MARSHALL ET LA GUERRE FROIDE

À la fin de la Seconde Guerre mondiale, Berlin, capitale d'une Allemagne vaincue, devient le symbole de la déchirure de l'Occident. La ville est morcelée et partagée entre la Grande-Bretagne, les États-Unis, la France et l'URSS (Union des républiques socialistes soviétiques). En 1947, le **plan Marshall**[1] crée des tensions entre les deux superpuissances d'alors, soit les États-Unis et l'URSS. On voit apparaître l'année suivante les premières manifestations de ce qu'on a appelé la « guerre froide », qui va perdurer jusqu'à la fin des années 1980 et qui aura pour effet de laisser planer sur le monde la menace constante d'une troisième et ultime guerre mondiale.

Les alliances et scissions politiques qui jalonnent le XXe siècle font que les alliés d'une guerre deviennent parfois les ennemis de la suivante.

Thomas Schütte (1954-). Sans titre. Titre attribué: *United enemies* (1994). Musée national d'Art moderne. Centre Georges Pompidou, Paris, France.

LE MUR DE LA HONTE

L'un des symboles majeurs de la guerre froide est l'érection, en 1961, du mur de Berlin (surnommé le « mur de la honte »), par l'URSS, afin d'empêcher l'exode des Allemands de l'Est (côté communiste) vers l'Ouest.

L'ÉTAT PROVIDENCE

De 1945 à 1975 — période surnommée les « trente glorieuses », au cours de laquelle l'économie est particulièrement florissante en Occident —, les gouvernements prennent des mesures pour atténuer les écarts entre les classes sociales. Cet « État providence », marqué par l'étatisation de certains biens et services, est toutefois mis à mal par la vague conservatrice et néolibérale des années 1980, marquée par la privatisation des services de l'État et par la marchandisation des activités humaines, qui culmine avec la chute du mur de Berlin le 8 novembre 1989.

INTERNET ET LA MONDIALISATION

L'un des effets importants d'Internet est l'abolition des distances. L'accès instantané à la même information, et ce, partout dans le monde, permet d'effacer les frontières et, par conséquent, d'amoindrir les différences culturelles. Internet est sans conteste l'un des phénomènes qui contribuent le plus activement à la mondialisation et à l'uniformisation des désirs et de

: Manifestation durant le sommet
: de l'Organisation mondiale du
commerce, en novembre 1999
à Seattle.

DAVID CONTRE GOLIATH[2]

Depuis 1989, l'hégémonie capitaliste est désormais contestée par la force populaire. À l'aube du XXIe siècle, les mouvements de résistance et de protestation contre l'emprise des multinationales se multiplient. Des groupes altermondialistes, écologistes, pacifistes ou issus de quelque mouvement spontané — on pense au printemps arabe de 2011, au printemps 2012 au Québec — jouent le rôle de David devant ce Goliath moderne.

LES NOUVEAUX ENJEUX, LES NOUVELLES MENACES

La zone euro (19 États à ce jour), dont la monnaie unique existe depuis 2002, montre depuis quelque temps les limites d'une union qui semble avoir sous-estimé l'impact des disparités nationales. Les mesures d'austérité imposées à certains pays (on pense notamment à la Grèce) provoquent des tensions, et l'apaisement de celles-ci sera l'un des principaux défis de l'Europe dans les prochaines années.

Depuis septembre 2001, l'Occident fait face sur son territoire à une forme de violence inusitée jusqu'alors, laquelle mine le sentiment de sécurité qui régnait depuis la fin de la guerre froide. Refusant de succomber à la terreur, l'Occident tente de trouver une issue sans exacerber l'intolérance que cette nouvelle forme de guerre engendre.

Enfin, le réchauffement de la planète, dont on ressent de plus en plus intensément les effets, est l'un des enjeux mondiaux qui nécessitent le plus de rencontres et de protocoles d'entente internationaux; ceux-ci n'ont abouti jusqu'à présent qu'à très peu d'actions concrètes, ce qui explique l'accélération de la dégradation des conditions de vie.

. Voir à ce sujet la rubrique *L'œuvre et son temps* du texte d'Andreï Makine, à la page 245.

. Dans la Bible, le jeune berger David tue le géant Goliath. Malgré la force incontestablement supérieure de ce dernier,

Nouveau roman, théâtre de l'absurde et Oulipo

Apparus simultanément, le nouveau roman et le théâtre de l'absurde ont plusieurs points en commun. Ils traduisent notamment le réflexe de réagir à la folie des deux guerres et aux débordements matérialistes qu'a entraînés le système capitaliste d'après-guerre. En effet, l'Europe adopte plus ou moins volontairement le mode de consommation à l'américaine, conséquence du plan Marshall.

NOUVEAU ROMAN, THÉÂTRE DE L'ABSURDE ET OULIPO EN THÉORIE

LE NOUVEAU ROMAN, OU « ANTIROMAN »

L'expression «nouveau roman» fait son apparition au début des années 1950, au moment où les critiques littéraires se demandent comment appeler les œuvres narratives qui, bien qu'elles comportent certaines des caractéristiques propres au roman réaliste du XIXe siècle, n'en constituent pas moins, à bien des égards, l'exact contrepied.

La neutralité du point de vue

Alors que les auteurs existentialistes tentaient de trouver des solutions à ce qu'ils percevaient comme l'absurdité de la vie en prenant appui sur leur raison et leur propre univers intérieur, les «nouveaux romanciers», eux aussi conscients de faire partie d'un monde cruel sur le point de s'écrouler, s'en distinguent par le fait qu'ils ne tentent pas d'apporter de solutions à cette situation, se contentant plutôt de la dépeindre.

L'absence de progression chronologique, ou non-temps du récit

Certains nouveaux romanciers refusent d'inscrire leur récit dans une quelconque progression chronologique. Ainsi, des événements peuvent se répéter au cours du même récit, sans que les personnages aient l'air de prendre conscience de ces récurrences. Le temps semble plutôt obéir à la logique (ou à l'absence de logique) de la mémoire des personnages. Par ailleurs, à l'inexistence des repères temporels s'ajoute l'absence de lieux stables ou facilement identifiables, ce qui a souvent pour effet de dérouter le lecteur.

La remise en question de la narration

Le rejet du temps chronologique, qui caractérise le nouveau roman, va de pair avec une remise en question de la narration : on est loin, désormais, du narrateur omniscient qui sait tout des personnages et des situations, et qui traduit la chronologie du récit en s'appuyant notamment sur les temps verbaux (le présent pour les événements présents, le passé simple ou composé pour les événements passés, etc.). Dans le nouveau roman, la narration au présent n'est pas rare, même si l'action est accomplie, et les auteurs utilisent indistinctement le *tu* et le *vous* dans le but d'impliquer davantage le lecteur.

L'antihéros et les personnages anonymes

Les nouveaux romanciers cherchent à bousculer le schème de valeurs de leurs lecteurs. Au héros du récit réaliste, ils opposent un «antihéros», car ils considèrent le personnage de roman traditionnel comme un symbole de la société bourgeoise et conformiste, engoncée dans ses traditions. Dans l'ensemble, l'auteur a dépouillé ses personnages de tout statut socioéconomique, ceux-ci n'existant ainsi qu'au cœur de l'œuvre que le lecteur tient entre ses mains — et encore! Il arrive même que les personnages soient désignés uniquement par des pronoms personnels.

LE THÉÂTRE DE L'ABSURDE, OU « ANTITHÉÂTRE »

Des arguments comparables à ceux invoqués par les nouveaux romanciers poussent les dramaturges du théâtre de l'absurde à remettre en question la lisibilité du texte. Prenant le contrepied de l'existentialisme, les nouveaux dramaturges ne cherchent pas tant à trouver un sens à l'existence qu'à en montrer les failles.

Le point de vue de la dérision

Si les auteurs de nouveaux romans adoptent un point de vue apparemment neutre sur les événements, les auteurs dramatiques font plutôt abondamment appel à la dérision pour mieux faire ressortir l'absurde d'un monde auquel on cherche en vain une signification.

L'absence d'intrigue, ou non-intrigue

Comme les nouveaux romanciers, les dramaturges de l'antithéâtre refusent les conventions liées à l'intrigue, à commencer par les ressorts dramatiques, qui disparaissent complètement pour laisser place à une trame qu'on pourrait qualifier d'« a-dramatique ».

L'absence de décor, ou non-décor

Les décors sont tout aussi éloquents par leur absence ou leur aspect fragmentaire. Ils représentent des pièces de maisons bourgeoises ou de châteaux (Ionesco, *Le roi se meurt*, 1962), ou encore des *no man's land* (Beckett, *Fin de partie*, 1957), et sont parfois fort encombrés

d'objets (Ionesco, *Les chaises*, 1952). L'objectif est toujours le même : dénoncer la vacuité de la société de consommation et la superficialité de ceux qui y adhèrent, souvent par souci de conformisme, comme dans la pièce *Rhinocéros* (1960), d'Ionesco.

Salvador Dali dans sa maison de campagne à Port Lligat près de Cadaquès (Costa Brava, Espagne), vers 1967.

L'absence de personnage, ou non-personnage et antihéros

À l'instar des nouveaux romanciers, les dramaturges de l'absurde refusent de doter leurs personnages d'un profil socioéconomique qui faciliterait, pour le spectateur, leur classification et leur incarnation dans une réalité plausible. Pourtant, ceux qu'il convient ici d'appeler « antihéros » — car la plupart du temps ces protagonistes ne remplissent aucune mission, ne tentent rien et ne réussissent évidemment rien non plus — sont souvent des clochards, des fantômes ou des caricatures de bourgeois. Ils possèdent donc une identité, mais celle-ci n'est définie que sommairement. Les traits des personnages sont tellement exagérés que le spectateur comprend bien qu'il ne s'agit pas de s'identifier à eux ou de croire en leur réalité : ces personnages sont en fait des symboles de la sclérose sociale.

L'OULIPO

Le potentiel littéraire, ou littérature potentielle

En marge du nouveau roman et du théâtre de l'absurde, il existe un mouvement qui, bien que restreint, rassemble des auteurs occupant une place importante dans l'histoire de la littérature, dont ils élargissent le champ des possibles. L'Oulipo (OUvroir de LIttérature POtentielle), tout droit issu du « Collège de Pataphysique », propose d'approfondir la « science des solutions imaginaires ». L'idée était déjà formulée par Alfred Jarry au début du XXe siècle. L'Oulipo rassemble de nombreux auteurs, parmi lesquels Boris Vian et Raymond Queneau.

Les contraintes de l'écriture

À la mort de Boris Vian, en 1959, Raymond Queneau et François Le Lionnais, mathématicien, réunissent un groupe d'intellectuels et proposent de dresser une liste des contraintes à surmonter dans l'exercice de l'écriture. Considérant que toute littérature s'écrit à partir de contraintes formelles, ces virtuoses de la langue vont établir, pour le plaisir, des règles aussi incongrues que peu orthodoxes. On pourrait retenir ici l'exemple de virtuosité qu'est *La disparition* (1969), œuvre de Georges Perec, dont l'exploit consiste à ne jamais utiliser de mots contenant la lettre « e ».

 NOUVEAU ROMAN, THÉÂTRE DE L'ABSURDE ET OULIPO EN THÈMES

LE CONFORMISME

Là où un auteur du XIXe siècle se souciait avant tout de créer l'illusion parfaite du réel, le nouveau romancier s'évertue à altérer la lisibilité du texte dans le but de dénoncer le conformisme ambiant.

L'INCOMMUNICABILITÉ

Les sujets de prédilection de l'« antithéâtre » et de l'« antiroman » sont les difficultés liées à la communication et à l'impuissance du langage, qui servent à révéler le vide de l'existence. La vacuité des dialogues dans ce contexte montre donc la vacuité de la vie, l'absence d'espoir.

LE MATÉRIALISME

Dans leur volonté de dénoncer le matérialisme triomphant qui caractérise l'Europe de l'après-guerre, les nouveaux romanciers mettent souvent l'accent sur le gaspillage et la surabondance des objets du quotidien. Leurs récits semblent alors relever davantage d'un décor de cinéma que du roman.

> L'obsession de l'image — soit de la représentation et de la reconnaissance de soi par le corps et les biens matériels — est devenue le signe le plus clairement évocateur de notre époque.

Richard Hamilton (1922-). *Just what is it that makes today's homes so different, so appealing?* (1959). Collage. Kunsthalle, Tübingen, Allemagne.

NOUVEAU ROMAN, THÉÂTRE DE L'ABSURDE ET OULIPO **EN PERSONNES**

Marguerite Duras (1914-1996)

Marguerite Duras est d'abord associée au nouveau roman, mais son aversion pour toute théorie liée à la création l'en détache progressivement au profit d'une esthétique plus personnelle et fortement autobiographique. Elle a passé une partie de sa vie en Indochine, ce qui explique les lieux exotiques où se déroule l'action de ses œuvres.

► EXTRAIT, P. 212. LE NOUVEAU ROMAN, P. 198.

Alain Robbe-Grillet (1922-2008)

Agronome de formation, Alain Robbe-Grillet est l'un des instigateurs du nouveau roman. Il tend à rompre avec la veine psychologique que l'on retrouve habituellement dans les romans. Il propose une esthétique qui met l'accent sur le regard et privilégie la description des objets et des gestes.

► EXTRAIT, P. 206. LE NOUVEAU ROMAN, P. 198.

Hubert Aquin (1929-1977)

Romancier et cinéaste, Hubert Aquin commence à publier des textes dans les années 1950, mais c'est en 1965 que paraît son œuvre majeure, *Prochain épisode*. Le succès fulgurant remporté par celle-ci suscite une angoisse paralysante chez Aquin, qui doute alors de ne pouvoir jamais plus être à la hauteur de cette première grande œuvre.

► EXTRAIT, P. 218. LE NOUVEAU ROMAN, P. 198.

Samuel Beckett (1906-1989)

Samuel Beckett naît à Dublin, en Irlande. Il s'installe à Paris durant la Seconde Guerre mondiale et participe à la résistance. Après la guerre, il commence à écrire en français. Ses premières œuvres sont peu connues, mais *En attendant Godot* est acclamé et lui vaut le prix Nobel de littérature, en 1969.

▶ EXTRAIT, P. 208. LE THÉÂTRE DE L'ABSURDE, P. 199.

Eugène Ionesco (1912-1994)

Né d'un père roumain et d'une mère française, Eugène Ionesco (1912-1994) passe sa jeunesse entre la Roumanie et la France. En 1938, fuyant le régime totalitaire roumain, il s'installe à Paris. Son œuvre, caractéristique du théâtre de l'absurde, témoigne de la banalité du quotidien et de l'abrutissement humain.

▶ EXTRAIT, P. 216. LE THÉÂTRE DE L'ABSURDE, P. 199.

Raymond Queneau (1903-1976)

À la fois romancier, essayiste, poète et mathématicien, Raymond Queneau participe au mouvement surréaliste, puis devient lecteur pour les éditions Gallimard, directeur de la collection encyclopédique de la Pléiade, membre du jury de l'Académie Goncourt et, enfin, cofondateur de l'Oulipo.

▶ EXTRAIT, P. 204. L'OULIPO, P. 200.

NOUVEAU ROMAN, THÉÂTRE DE L'ABSURDE ET OULIPO **EN TEXTES**

EXERCICES DE STYLE (1947)
RAYMOND QUENEAU

▶ BIOGRAPHIE, P. 203

L'ŒUVRE EN BREF

Au cours de ces exercices inusités que sont les *Exercices de style*, le lecteur est invité à lire 99 fois la même histoire, que l'auteur s'amuse à réécrire dans des styles multiples, formant ainsi une œuvre curieuse et ludique.

UNE LECTURE DE L'ŒUVRE

Chaque forme du même texte permet de voir la tonalité et le niveau de langue qui conviennent au style littéraire choisi.

EXTRAIT

Notations

Dans l'S, à une heure d'affluence. Un type dans les vingt-six ans, chapeau mou avec cordon remplaçant le ruban, cou trop long comme si on lui avait tiré dessus. Les gens descendent. Le type en question s'irrite contre un voisin. Il lui reproche de le bousculer chaque fois qu'il passe quelqu'un. Ton pleurnichard qui se veut méchant.
5   Comme il voit une place libre, se précipite dessus.

Deux heures plus tard, je le rencontre Cour de Rome, devant la gare Saint-Lazare. Il est avec un camarade qui lui dit : « Tu devrais faire mettre un bouton supplémentaire à ton pardessus. » Il lui montre où (à l'échancrure) et pourquoi.

Métaphoriquement

Au centre du jour, jeté dans le tas des sardines voyageuses d'un coléoptère à l'abdo-
10   men blanchâtre, un poulet au grand cou déplumé harangua soudain l'une, paisible, d'entre elles et son langage se déploya dans les airs, humide d'une protestation. Puis, attiré par un vide, l'oisillon s'y précipita.

Dans un morne désert urbain, je le revis le jour même se faisant moucher l'arrogance pour un quelconque bouton.

Alexandrins

15   Un jour, dans l'autobus qui porte la lettre S,
          Je vis un foutriquet de je ne sais quelle es-
          Pèce qui râlait bien qu'autour de son turban
          Il y eût de la tresse en place de ruban.

20
Il râlait ce jeune homme à l'allure insipide,
Au col démesuré, à l'haleine putride,
Parce qu'un citoyen qui paraissait majeur
Le heurtait, disait-il, si quelque voyageur
Se hissait haletant et poursuivi par l'heure
Espérant déjeuner en sa chaste demeure.

25
Il n'y eut point d'esclandre et le triste quidam
Courut vers une place et s'assit sottement.
Comme je retournais direction rive gauche
De nouveau j'aperçus ce personnage moche
Accompagné d'un zèbre, imbécile dandy,

30
Qui disait : « Ce bouton faut pas le mettre icy. »

Injurieux

Après une attente infecte sous un soleil ignoble, je finis par monter dans un autobus immonde où se serrait une bande de cons. Le plus con d'entre ces cons était un boutonneux au sifflet démesuré qui exhibait un galurin grotesque avec un cordonnet au lieu de ruban. Ce prétentiard se mit à râler parce qu'un vieux con lui piétinait les
35
panards avec une fureur sénile ; mais il ne tarda pas à se dégonfler et se débina dans la direction d'une place vide encore humide de la sueur des fesses du précédent occupant.

Deux heures plus tard, pas de chance, je retombe sur le même con en train de pérorer avec un autre con devant ce monument dégueulasse qu'on appelle la gare Saint-
40
Lazare. Ils bavardochaient à propos d'un bouton. Je me dis : qu'il le fasse monter ou descendre son furoncle, il sera toujours aussi moche, ce sale con.

Géométrique

Dans un parallélépipède rectangle se déplaçant le long d'une ligne droite d'équation $84x + S = y$, un homoïde A présentant une calotte sphérique entourée de deux sinusoïdes, au-dessus d'une partie cylindrique de longueur $l > n$, présente un point
45
de contact avec un homoïde trivial B. Démontrer que ce point de contact est un point de rebroussement.

Si l'homoïde A rencontre un homoïde homologue C, alors le point de contact est un disque de rayon $r < l$. Déterminer la hauteur h de ce point de contact par rapport à l'axe vertical de l'homoïde A.

■ L'ŒUVRE ET SON TEMPS

Dès 1938, Raymond Queneau entre aux éditions Gallimard, où il sera notamment lecteur de manuscrits. C'est lui qui remarquera celui de *L'avalée des avalés*, de Réjean Ducharme, et qui en recommandera la publication.

■ L'ŒUVRE ET LA DISSERTATION

La reprise du propos, que l'auteur réussit à adapter à différents styles, dans le ton comme dans le vocabulaire utilisés, montre la parfaite maîtrise qu'il a de son art. Expliquez.

LES GOMMES (1953)
ALAIN ROBBE-GRILLET

➤ BIOGRAPHIE, P. 202

◼ L'ŒUVRE EN BREF

Le roman *Les gommes* plonge le lecteur dans une parodie de roman policier où le personnage principal, Wallas, est à la recherche d'un meurtrier qui n'a pas encore commis de crime et qui n'est nul autre que... lui-même.

◼ UNE LECTURE DE L'ŒUVRE

La brièveté des phrases ainsi que les nombreux signes de ponctuation contribuent à renforcer l'inconfort du lecteur, qui n'arrive pas à cerner le propos du narrateur.

Georges Braque (1882-1963). *L'aquarium (Les grands poissons)* (1948-1951).
Collection privée.

EXTRAIT

Dans l'eau trouble de l'aquarium, des ombres passent, furtives — une ondulation, dont l'existence sans contour se dissout d'elle-même… et l'on doute ensuite d'avoir aperçu quelque chose. Mais la nébuleuse reparaît et vient décrire deux ou trois cercles, en pleine lumière, pour retourner bientôt se fondre, derrière un rideau d'al-
5 gues, au sein des profondeurs protoplasmiques. Un dernier remous, vite amorti, fait un instant trembler la masse. De nouveau tout est calme… Jusqu'à ce que, soudain, une nouvelle forme émerge et vienne coller contre la vitre son visage de rêve… Pauline, la douce Pauline… qui, à peine entrevue, disparaît à son tour pour laisser la place à d'autres spectres et fantasmes. L'ivrogne compose une devinette. Un homme
10 aux lèvres minces, au pardessus étroitement boutonné jusqu'au col, attend sur sa chaise au milieu d'une pièce nue. Son visage immobile, ses mains gantées croisées sur les genoux, ne trahissent aucune impatience. Il a le temps. Rien ne peut empê-cher son plan de s'accomplir. Il s'apprête à recevoir une visite — non pas celle d'un être inquiet, fuyant, sans force de caractère — mais celle au contraire de quelqu'un
15 sur qui l'on peut compter : c'est à lui que l'exécution de ce soir, la seconde, sera confiée. Dans la première on l'avait maintenu à l'arrière-plan, mais son travail y fut sans bavure ; tandis que Garinati, pour qui tout avait été si méticuleusement préparé, n'a même pas été capable d'éteindre la lumière. Et voilà que, ce matin, il laisse échapper son client :

20 — Ce matin à quelle heure ?

— Je n'en sais rien, dit le patron.

— Vous ne l'avez pas vu sortir ?

— Si je l'avais vu sortir, je saurais à quelle heure !

Appuyé à son comptoir, le patron se demande s'il doit mettre Wallas au courant de
25 cette visite. Non. Ils n'ont qu'à se débrouiller entre eux : on ne l'a chargé d'aucune commission.

D'ailleurs Wallas a déjà quitté le petit café pour rentrer en scène…

■ L'ŒUVRE ET SON TEMPS

Transgression des règles du récit Dès 1939, dans *Tropismes*, Nathalie Sarraute manifeste une volonté de transgresser les règles du roman classique. C'est toutefois l'œuvre *Les gommes* qui marquera les débuts de ce qu'on nommera par la suite le « nouveau roman ».

■ L'ŒUVRE ET LA DISSERTATION

L'extrait de l'œuvre de Robbe-Grillet dévoile la non-nécessité de l'écoulement du temps dans le nouveau roman. Expliquez.

EN ATTENDANT GODOT (1953)
SAMUEL BECKETT

▶ BIOGRAPHIE, P. 203

■ L'ŒUVRE EN BREF

La pièce intitulée *En attendant Godot* (1953) est inspirée de *The Glittering Gate* (1909), de Lord Dunsany, qui met en scène deux clochards en attente aux portes du paradis. L'action (la non-action) se déroule essentiellement autour de deux personnages qui en attendent vainement un autre, le Godot de l'histoire.

■ UNE LECTURE DE L'ŒUVRE

Le propos des personnages, insignifiants ou dérisoires, trahit un désespoir total, tandis que l'atmosphère à la fois grotesque et comique qui émane de la situation crée un véritable inconfort chez le spectateur ou le lecteur. En outre, à aucun moment on ne reçoit d'information sur ce Godot, qui, par ailleurs, pourrait bien être une référence au mot anglais *God*.

EXTRAIT

VLADIMIR. — Si tu les essayais ?

ESTRAGON. — J'ai tout essayé.

VLADIMIR. — Je veux dire les chaussures.

ESTRAGON. — Tu crois ?

5 VLADIMIR. — Ça fera passer le temps. (*Estragon hésite.*) Je t'assure, ce sera une diversion.

ESTRAGON. — Un délassement.

VLADIMIR. — Une distraction.

ESTRAGON. — Un délassement.

10 VLADIMIR. — Essaie.

ESTRAGON. — Tu m'aideras ?

VLADIMIR. — Bien sûr.

ESTRAGON. — On ne se débrouille pas trop mal, hein, Didi, tous les deux ensemble ?

VLADIMIR. — Mais oui, mais oui. Allez, on va essayer la gauche d'abord.

15 ESTRAGON. — On trouve toujours quelque chose, hein, Didi, pour nous donner l'impression d'exister ?

VLADIMIR, *impatiemment*. — Mais oui, mais oui, on est des magiciens. Mais ne nous laissons pas détourner de ce que nous avons résolu. (*Il ramasse une chaussure.*) Viens, donne ton pied. (*Estragon s'approche de lui, lève le pied.*) L'autre, porc! (*Estragon lève l'autre pied.*) Plus haut! (*Les corps emmêlés, ils titubent à travers la scène. Vladimir réussit finalement à lui mettre la chaussure.*) Essaie de marcher. (*Estragon marche.*) Alors?

ESTRAGON. — Elle me va.

VLADIMIR, *prenant de la ficelle dans sa poche*. — On va la lacer.

ESTRAGON, *véhémentement*. — Non, non, pas de lacet, pas de lacet!

VLADIMIR. — Tu as tort. Essayons l'autre. (*Même jeu.*) Alors?

ESTRAGON. — Elle me va aussi.

VLADIMIR. — Elles ne te font pas mal?

ESTRAGON, *faisant quelques pas appuyés*. — Pas encore.

VLADIMIR. — Alors tu peux les garder.

ESTRAGON. — Elles sont trop grandes.

VLADIMIR. — Tu auras peut-être des chaussettes un jour.

ESTRAGON. — C'est vrai.

VLADIMIR. — Alors tu les gardes?

ESTRAGON. — Assez parlé de ces chaussures.

VLADIMIR. — Oui, mais…

ESTRAGON. — Assez! (*Silence.*) Je vais quand même m'asseoir.

*Il cherche des yeux où s'asseoir,
puis va là où il était assis
au début du premier acte.*

VLADIMIR. — C'est là où tu étais assis hier soir.

Silence.

ESTRAGON. — Si je pouvais dormir.

VLADIMIR. — Hier soir tu as dormi.

ESTRAGON. — Je vais essayer.

*Il prend une posture utérine,
la tête entre les jambes.*

VLADIMIR. — Attends. (*Il s'approche d'Estragon et se met à chanter d'une voix forte.*)

Do do do do

50   ESTRAGON, *levant la tête.* — Pas si fort.

VLADIMIR, *moins fort.*

Do do do do

Do do do do

Do do do do

55   Do do...

> *Estragon s'endort. Vladimir enlève son veston et lui en couvre les épaules,*
> *puis se met à marcher de long en large en battant des bras pour se réchauffer.*
> *Estragon se réveille en sursaut, se lève, fait quelques pas affolés.*
> *Vladimir court vers lui, l'entoure de son bras.*

60   VLADIMIR. — Là... là... je suis là... n'aie pas peur.

ESTRAGON. — Ah!

VLADIMIR. — Là... là... c'est fini.

ESTRAGON. — Je tombais.

VLADIMIR. — C'est fini. N'y pense plus.

65   ESTRAGON. — J'étais sur un...

VLADIMIR. — Non non, ne dis rien. Viens, on va marcher un peu.

> *Il prend Estragon par le bras et le fait marcher de long en large,*
> *jusqu'à ce qu'Estragon refuse d'aller plus loin.*

ESTRAGON. — Assez! Je suis fatigué.

70   VLADIMIR. — Tu aimes mieux être planté là à ne rien faire?

ESTRAGON. — Oui.

VLADIMIR. — Comme tu veux.

> *Il lâche Estragon, va ramasser son veston et le met.*

ESTRAGON. — Allons-nous-en.

75   VLADIMIR. — On ne peut pas.

ESTRAGON. — Pourquoi?

VLADIMIR. — On attend Godot.

ESTRAGON. — C'est vrai.

Jean Dubuffet (1901-1985). *Deux personnages* (1949).
Collection privée.

■ L'ŒUVRE ET SON TEMPS

La fin des années 1960 marque le déclin rapide du théâtre de l'absurde, tandis que, paradoxalement, ses principaux représentants accumulent les honneurs. En 1969, Beckett reçoit le prix Nobel de littérature ; en 1970, Ionesco est élu à l'Académie française.

■ L'ŒUVRE ET LA DISSERTATION

Les deux clochards de Beckett, Vladimir et Estragon, établissent un dialogue d'une vacuité désarmante, qui leur permet de supporter l'attente vaine et stérile, à l'image de l'existence. Montrez comment ce dialogue qui n'en est pas un exprime l'absurdité de la condition humaine.

HIROSHIMA MON AMOUR (1960)
MARGUERITE DURAS

▶ BIOGRAPHIE, P. 202

■ L'ŒUVRE EN BREF

Le texte qui suit, associé au nouveau roman, est en fait le scénario d'un film appartenant au courant cinématographique dit de la nouvelle vague, dont les caractéristiques se rapprochent considérablement de celles du nouveau roman et, sur certains points, de celles du théâtre de l'absurde.

■ UNE LECTURE DE L'ŒUVRE

L'anonymat des personnages, observé par les pronoms personnels «Lui» et «Elle», leur retire une part de l'épaisseur que les écrivains, surtout réalistes, se sont longtemps évertués à donner à leurs personnages afin de les rendre plus crédibles.

EXTRAIT

LUI. — Tu étais facile à retrouver à Hiroshima.

Elle a un rire heureux.
Un temps. Il la regarde de nouveau.
Entre eux passent deux ou quatre ouvriers qui portent une photographie très agrandie
5 *qui représente le plan de la mère morte et de l'enfant qui pleure, dans les ruines fumantes de Hiroshima — du film* Les enfants de Hiroshima. *Ils ne regardent pas la photo qui passe. Une autre photographie passe, qui représente Einstein tirant la langue. Elle suit immédiatement celle de l'enfant et de la mère.*

LUI. — C'est un film français?

10 ELLE. — Non. International. Sur la paix.

LUI. — C'est fini.

ELLE. — Pour moi, oui, c'est fini. On va tourner les scènes de foule… Il y a bien des films publicitaires sur le savon. Alors… à force… peut-être.

Il est très assuré dans sa conception là-dessus.

15 LUI. — Oui, à force. Ici, à Hiroshima, on ne se moque pas des films sur la paix.

Il se retourne vers elle. Les photographies sont complètement passées.
Ils se rapprochent, instinctivement l'un de l'autre.
Elle réajuste sa coiffe qui s'est défaite dans le sommeil.

LUI. — Tu es fatiguée?

20 *Elle le regarde de façon assez provocante et douce à la fois.*
Elle dit dans un sourire douloureux, précis:

ELLE. — Comme toi.

Il la fixe de façon qui ne trompe pas et lui dit:

LUI. — J'ai pensé à Nevers en France.

25   *Elle sourit. Il ajoute:*

LUI. — J'ai pensé à toi.

                                                              Il ajoute encore:

LUI. — C'est toujours demain, ton avion?

ELLE. — Toujours demain.

30 LUI. — Demain absolument?

ELLE. — Oui. Le film a du retard. On m'attend à Paris depuis déjà un mois.

Elle le regarde en face.
Lentement, il lui enlève sa coiffe d'infirmière. (Ou bien elle est très fardée, elle a les lèvres
si sombres qu'elles paraissent noires. Ou elle est à peine fardée, presque décolorée sous
35 *le soleil.)*
Le geste de l'homme est très libre, très concerté.
On devrait éprouver le même choc érotique qu'au début.
Elle apparaît, les cheveux aussi décoiffés que la veille, dans le lit.
Et elle le laisse lui enlever sa coiffe, elle se laisse faire comme elle a dû se laisser faire,
40 *la veille, l'amour. (Là, lui laisser un rôle érotiquement fonctionnel.)*

Elle baisse les yeux. Moue incompréhensible.
Elle joue avec quelque chose par terre.
Elle relève les yeux sur lui. Il dit avec une très grande lenteur.

LUI. — Tu me donnes beaucoup l'envie d'aimer.

45 *Elle ne répond pas tout de suite. Elle a baissé les yeux sous le coup du trouble dans lequel*
la jettent ses paroles. Le chat de la place de la Paix joue contre son pied? Elle dit, les yeux
baissés, très lentement aussi (même lenteur).

ELLE. — Toujours… les amours de… rencontre… Moi aussi…

Passe entre eux un extraordinaire objet, de nature imprécise.
50 *Je vois un cadre de bois (atomium?) d'une forme très précise mais dont l'utilisation échappe complètement. Ils ne le regardent pas. Il dit :*

LUI. — Non. Pas toujours aussi fort. Tu le sais.

On entend des cris, au loin. Puis des chants enfantins.
Ils ne sont pas distraits pour autant.

55 *Elle fait une grimace incompréhensible (licencieuse serait le mot). Elle lève les yeux encore, mais cette fois vers le ciel. Et elle dit, encore une fois, incompréhensiblement alors qu'elle essuie son front couvert de sueur.*

ELLE. — On dit qu'il va faire de l'orage avant la nuit.

■ L'ŒUVRE ET SON TEMPS

En 1960, Marguerite Duras écrit le scénario de *Hiroshima mon amour* pour l'un des plus importants réalisateurs de la nouvelle vague, Alain Resnais. Ce courant cinématographique des années 1950 marque considérablement l'histoire du cinéma.

■ L'ŒUVRE ET LA DISSERTATION

L'incommunicabilité entre deux êtres se perçoit ici dans les réactions distantes de la femme. Expliquez.

RHINOCÉROS (1960)
EUGÈNE IONESCO

▶ BIOGRAPHIE, P. 203

■ L'ŒUVRE EN BREF

L'expérience de l'auteur en Roumanie dans les années 1930 lui inspire la pièce *Rhinocéros* (1960), dans laquelle il aborde le thème du régime totalitaire. La pièce d'Ionesco prend la forme d'une fable pour dénoncer les dangers du conformisme. Une étrange épidémie transforme les habitants en rhinocéros, mais n'atteint pas Bérenger, qui persiste à revendiquer sa dignité d'être humain alors que tous les autres semblent y avoir renoncé.

■ UNE LECTURE DE L'ŒUVRE

La description de la dérive du réel passe par une désintégration du langage, comme en témoigne l'extrait suivant, où l'on retrouve le Logicien en train d'essayer de démontrer la supériorité de son raisonnement sur celui des autres. C'est en tentant d'apprendre l'anglais par la méthode Assimil qu'Ionesco est soudain frappé par l'absence persistante de discours, une découverte qu'il va exploiter avec une redoutable efficacité.

EXTRAIT

LE LOGICIEN, *au vieux Monsieur*. — Voici donc un syllogisme exemplaire. Le chat a quatre pattes. Isidore et Fricot ont chacun quatre pattes. Donc Isidore et fricot sont chats.

LE VIEUX MONSIEUR, *au Logicien*. — Mon chien aussi a quatre pattes.

5 LE LOGICIEN, *au Vieux Monsieur*. — Alors, c'est un chat.

BÉRENGER, *à Jean*. — Moi, j'ai à peine la force de vivre. Je n'en ai plus envie peut-être.

LE VIEUX MONSIEUR, *au Logicien après avoir longuement réfléchi*. — Donc, logiquement, mon chien serait un chat.

LE LOGICIEN, *au Vieux Monsieur*. — Logiquement, oui. Mais le contraire est aussi vrai.

10 BÉRENGER, *à Jean*. — La solitude me pèse. La société aussi.

JEAN, *à Bérenger*. — Vous vous contredisez. Est-ce la solitude qui pèse, ou est-ce la multitude ? Vous vous prenez pour un penseur et vous n'avez aucune logique.

LE VIEUX MONSIEUR, *au Logicien*. — C'est très beau, la logique.

LE LOGICIEN, *au Vieux Monsieur*. — À condition de ne pas en abuser.

15 BÉRENGER, *à Jean*. — C'est une chose anormale de vivre.

JEAN. — Au contraire. Rien de plus naturel. La preuve : tout le monde vit.

BÉRENGER. — Les morts sont plus nombreux que les vivants. Leur nombre augmente. Les vivants sont rares.

JEAN. — Les morts, ça n'existe pas, c'est le cas de le dire!... Ah! Ah!... (*Gros rire.*)
20 | Ceux-là aussi vous pèsent? Comment peuvent peser des choses qui n'existent pas?

BÉRENGER. — Je me demande moi-même si j'existe!

JEAN, *à Bérenger*. — Vous n'existez pas, mon cher, parce que vous ne pensez pas! Pensez, et vous serez.

LE LOGICIEN, *au Vieux Monsieur*. — Autre syllogisme: tous les chats sont mortels.
25 | Socrate est mortel. Donc Socrate est un chat.

LE VIEUX MONSIEUR. — Et il a quatre pattes. C'est vrai, j'ai un chat qui s'appelle Socrate.

LE LOGICIEN. — Vous voyez…

◼ L'ŒUVRE ET SON TEMPS

Même s'il n'a existé que l'espace d'une décennie, le théâtre de l'absurde a influencé considérablement l'évolution du théâtre au cours des années subséquentes, non seulement à cause de son caractère audacieux et novateur, mais également en raison des innombrables études théoriques qui ont été consacrées.

◼ L'ŒUVRE ET LA DISSERTATION

Le terme «absurde», par son étymologie, se rapproche des mots «inaudible», «dissonant» et «sourd», faisant directement référence à l'échec de la communication entre les personnes. Faites-en la démonstration à partir de l'extrait d'Ionesco.

PROCHAIN ÉPISODE (1965)

HUBERT AQUIN

▶ BIOGRAPHIE, P. 202

■ L'ŒUVRE EN BREF

Le personnage principal de *Prochain épisode* est un espion qu'on emprisonne et qui écrit un roman d'espionnage dans lequel un espion est envoyé en Suisse pour éliminer un ennemi de la révolution. L'extrait qui suit est le début du roman, début réel du livre pour le lecteur, mais aussi début du travail créateur de l'auteur fictif, qui explique au lecteur sa démarche artistique.

■ UNE LECTURE DE L'ŒUVRE

Le début du texte installe déjà l'étonnante mise en abyme (on crée une œuvre à l'intérieur d'une œuvre) qui se construira tout au long du roman. La réflexion qui traverse le texte, notamment des lignes 12 à 15, plonge le lecteur dans l'acte intime de création et met en évidence les doutes qui pèsent sur l'auteur, tant fictif que réel.

EXTRAIT

Cuba coule en flammes au milieu du lac Léman pendant que je descends au fond des choses. Encaissé dans mes phrases, je glisse, fantôme, dans les eaux névrosées du fleuve et je découvre, dans ma dérive, le dessous des surfaces et l'image renversée des Alpes. Entre l'anniversaire de la révolution cubaine et la date de mon
5 procès, j'ai le temps de divaguer en paix, de déplier avec minutie mon livre inédit et d'étaler sur ce papier les mots-clés qui ne me libéreront pas. J'écris sur une table à jeu, près d'une fenêtre qui me découvre un parc cintré par une grille coupante qui marque la frontière entre l'imprévisible et l'enfermé. Je ne sortirai pas d'ici avant échéance. Cela est écrit en plusieurs copies conformes et décrété selon les lois
10 valides et par un magistrat royal irréfutable. Nulle distraction ne peut donc se substituer à l'horlogerie de mon obsession, ni me faire dévier de mon parcours écrit. Au fond, un seul problème me préoccupe vraiment, c'est le suivant : de quelle façon dois-je m'y prendre pour écrire un roman d'espionnage ? Cela se complique du fait que je rêve de faire original dans un genre qui comporte un grand nombre de règles
15 et de lois non écrites. Fort heureusement, une certaine paresse m'incline vite à renoncer d'emblée à renouveler le genre espionnage. J'éprouve une grande sécurité, aussi bien l'avouer, à me pelotonner mollement dans le creuset d'un genre littéraire aussi bien défini. Sans plus tarder, je décide donc d'insérer le roman qui vient dans le sens majeur de la tradition du roman d'espionnage. Et comme il
20 me plairait, par surcroît, de situer l'action à Lausanne, c'est déjà chose faite. J'élimine à toute allure des procédés qui survalorisent le héros agent secret : ni Sphynx, ni Tarzan extra-lucide, ni Dieu, ni Saint-Esprit, mon espion ne doit pas être logique au point que l'intrigue soit dispensée de l'être, ni tellement lucide que je puisse, en revanche, enchevêtrer tout le reste et fabriquer une histoire sans queue ni tête qui,

25 somme toute, ne serait comprise que par un grand dadais armé qui ne communique ses pensées à personne. Et si j'introduisais un agent secret Wolof… Tout le monde sait que les Wolofs ne sont pas légion en Suisse romande et qu'ils sont assez mal représentés dans les services secrets. Bien sûr, j'ai l'air de forcer un peu la note et de donner à fond dans le bloc afro-asiatique, de céder au lobby de l'Union Afri-

30 caine et Malgache. Mais quoi! Si Hamidou Diop me sied, il n'en tient qu'à moi de lui conférer l'investiture d'agent secret, de l'affecter à la MVD section Afrique et de lui confier une mission de contre-espionnage à Lausanne, sans autre raison que de l'éloigner de Genève où l'air est moins salubre. Dès maintenant, je peux réserver pour Hamidou une suite au Lausanne Palace, le munir de chèques de voyageur de

35 la Banque Cantonale Vaudoise et de le constituer Envoyé Spécial (mais faux) de la République du Sénégal auprès des grandes compagnies suisses enclines à faire des placements mobiliers dans le désert. Une fois Hamidou bien protégé par sa fausse identité et installé au Lausanne Palace, je n'ai plus qu'à faire entrer les agents du CIA et du MI5 dans la danse. Et le tour est joué. Moyennant l'addition de quelques

40 espionnes désirables et la facture algébrique du fil de l'intrigue, je tiens mon affaire. Hamidou s'impatiente, je le sens prêt à faire des folies: somme toute, il est déjà lancé. Mon roman futur est déjà en orbite, tellement d'ailleurs, que je ne peux déjà plus le rattraper. Je reste ici figé, bien planté dans mon alphabet qui m'enchaîne; et je me pose des questions. Écrire un roman d'espionnage comme on en lit, ce

45 n'est pas loyal: c'est d'ailleurs impossible. Écrire une histoire n'est rien, si cela ne devient pas la ponctuation quotidienne et détaillée de mon immobilité interminable et de ma chute ralentie dans cette fosse liquide.

■ L'ŒUVRE ET SON TEMPS

Les années 1960 au Québec sont celles de la Révolution tranquille. Des partis politiques nationalistes, tel le RIN (Regroupement pour l'indépendance nationale), entrent en scène et préparent l'avènement du Parti québécois, en 1968. Hubert Aquin participe activement à la vie politique nationale. Il est membre du RIN et prétend appartenir au FLQ (Front de libération du Québec), responsable de certains actes terroristes commis de 1963 à 1970.

■ L'ŒUVRE ET LA DISSERTATION

Montrez comment le roman d'Hubert Aquin se rapproche du nouveau roman, principalement en raison de l'enchevêtrement de récits qu'il présente.

Les années 1960 et 1970 voient apparaître une si grande diversité littéraire qu'il serait difficile de se limiter à un courant. Outre la théorie littéraire, qui devient un champ aussi complexe que la littérature elle-même, la littérature revendicatrice prend le relais de la littérature à thèse. La question de l'identité est au cœur des préoccupations sociales : dénonciation du racisme et de l'esprit colonialiste, affirmation de l'homosexualité, diffusion du discours féministe, etc.

LA DIVERSITÉ LITTÉRAIRE EN THÉORIE

LE FÉMINISME

L'émancipation de la femme représente un événement social majeur des décennies qui succèdent à la guerre. Les femmes revendiquent la reconnaissance de l'égalité entière entre elles et les hommes ainsi que le plein contrôle de leur corps et de leur esprit. Dans le domaine littéraire, des écrivaines ouvrent la voie au discours féministe. Certaines avancent l'idée que la seule vraie littérature est féminine, à cause de la fonction symbolique de la gestation et de l'accouchement qu'on retrouve dans l'acte d'écriture.

LA RECONNAISSANCE DE L'AUTRE

Parmi les autres revendications qui se font entendre au cours de cette période, on retient principalement celles ayant trait à la reconnaissance des peuples colonisés qui ont accédé récemment à l'indépendance. À la suite de ces bouleversements, de nouveaux arrivants transforment l'image de la société française. Le choc des cultures trouve un écho dans la littérature, laquelle témoigne abondamment de cette nouvelle société pluraliste.

Dans la deuxième moitié du XXe siècle, l'humain apprend à composer avec la diversité culturelle même si, par ailleurs, les cultures tendent à l'uniformisation que favorisent les médias.

Majida Khattari (1966-). *Rêve de jeunes filles* (2001). Musée national d'Art moderne – Centre Georges Pompidou, Paris, France.

LA THÉORIE LITTÉRAIRE

Des années 1950 aux années 1970, une nouvelle façon d'aborder la littérature s'impose. La théorisation de cette activité humaine précède dorénavant l'œuvre elle-même. Déjà, au début du XXᵉ siècle, certains auteurs s'efforçaient de formuler une théorie pour soutenir leur œuvre de fiction. Le domaine de la théorie ou de la critique littéraire devient, dans la seconde moitié du XXᵉ siècle, un lieu de réflexion privilégié, aussi influent que la littérature elle-même.

LE RÉALISME MAGIQUE

Situé entre les littératures réaliste et fantastique, le réalisme magique insère des éléments surnaturels dans une trame littéraire réaliste, qui trouve souvent sa source dans des événements historiques. Même s'il s'agit d'un procédé répandu en littérature, certains voient dans celui-ci la manifestation d'un courant littéraire en Amérique du Sud hispanophone (*real maravilloso*), apparu au milieu du XXᵉ siècle. Le réalisme magique donne à l'œuvre littéraire une allure de fable, qui s'approche parfois des grands mythes de la création du monde.

Diego Rivera (1886-1957). *Rêve d'un dimanche après-midi dans l'Alameda Central* (détail) (1947). Museo Mural Diego Rivera, Mexico, Mexique.

LES VOIX DISTINCTES

On entend par voix distinctes ces écrivains inclassables dont les œuvres, sans appartenir à un courant littéraire précis, influencent indiscutablement la littérature de leur époque. Leur unicité se reflète d'ailleurs dans leurs personnages, qui refusent de partager entièrement l'univers de leurs contemporains.

LA DIVERSITÉ LITTÉRAIRE
EN PERSONNES

Romain Gary (1914-1980)

D'origine russe, Romain Gary étudie en France dès l'âge de 14 ans. Il remporte le prix Goncourt en 1956 pour son roman *Les racines du ciel*, puis en 1975, sous le pseudonyme d'Émile Ajar, pour *La vie devant soi*. Les romans de Gary, ou d'Émile Ajar, s'attachent essentiellement à l'être humain.

► EXTRAIT, P. 230

Roland Barthes (1915-1980)

Roland Barthes a fait des études en sciences sociales et a enseigné au Collège de France jusqu'en 1980, année de sa mort. En tant que sémiologue (la sémiologie est la science des signes), il analyse différents symboles sociaux, notamment dans *Mythologies* (1957). Son influence dans le domaine de la critique et de la littérature est incontestable.

► EXTRAIT, P. 228

Benoîte Groult (1920-2016)

Romancière et journaliste, Benoîte Groult est reconnue comme une pionnière du féminisme. Ses œuvres, souvent écrites en collaboration avec sa sœur Flora, condamnent les comportements misogynes, observables dans tous les aspects de la société.

► EXTRAIT, P. 234

Gabriel Garcia Marquez (1927-2014)

Né en Colombie, Gabriel Garcia Marquez a commencé des études en droit avant de travailler comme journaliste. Il s'agit de l'un des écrivains d'Amérique latine les plus connus dans le monde. Son œuvre peut être apparentée au *real maravilloso*, courant sud-américain du réalisme magique.

▶ Extrait, p. 226

Réjean Ducharme (1941-2017)

Réjean Ducharme est probablement l'auteur le plus secret et mystérieux que le Québec ait compté, refusant toute entrevue, absent de toutes les remises de prix auxquelles il est convié. Le manuscrit de *L'avalée des avalés*, refusé au Québec, est acheminé aux prestigieuses éditions Gallimard, à Paris, où il est publié, ce qui suscite une vive réaction au Québec.

▶ Extrait, p. 224

LA DIVERSITÉ LITTÉRAIRE
EN TEXTES

L'AVALÉE DES AVALÉS (1966)
RÉJEAN DUCHARME

▶ Biographie, p. 223

L'ŒUVRE EN BREF

Le roman de Ducharme met en scène une jeune fille révoltée, Bérénice Einberg. Les rapports qu'elle entretient avec son père sont difficiles. Envers sa mère, elle développe une agressivité mêlée d'attirance et de haine, ce qui la rend passionnément brutale et désespérément amoureuse. Son frère devient vite pour elle le seul point d'ancrage possible dans un univers d'errance physique et psychologique.

UNE LECTURE DE L'ŒUVRE

Par sa vision du monde, à la fois juvénile et cynique, de même que par l'humour noir qui l'imprègne, Ducharme donne à l'œuvre une sensibilité nouvelle. Dans l'extrait présenté, la jeune narratrice établit une relation intime avec le lecteur, parce qu'elle l'interpelle sur le ton de la confidence.

EXTRAIT

Tout m'avale. Quand j'ai les yeux fermés, c'est par mon ventre que je suis avalée, c'est dans mon ventre que j'étouffe. Quand j'ai les yeux ouverts, c'est par ce que je vois que je suis avalée, c'est dans le ventre de ce que je vois que je suffoque. Je suis avalée par le fleuve trop grand, par le ciel trop haut, par les fleurs trop fragiles,
5 par les papillons trop craintifs, par le visage trop beau de ma mère. Le visage de ma mère est beau pour rien. S'il était laid, il serait laid pour rien. Les visages, beaux et laids, ne servent à rien. On regarde un visage, un papillon, une fleur, et ça nous travaille, puis ça nous irrite. Si on se laisse faire, ça nous désespère. Il ne devrait pas y avoir de visages, de papillons, de fleurs. Que j'aie les yeux ouverts ou fermés,
10 je suis englobée : il n'y a plus assez d'air tout à coup, mon cœur se serre, la peur me saisit.

L'été, les arbres sont habillés. L'hiver, les arbres sont nus comme des vers. Ils disent que les morts mangent les pissenlits par la racine. Le jardinier a trouvé deux vieux tonneaux dans son grenier. Savez-vous ce qu'il en a fait? Il les a sciés en deux pour
15 en faire quatre seaux. Il en a mis un sur la plage, et trois dans le champ. Quand il pleut, la pluie reste prise dedans. Quand ils ont soif, les oiseaux s'arrêtent de voler et viennent y boire.

20

25

30

35

Je suis seule et j'ai peur. Quand j'ai faim, je mange des pissenlits par la racine et ça se passe. Quand j'ai soif, je plonge mon visage dans l'un des seaux et j'aspire. Mes cheveux déboulent dans l'eau. J'aspire et ça se passe : je n'ai plus soif, c'est comme si je n'avais jamais eu soif. On aimerait avoir aussi soif qu'il y a de l'eau dans le fleuve. Mais on boit un verre d'eau et on n'a plus soif. L'hiver, quand j'ai froid, je rentre et je mets mon gros chandail bleu. Je ressors, je recommence à jouer dans la neige, et je n'ai plus froid. L'été, quand j'ai chaud, j'enlève ma robe. Ma robe ne me colle plus à la peau et je suis bien, et je me mets à courir. On court dans le sable. On court, on court. Puis on a moins envie de courir. On est ennuyé de courir. On s'arrête, on s'assoit et on s'enterre les jambes. On se couche et on s'enterre tout le corps. Puis on est fatigué de jouer dans le sable. On ne sait plus quoi faire. On regarde, tout autour, comme si on cherchait. On regarde, on regarde. On ne voit rien de bon. Si on fait attention quand on regarde comme ça, on s'aperçoit que ce qu'on regarde nous fait mal, qu'on est seul et qu'on a peur. On ne peut rien contre la solitude et la peur. Rien ne peut aider. La faim et la soif ont leurs pissenlits et leurs eaux de pluie. La solitude et la peur n'ont rien. Plus on essaie de les calmer, plus elles se démènent, plus elles crient, plus elles brûlent. L'azur s'écroule, les continents s'abîment : on reste dans le vide, seul.

■ L'ŒUVRE ET SON TEMPS

En 1966, Ducharme est en lice pour le prix Goncourt avec *L'avalée des avalés*. Craignant d'avoir affaire à un nom d'emprunt (comment, en effet, un jeune Québécois inconnu jusqu'alors pourrait-il produire une œuvre aussi remarquable ?), le jury hésite, puis abandonne l'idée de lui accorder le prix. Il remporte toutefois le prix du Gouverneur général en 1967, décerné par le Conseil des arts du Canada.

■ L'ŒUVRE ET LA DISSERTATION

Montrez comment la fragilité des objets et des êtres qui l'entourent révèle à la narratrice sa propre fragilité.

CENT ANS DE SOLITUDE (1967 EN ESPAGNOL, ET 1968 POUR LA TRADUCTION FRANÇAISE)
GABRIEL GARCIA MARQUEZ

► BIOGRAPHIE, P. 223

■ L'ŒUVRE EN BREF

Dans *Cent ans de solitude*, le lecteur suit l'aventure d'un village et de ses fondateurs, depuis sa naissance jusqu'à sa décadence. La famille Buendia, pendant sept générations, devra composer avec la prophétie du gitan Melquiades, celle de vivre cent ans de solitude.

■ UNE LECTURE DE L'ŒUVRE

Les premières lignes du roman de Marquez sont célèbres. Elles installent tout un univers, à la fois historique et magique, chargé d'images saisissantes, qui impose au lecteur sa force évocatrice.

EXTRAIT

Bien des années plus tard, face au peloton d'exécution, le colonel Aureliano Buendia devait se rappeler ce jour lointain où son père l'avait emmené découvrir la glace. Macondo était alors un village d'une vingtaine de maisons en glaise et en roseaux, construites au bord d'une rivière dont les eaux diaphanes roulaient sur un lit de
5   pierres polies blanches, énormes comme des œufs préhistoriques. Le monde était si récent que beaucoup de choses n'avaient pas encore de nom et pour les mentionner, il fallait les montrer du doigt. Tous les ans, au mois de mars, une famille de gitans déguenillés plantait sa tente près du village et, dans un grand tintamarre de fifres et de tambourins faisait part des nouvelles inventions. Ils commencèrent par apporter
10 l'aimant. Un gros gitan à la barbe broussailleuse et aux mains de moineau, qui répondait au nom de Melquiades, fit en public une truculente démonstration de ce que lui-même appelait la huitième merveille des savants alchimistes de Macédoine. Il passa de maison en maison, traînant avec lui deux lingots de métal, et tout le monde fut saisi de terreurs à voir les chaudrons, les poêles, les tenailles et les chaufferettes
15 tomber tout seuls de la place où ils étaient, le bois craquer à cause des clous et des vis qui essayaient désespérément de s'en arracher, et même les objets perdus depuis longtemps apparaissaient là où on les avait le plus cherchés, et se traînaient en débandade turbulente derrière les fers magiques de Melquiades. «Les choses ont une vie bien à elles, clamait le gitan avec un accent guttural; il faut réveiller leur âme,
20 toute la question est là.

■ L'ŒUVRE ET SON TEMPS

LITTÉRATURE HISPANO-AMÉRICAINE Les œuvres des écrivains sud-américains de langue espagnole ont pendant un temps reflété des influences européennes, résultat de la colonisation, jusqu'à ce que les préoccupations communes, autant dans les domaines social, géographique, historique que politique, engendrent une littérature distinctive. Celle-ci rend compte notamment des nombreux régimes dictatoriaux qui ont jalonné l'histoire des pays d'Amérique latine.

■ L'ŒUVRE ET LA DISSERTATION

« Dans le *real maravilloso*, l'écrivain tente de défaire le réel auquel il est confronté afin de découvrir ce qu'il y a de mystérieux dans les choses, la vie et les actions humaine[1]. » Démontrez cette affirmation dans l'extrait de Gabriel Garcia Marquez.

---

1. Larousse. *Dictionnaire de la littérature*. http://www.larousse.fr/archives/litterature/page/992.

COMPARAISON

Jorge Luis Borges, d'origine argentine, ne cesse d'intégrer le mythe, le magique et l'improbable dans ses œuvres, qui semblent pourtant toujours tirées de l'Histoire universelle. Montrez comment ce caractère magique rejoint celui de Gabriel Garcia Marquez. Le texte pourrait, à certains égards, se rapprocher du poème *Le bateau ivre* d'Arthur Rimbaud (voir p. 111), notamment par la faculté de voyance du narrateur, grâce à l'Aleph, et du poète, grâce à la poésie même. Montrez la pertinence du parallèle.

L'ALEPH (1945)
JORGE LUIS BORGES

EXTRAIT

J'en arrive maintenant au point essentiel, ineffable de mon récit ; ici commence mon désespoir d'écrivain. Tout langage est un alphabet de symboles dont l'exercice suppose un passé que les interlocuteurs partagent ; comment transmettre aux autres l'Aleph infini que ma craintive mémoire embrasse à peine ?

[...]

5 À la partie inférieure de la marche, vers la droite, je vis une petite sphère aux couleurs chatoyantes, qui répandait un éclat presque insupportable. Je crus au début qu'elle tournait ; puis je compris que ce mouvement était une illusion produite par les spectacles vertigineux qu'elle renfermait. Le diamètre de l'Aleph devait être de deux ou trois centimètres, mais l'espace cosmique était là, sans diminution de volume. Chaque chose (la glace du miroir par exemple) équivalait à une infinité de choses, parce que
10 je la voyais clairement de tous les points de l'univers. Je vis la mer populeuse, l'aube et le soir, les foules d'Amérique, une toile d'araignée argentée au centre d'une noire pyramide, un labyrinthe brisé (c'était Londres), je vis [...] la circulation de mon sang obscure, l'engrenage de l'amour et la transformation de la mort, je vis l'Aleph, sous tous les angles, je vis sur l'Aleph la terre, et sur la terre de nouveau l'Aleph et sur l'Aleph la terre, je vis mon visage et mes viscères, je vis ton visage, j'eus le vertige et je pleurai, car
15 mes yeux avaient vu cet objet secret et conjectural, dont les hommes usurpent le nom, mais qu'aucun homme n'a regardé : l'inconcevable univers.

Je ressentis une vénération infinie, une pitié infinie.

— Tu dois être abasourdi à force de faire le badaud alors qu'on ne t'y invitait pas, dit une voix détestée et joviale. Tu auras beau te creuser la cervelle, tu ne me payeras pas en un siècle cette révélation. Quel
20 observatoire formidable, mon cher Borges !

NOUVEAUX ESSAIS CRITIQUES (1972)
ROLAND BARTHES

► BIOGRAPHIE, P. 222

■ L'ŒUVRE EN BREF

Dans sa préface à *La vie de Rancé* de René de Chateaubriand, qui paraît par la suite dans *Les nouveaux essais critiques*, Roland Barthes propose une réflexion sur le rôle de la littérature, et plus précisément de l'écriture, qui à la fois invente la vie (« y a-t-il d'autres sentiments que nommés ? ») et la soulage de ses douleurs.

■ UNE LECTURE DE L'ŒUVRE

Roland Barthes affectionne la nuance, la précision du propos en même temps que la multiplicité du sens, ce qui s'observe notamment par les nombreuses parenthèses dans le texte.

EXTRAIT *LE CHAT JAUNE DE L'ABBÉ SÉGUIN*

À quoi donc sert-elle ? À quoi sert de dire *chat jaune* au lieu de *chat perdu ?* d'appeler la vieillesse *voyageuse de nuit !* de parler des palissades d'orangers de Valence à propos de Retz ? À quoi sert la tête coupée de la duchesse de Montbazon ? Pourquoi transformer l'humilité de Rancé (d'ailleurs douteuse) en un spectacle doué de toute
5 l'ostentation du style (style d'être du personnage, style verbal de l'écrivain) ? Cet ensemble d'opérations, cette *technique,* à l'incongruité (sociale) de laquelle il faut toujours revenir, sert peut-être à ceci : *à moins souffrir.* Nous ne savons pas si Chateaubriand reçut quelque plaisir, quelque apaisement d'avoir écrit la *Vie de Rancé ;* mais à lire cette œuvre, et bien que Rancé lui-même nous indiffère, nous
10 comprenons la puissance d'un langage inutile. Certes, appeler la vieillesse *la voyageuse de nuit* ne peut guérir continûment du malheur de vieillir ; car d'un côté il y a le temps des maux réels qui ne peuvent avoir d'issue que dialectique (c'est-à-dire innommée), et de l'autre quelque métaphore qui éclate, éclaire sans agir. Et cependant cet éclat du mot met dans notre mal d'être la secousse d'une distance : la
15 nouvelle forme est pour la souffrance comme un bain lustral : usé dès l'origine dans le langage (y a-t-il d'autres sentiments que nommés ?), c'est pourtant le langage — mais un langage *autre* — qui rénove le pathétique. Cette distance, établie par l'écriture, ne devrait avoir qu'un seul nom (si l'on pouvait lui ôter tout grincement) : *l'ironie.* Par rapport à la difficulté d'être, dont elle est une observation continuelle, la
20 *Vie de Rancé* est une œuvre souverainement ironique *(eironeia* veut dire *interrogation) ;* on pourrait la définir comme une schizophrénie naissante, formée prudemment en quantité homéopathique : n'est-elle pas un certain « détachement » appliqué par l'excès des mots (toute écriture est emphatique) à la manie poisseuse de souffrir ?

Victor Vasarely (1908-1997). *Vega-Gyongiy-2* (1971).
Collection privée.

◼ L'ŒUVRE ET SON TEMPS

Méthode d'analyse de la réalité dans différents domaines, d'abord celui des sciences humaines, le structuralisme apparaît dans les années 1960 comme une approche possible du texte littéraire. Il s'agit de découvrir un réseau de sens à partir du texte même et de l'expérience personnelle de l'individu qui le lit. Ainsi, la lecture d'une œuvre littéraire n'est jamais la même et se transforme en fonction du lecteur.

◼ L'ŒUVRE ET LA DISSERTATION

La théorie littéraire peut servir à décomposer la structure ou les rouages de l'œuvre, mais elle peut aussi servir à justifier la nécessité de la littérature pour l'être humain. Expliquez cette affirmation.

LA VIE DEVANT SOI (1975)
ROMAIN GARY

► Biographie, p. 222

■ L'ŒUVRE EN BREF

Un jeune Arabe prénommé Mohammed vit avec Madame Rosa, une vieille femme juive à laquelle il s'est profondément attaché. L'extrait suivant laisse voir la complicité qui s'est établie entre eux : le père vient reprendre son fils, confié à Madame Rosa onze ans plus tôt, mais celle-ci lui présente un autre garçon, lui faisant croire qu'il s'agit du sien.

■ UNE LECTURE DE L'ŒUVRE

La narration du roman est menée par le personnage de Mohammed, dit Momo, qui témoigne d'une lucidité singulière.

EXTRAIT

— C'est lui ?

Mais Madame Rosa avait toute sa tête et même davantage. Elle s'est ventilée, en regardant Monsieur Yoûssef Kadir comme si elle savourait d'avance.

Elle s'est ventilée encore en silence et puis s'est tournée vers Moïse.

5 — Moïse, dis bonjour à ton papa.

— B'jour, p'pa, dit Moïse, car il savait bien qu'il n'était pas arabe et n'avait rien à se reprocher.

Monsieur Yoûssef Kadir devint encore plus pâle que possible.

— Pardon ? Qu'est-ce que j'ai entendu ? Vous avez dit Moïse ?

10 — Oui, j'ai dit Moïse, et alors ?

Le mec se leva. Il se leva comme sous l'effet de quelque chose de très fort.

— Moïse est un nom juif, dit-il. J'en suis absolument certain, Madame. Moïse n'est pas un bon nom musulman. Bien sûr, il y en a, mais pas dans ma famille. Je vous ai confié un Mohammed, Madame, je ne vous ai pas confié un Moïse. Je ne peux pas

15 avoir un fils juif, Madame, ma santé ne me le permet pas.

Moïse et moi, on s'est regardé, on a réussi à ne pas nous marrer.

Madame Rosa parut étonnée. Ensuite elle a paru plus étonnée encore. Elle s'est ventilée. Il y a eu un immense silence où il se passait toutes sortes de choses. Le mec était toujours debout mais il tremblait des pieds à la tête.

20 — Tss, tss, fit Madame Rosa, avec sa langue, en hochant de la tête. Vous êtes sûr?

— Sûr de quoi, Madame? Je ne suis sûr d'absolument rien, nous ne sommes pas mis au monde pour être surs. J'ai le cœur fragile. Je dis seulement une petite chose que je sais, une toute petite chose, mais j'y tiens. Je vous ai confié il y a onze ans un fils musulman âgé de trois ans, prénommé Mohammed. Vous m'avez donné un reçu
25 pour un fils musulman, Mohammed Kadir. Je suis musulman, mon fils était musulman. Sa mère était une musulmane. Je dirais plus que ça : je vous ai donné un fils arabe en bonne et due forme et je veux que vous me rendiez un fils arabe. Je ne veux absolument pas un fils juif, Madame. Je n'en veux pas, un point, c'est tout. Ma santé ne me le permet pas. Il y avait un Mohammed Kadir, pas un Moïse Kadir, Madame,
30 je ne veux pas redevenir fou. Je n'ai rien contre les Juifs, Madame, Dieu leur pardonne. Mais je suis un Arabe, un bon musulman, et j'ai un fils dans le même état. Mohammed, Arabe, musulman. Je vous l'ai confié dans un bon état et je veux que vous me le rendiez dans le même. Je me permets de vous signaler que je ne peux supporter des émotions pareilles. J'ai été objet des persécutions toute ma vie, j'ai des
35 documents médicaux qui le prouvent, qui reconnaissent à toutes fins utiles que je suis un persécuté.

— Mais alors, vous êtes sûr que vous n'êtes pas juif? demanda Madame Rosa avec espoir.

Monsieur Kadir Yoûssef a eu quelques spasmes nerveux sur la figure, comme s'il
40 avait des vagues.

— Madame, je suis persécuté sans être juif. Vous n'avez pas le monopole. C'est fini, le monopole juif, Madame. Il y a d'autres gens que les Juifs qui ont le droit d'être persécutés aussi. Je veux mon fils Mohammed Kadir dans l'état arabe dans lequel je vous l'ai confié contre reçu. Je ne veux pas de fils juif sous aucun prétexte, j'ai assez
45 d'ennuis comme ça.

— Bon, ne vous émouvez pas, il y a peut-être eu une erreur, dit Madame Rosa, car elle voyait bien que le mec était secoué de l'intérieur et qu'il faisait même pitié, quand on pense à tout ce que les Arabes et les Juifs ont déjà souffert ensemble.

— Il y a sûrement eu une erreur, oh mon Dieu, dit Monsieur Yoûssef Kadir, et il dut
50 s'asseoir parce que ses jambes l'exigeaient.

— Momo, fais-moi voir les papiers, dit Madame Rosa.

J'ai sorti la grande valise de famille qui était sous le lit. Comme j'y ai souvent fouillé à la recherche de ma mère, personne ne connaissait le bordel qu'il y avait là-dedans mieux que moi. Madame Rosa mettait les enfants de putes qu'elle prenait en pension 55 sur des petits bouts de papier où il n'y avait rien à comprendre, parce que chez nous c'était la discrétion et les intéressées pouvaient dormir sur leurs deux oreilles. Personne ne pouvait les dénoncer comme mères pour cause de prostitution avec déchéance paternelle. S'il y avait un maquereau qui voulait les faire chanter dans ce but pour les envoyer à Abidjan, il aurait pas retrouvé un môme là-dedans, même s'il 60 avait fait des études spéciales.

■ **L'ŒUVRE ET SON TEMPS**

UNE CÉLÈBRE MYSTIFICATION LITTÉRAIRE En 1975, sous le pseudonyme d'Émile Ajar, Romain Gary publie *La vie devant soi*, qui lui vaudra le prix Goncourt pour une seconde fois. Or, le prix ne peut être décerné plus d'une fois à un même auteur. Tous les critiques et les journalistes croyaient que l'auteur de cette œuvre était le neveu de Romain Gary, Paul Pavlowitch. Mais le scandale éclate au grand jour en 1981, soit quelques mois après le suicide de Gary, le 2 décembre de l'année précédente.

■ **L'ŒUVRE ET LA DISSERTATION**

Montrez que la naïveté de l'enfance transparaît dans la vision du monde telle que nous la présente Momo.

Miquel Barceló (1957-). *Negeso Bolila Ani Che* (1991).
Collection privée.

AINSI SOIT-ELLE (1975)
BENOÎTE GROULT

► BIOGRAPHIE, P. 222

■ L'ŒUVRE EN BREF

L'extrait qui suit met en évidence l'ironie et l'exaspération de l'auteure. Sa dénonciation des injustices commises à l'endroit des femmes aura un effet considérable sur l'évolution du discours féministe.

■ UNE LECTURE DE L'ŒUVRE

L'efficacité du texte de Benoîte Groult tient au fait qu'elle identifie des femmes célèbres et, de cette façon, prend l'Histoire à témoin pour appuyer son propos.

EXTRAIT

C'est clair, mon petit ? Que tu sois entrée première à Polytechnique, Anne-Marie Chopinet, que tu sois sortie major de l'E.N.A., Françoise Chandernagor, que tu aies reçu la Croix de guerre, Jeanne Mathez, que vous ayez gravi à votre tour un plus de 8000 mètres, petites Japonaises du Manaslu, que vous ayez élevé seules vos enfants
5   dans les difficultés matérielles et la désapprobation morale, vous autres les abandonnées ou les filles mères volontaires, que vous soyez mortes pour vos idées, Flora Tristan, Olympe de Gouges ou Rosa Luxembourg, que tu aies été physicienne accomplie, Marie Curie, alors que tu n'avais pas le droit de vote, tout cela et bien d'autres actes héroïques ou obscurs ne nous vaudra ni dignité ni sécurité. C'est un ministre
10   qui l'a dit. Non, pas au Moyen Age. Pas au XIXᵉ non plus, vous n'y êtes pas. En 1973. Il s'adressait à vous et à moi pour nous redire après tant d'autres que toute valeur pour la femme ne peut procéder que de l'homme. Y compris la maternité qui prétendument nous sanctifie, puisque aujourd'hui encore, malgré quelques exemples illustres, on veut voir dans la fille mère non la mère qui a fait son devoir mais la fille
15   qui n'a pas fait le sien.

Pour être respectable, il ne s'agit donc pas d'être mère, il s'agit d'être mariée.

Un certain nombre de pétroleuses, soutenues par quelques utopistes mâles, ont essayé depuis deux siècles de secouer ce joug, de penser et d'agir sans en demander l'autorisation à l'autre sexe. Elles ont péri sous le ridicule et les insultes des hommes,
20   mais aussi, ce qui est plus désolant, sous le mépris hargneux de ces femmes qui constituent ce que Françoise Parturier a appelé la « misogynie d'appoint ». Comme tous ceux que la servitude a dégradés, les femmes ont fini par se croire faites pour leurs chaînes et sont devenues antiféministes comme tant d'esclaves du Sud furent esclavagistes et combattirent aux côtés de leurs maîtres contre leur propre libération
25   lors de la guerre de Sécession. Bien des sentiments les poussent à se désolidariser de leur propre cause, l'intérêt, la prudence, la peur, une humilité savamment entretenue, mais aussi l'amour, bien qu'il soit déchirant d'aimer qui vous opprime.

30

35

40

45

Il est de bon ton d'ignorer ou de dénigrer les féministes. Qui connaît leur histoire? Leurs visages? On préfère les croire laides, hommasses, hystériques, mal aimées, ce qui est faux. Le mouvement féministe, qui compte tant d'émouvantes figures, apparaît encore comme le combat de quelques vieilles filles refoulées et dévorées du désir de posséder un pénis, cette idée fixe des psychanalystes freudiens. Ce qui n'empêchait pas qu'on les traite simultanément de putains, l'inévitable injure! Encore aujourd'hui, cette appellation reste l'insulte favorite de nos misogynes, il suffit de lire le courrier des lecteurs (non publié parce qu'impubliable) pour s'en convaincre. Leur haine s'exprime toujours avec les mêmes mots: Simone de Beauvoir, pas mariée, pas d'enfants, ne peut être qu'une putain. Françoise Giroud, qui a été mariée et a eu des enfants, en est une aussi. Et Delphine Seyrig et Bernadette Lafont et toutes ces comédiennes qui ne se contentent pas de jouer la comédie et toutes les femmes écrivains qui ne se contentent pas de raconter des histoires d'amour et n'oublions pas bien sûr les 343 femmes qui déclarèrent dans un manifeste fameux qu'elles avaient personnellement avorté. Celles-là n'étaient pas des femmes en lutte pour les droits d'autres femmes mais «343 culs de gauche».

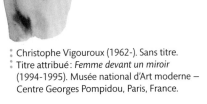

Les impératifs du stéréotype féminin engendrent parfois une distorsion de l'image que la femme a d'elle-même.

Christophe Vigouroux (1962-). Sans titre. Titre attribué: *Femme devant un miroir* (1994-1995). Musée national d'Art moderne – Centre Georges Pompidou, Paris, France.

■ L'ŒUVRE ET SON TEMPS

En 1973, Jean Foyer, alors ministre français de la Justice, déclare: «L'homme tire sa dignité et sa sécurité de son emploi. La femme doit l'une et l'autre au mariage.» Benoîte Groult réplique à cette remarque pour le moins sexiste et méprisante dans *Ainsi soit-elle* (1975), son œuvre la plus marquante.

■ L'ŒUVRE ET LA DISSERTATION

Montrez que l'auteure présente une vision tout à fait différente de la réalité que la vision misogyne qu'elle dénonce.

Depuis les années 1980, la littérature, dans ses différentes mixités (mixité des genres litté-raires, intertextualité, fusion entre la littérature et les autres arts), rend compte d'un décloi-sonnement des frontières. En plus de faire disparaître les frontières artistiques, la littérature abat aussi les frontières géopolitiques. Le territoire littéraire s'avère propice à la reconnais-sance des différences — raciales, sexuelles, idéologiques —, favorisant ainsi l'ouverture à l'autre, à la différence, dans un monde qui, paradoxalement, tend à l'homogénéisation.

LA POSTMODERNITÉ
EN THÉORIE

On peut supposer que le concept de postmodernité en littérature résulte de la conjonction de divers phénomènes survenus depuis la fin des années 1970, tels la **fin des idéologies**[1], la mondialisation ou encore l'engouement pour les nouvelles technologies. Ces facteurs, liés au contexte socioculturel, influent sur la production artistique dite postmoderne.

L'INTERTEXTUALITÉ

La notion d'intertextualité rend compte de la présence d'éléments de textes antérieurs dans un texte nouveau. Ces éléments n'étant pas amenés comme des citations, on peut supposer qu'ils sont là de façon plus ou moins volontaire, qu'ils témoignent des lectures passées de l'auteur et de leurs influences sur sa propre inspiration.

L'ÉCRITURE MIGRANTE

À l'ère de la mondialisation, l'écrivain est le témoin du déracinement provoqué par l'urbanisation, l'in-fluence de cultures étrangères et le flux migratoire. Il

Jean-Michel Alberola (1953-). Sans titre.
Titre attribué : *Étudier le corps du christ* (1992).
Musée national d'Art moderne —
Centre Georges Pompidou, Paris, France.

évolue dans un univers aux frontières imprécises et perméables. De cet environnement mouvant émerge une forme d'écriture transnationale, une *écriture migrante*.

LA PERTE DES REPÈRES

L'absence de repères historiques, qui auparavant laissaient à l'écrivain la possibilité de se situer soit dans une continuité ou en rupture avec le courant précédent, devient marquante pour la littérature. Puisque la rupture est totale, puisque l'écrivain n'a plus le choix de l'expé-rimenter ou non, il lui arrive de ressentir le besoin de recréer avec le passé des liens qui permettraient à nouveau l'adhésion ou la contestation. La littérature, elle-même, fait l'expé-rience du déracinement.

UN ART HYBRIDE

Il apparaît de plus en plus difficile aujourd'hui de distinguer ce qui est littéraire de ce qui ne l'est pas. Si, à l'époque de la modernité, le concept de «**littérarité**[2]» s'est imposé pour sépa-rer l'œuvre littéraire du texte divertissant ou savant, cette frontière ne semble plus coller à la réalité d'aujourd'hui. La littérature est devenue éclectique, intégrant librement diffé-rents types de discours (scientifique, philoso-phique, moral) ou genres artistiques (cinéma, télévision, publicité). Dans ce contexte, elle peut aussi bien se présenter sous la forme d'un amalgame de genres littéraires. En effet, il devient parfois difficile de distinguer entre poésie, roman, nouvelle ou essai.

LA POSTMODERNITÉ EN THÈMES

LE SAVOIR APPROXIMATIF

Michèle Lavoie (1953-). *Vague sur la ville* (2005). Collection privée.

Un des effets majeurs d'Internet et, de façon plus insistante, des médias sociaux, est le discrédit auquel sont soumis le savoir et le savant. Les nombreuses tribunes permettent à chacun de s'improviser spécialiste et de diffuser à une échelle infinie son approximative connaissance dans des domaines très diversifiés. La parole du savant devenant une parole parmi d'autres, la vérité devient de ce fait une possibilité parmi d'autres.

LE CYNISME ET LE DÉSENGAGEMENT

Devant le constat de la perte des idéologies et de la chute des valeurs, le personnage adopte des réactions parfois inattendues, notamment dans ses rapports affectifs. Incapable en quelque sorte de faire face seul au vide de l'existence, il aura la réaction du cynique : un rire glacial et amer et du détachement devant l'insoutenable désenchantement du monde. Cette réaction peut aussi engendrer un sentiment excessif d'importance de soi.

L'ERRANCE ET LA QUÊTE IDENTITAIRE

L'être apatride (sans patrie), immigrant de terre ou d'identité, cherche des indices, des éléments d'ancrage identitaire. Son impossible fixité, son besoin de mouvance génère parfois chez le personnage une éternelle errance physique et morale.

---

1. Voyez à ce propos la rubrique *L'œuvre et son temps* du texte de Michel Houellebecq, p. 243.
2. La littérarité est ce qui caractérise l'œuvre littéraire, tant dans sa forme que dans les idées, et qui nous permet de distinguer un texte littéraire d'autres types de textes.

LA POSTMODERNITÉ
EN PERSONNES

Milan Kundera (1929-)

Kundera est né à Brno, en Tchécoslovaquie (actuelle République tchèque). À la suite de l'invasion de son pays par l'armée russe en 1968, il émigre en France. Les œuvres de Kundera cherchent plus particulièrement à analyser les effets — souvent néfastes — sur les individus d'une Histoire qui s'écrit immanquablement à travers des violences et des bouleversements sans fin.

▶ EXTRAIT, P. 240

Petros Markaris (1937-)

Né en Turquie d'un père arménien et d'une mère grecque, Petros Markaris est d'abord scénariste, notamment pour Theo Angelopoulos, et traducteur (de l'œuvre de Goethe, entre autres). Il se met à l'écriture de romans policiers à l'âge de 57 ans. Ses trois derniers romans forment la *Trilogie de la crise*, qui met en scène la société athénienne face à la crise économique actuelle.

▶ EXTRAIT, P. 250

Michel Houellebecq (1956-)

Michel Thomas, alias Michel Houellebecq, est considéré comme un auteur déterminant de la nouvelle génération d'écrivains. Le ton provocateur de ses romans et la virulence de ses propos entretiennent la polémique et lui valent un important battage médiatique.

▶ EXTRAIT, P. 242

Andreï Makine (1957-)

Né en Russie, Andreï Makine s'installe définitivement en France, en 1987, année où il obtient l'asile politique. En 1995, *Le testament français* lui vaut les prix Goncourt, Goncourt des lycéens et Médicis (ex æquo). L'œuvre de Makine est entièrement écrite en français.

➤ EXTRAIT, P. 244

Tonino Benacquista (1961-)

Écrivain, scénariste et bédéiste, Tonino Benacquista s'inspire beaucoup de l'univers télévisuel et cinématographique dans ses œuvres. Avec Daniel Pennac, il réalise les scénarios de deux albums (les 74e et 75e) du célèbre cowboy franco-belge, Lucky Luke.

➤ EXTRAIT, P. 246

LA POSTMODERNITÉ
EN TEXTES

L'INSOUTENABLE LÉGÈRETÉ DE L'ÊTRE (1984)
MILAN KUNDERA

▶ BIOGRAPHIE, P. 238

■ L'ŒUVRE EN BREF

L'histoire de *L'insoutenable légèreté de l'être* se déroule à Prague, en 1968, et présente en alternance la vie amoureuse et sexuelle de quatre personnages, aux prises avec des désirs indomptables et l'indifférence, les remords ou la révolte qu'ils inspirent.

■ UNE LECTURE DE L'ŒUVRE

Comme ce serait le cas dans un essai — genre littéraire auquel on associe certains passages de l'œuvre —, le narrateur sonde la condition humaine. La première interrogation concerne la légèreté et la pesanteur de la vie humaine.

EXTRAIT   *PREMIÈRE PARTIE*

LA LÉGÈRETÉ ET LA PESANTEUR

1

L'éternel retour est une idée mystérieuse, et Nietzsche, avec cette idée, a mis bien des philosophes dans l'embarras : penser qu'un jour tout va se répéter comme on l'a déjà vécu et que cette répétition va encore indéfiniment se répéter ! Que veut dire ce mythe insensé ?

5 Le mythe de l'éternel retour nous dit, par la négation, que la vie qui va disparaître une fois pour toutes et ne reviendra pas est semblable à une ombre, qu'elle est sans poids, qu'elle est morte dès aujourd'hui, et qu'aussi atroce, aussi belle, aussi splendide fût-elle, cette beauté, cette horreur, cette splendeur n'ont aucun sens. Il ne faut pas en tenir compte, pas plus que d'une guerre entre deux royaumes africains du XIVème siècle, qui n'a rien changé à la face du monde, bien que trois cent mille Noirs y aient trouvé la mort dans d'indescriptibles supplices.

10 Mais est-ce que ça va changer quelque chose à cette guerre entre deux royaumes africains du XIVème siècle de se répéter un nombre incalculable de fois dans l'éternel retour ?

Oui, certainement : elle va devenir un bloc qui se dresse et perdure, et sa sottise sera sans rémission.

Si la Révolution française devait éternellement se répéter, l'historiographie française serait
15 moins fière de Robespierre. Mais comme elle parle d'une chose qui ne reviendra pas, les années sanglantes ne sont plus que des mots, des théories, des discussions, elles sont plus légères qu'un duvet, elles ne font pas peur. Il y a une énorme différence entre un Robespierre qui n'est apparu qu'une seule fois dans l'histoire et un Robespierre qui reviendrait éternellement couper la tête aux Français. Disons donc que l'idée de l'éternel retour désigne une perspective où les
20 choses ne nous semblent pas telles que nous les connaissons : elles nous apparaissent sans la

circonstance atténuante de leur fugacité. Cette circonstance atténuante nous empêche en effet de prononcer un verdict quelconque. Peut-on condamner ce qui est éphémère? Les nuages orangés du couchant éclairent toute chose du charme de la nostalgie; même la guillotine.

25 Il n'y a pas longtemps, je me suis pris moi-même sur le fait: ça me semblait incroyable mais, en feuilletant un livre sur Hitler, j'étais ému devant certaines de ses photos; elles me rappelaient le temps de mon enfance; je l'ai vécu pendant la guerre; plusieurs membres de ma famille ont trouvé la mort dans des camps de concentration nazis; mais qu'était leur mort auprès de cette photographie d'Hitler qui me rappelait un temps révolu de ma vie, un temps qui ne reviendrait pas?

30 Cette réconciliation avec Hitler trahit la profonde perversion morale inhérente à un monde fondé essentiellement sur l'inexistence du retour, car dans ce monde-là tout est d'avance pardonné et tout y est donc cyniquement permis.

2

Si chaque seconde de notre vie doit se répéter un nombre infini de fois, nous sommes cloués à l'éternité comme Jésus-Christ à la croix. Quelle atroce idée! Dans le monde de l'éternel retour, 35 chaque geste porte le poids d'une insoutenable responsabilité. C'est ce qui faisait dire à Nietzsche que l'idée de l'éternel retour est le plus lourd fardeau (*das schwerste Gewicht*).

Si l'éternel retour est le plus lourd fardeau, nos vies, sur cette toile de fond, peuvent apparaître dans toute leur splendide légèreté. Mais au vrai, la pesanteur est-elle atroce et belle la légèreté?

Le plus lourd fardeau nous écrase, nous fait ployer sous lui, nous presse contre le sol. Mais dans 40 la poésie amoureuse de tous les siècles, la femme désire recevoir le fardeau du corps mâle. Le plus lourd fardeau est donc en même temps l'image du plus intense accomplissement vital. Plus lourd est le fardeau, plus notre vie est proche de la terre, et plus elle est réelle et vraie.

En revanche, l'absence totale de fardeau fait que l'être humain devient plus léger que l'air, qu'il s'envole, qu'il s'éloigne de la terre, de l'être terrestre, qu'il n'est plus qu'à demi réel et que ses 45 mouvements sont aussi libres qu'insignifiants.

Alors, que choisir? La pesanteur ou la légèreté?

■ L'ŒUVRE ET SON TEMPS

LE PRINTEMPS DE PRAGUE Au printemps 1968, le Parti communiste tchécoslovaque tente d'assouplir les politiques du pays, en votant notamment l'abolition de la censure. Mais, se sentant menacés par de telles mesures, la Russie et d'autres pays communistes signataires du pacte de Varsovie (1955) entrent dans Prague et, en août de la même année, rétablissent le régime communiste tel que le Pacte l'avait prescrit.

■ L'ŒUVRE ET LA DISSERTATION

Le choix entre légèreté et pesanteur qu'expose le narrateur nous ouvre la porte à des questions existentielles des plus sérieuses. Démontrez cette affirmation.

L'EXTENSION DU DOMAINE DE LA LUTTE (1994)

MICHEL HOUELLEBECQ

▶ BIOGRAPHIE, P. 238

◼ L'ŒUVRE EN BREF

Le narrateur du roman est un cadre d'âge moyen, qui partage avec le lecteur ses observations sur le quotidien de ses contemporains, sur fond de libéralisme économique et sexuel.

◼ UNE LECTURE DE L'ŒUVRE

Dans l'extrait à l'étude, le narrateur interpelle directement le lecteur pour le forcer à prendre conscience de sa condition d'adulte désabusé et perdu.

EXTRAIT

Vous avez eu une vie. Il y a eu des moments où vous aviez une vie. Certes, vous ne vous en souvenez plus très bien ; mais des photographies l'attestent. Ceci se passait probablement à l'époque de votre adolescence, ou un peu après. Comme votre appétit de vivre était grand, alors ! L'existence vous apparaissait riche de possibilités 5 inédites. Vous pouviez devenir chanteur de variétés ; partir au Venezuela.

Plus surprenant encore, vous avez eu une enfance. Observez maintenant un enfant de sept ans, qui joue avec ses petits soldats sur le tapis du salon. Je vous demande de l'observer avec attention. Depuis le divorce, il n'a plus de père. Il voit assez peu sa mère, qui occupe un poste important dans une firme de cosmétiques. Pourtant il 10 joue au petit soldat, et l'intérêt qu'il prend à ces représentations du monde est très vif. Il manque déjà un peu d'affection, c'est certain ; mais comme il a l'air de s'intéresser au monde !

Vous aussi, vous vous êtes intéressé au monde. C'était il y a longtemps ; je vous demande de vous en souvenir. Le domaine de la règle ne vous suffisait plus ; vous ne 15 pouviez vivre plus longtemps dans le domaine de la règle ; aussi, vous avez dû entrer dans le domaine de la lutte. Je vous demande de vous reporter à ce moment précis. C'était il y a longtemps, n'est-ce pas ? Souvenez-vous : l'eau était froide.

Maintenant, vous êtes loin du bord : oh oui ! comme vous êtes loin du bord ! Vous avez longtemps cru à l'existence d'une autre rive ; tel n'est plus le cas. Vous conti-20 nuez à nager pourtant, et chaque mouvement que vous faites vous rapproche de la noyade. Vous suffoquez, vos poumons vous brûlent. L'eau vous paraît de plus en plus froide, et surtout de plus en plus amère. Vous n'êtes plus tout jeune. Vous allez mourir, maintenant. Ce n'est rien. Je suis là. Je ne vous laisserai pas tomber. Continuez votre lecture.

25 Souvenez-vous, encore une fois, de votre entrée dans le domaine de la lutte.

David Wojnarowicz (1954-1992). *Sans titre* (1983).
Collection privée.

■ L'ŒUVRE ET SON TEMPS

LA FIN DES IDÉOLOGIES Cette idée est développée dans l'ouvrage intitulé *La condition postmoderne*, de Jean-François Lyotard, paru en 1979. L'auteur y fait état de la fin des «grands récits», c'est-à-dire de l'absence de toute idéologie qui s'évertuerait à proposer un monde meilleur. C'est la fin de la croyance dans le progrès, de l'espoir de l'abolition des classes sociales et d'une paix mondiale.

■ L'ŒUVRE ET LA DISSERTATION

Montrez comment la métaphore de la baignade forcée (comme celle de la lutte) évoque le désenchantement du monde adulte.

LE TESTAMENT FRANÇAIS (1995)

ANDREÏ MAKINE

► BIOGRAPHIE, P. 239

■ L'ŒUVRE EN BREF

Le narrateur du roman raconte sa fascination pour la France, qu'il découvre à travers les récits qu'en fait sa grand-mère, d'origine française. La France apparaît ici comme une Atlantide mythique qui transforme la perception qu'a le narrateur de sa propre identité, à la fois russe et française.

■ UNE LECTURE DE L'ŒUVRE

Bien que la présentation des deux mondes du personnage alterne continûment, il est possible de distinguer les lieux dont le narrateur parle par la connotation différente dans les descriptions.

EXTRAIT

J'allais dans cette petite ville ensommeillée, perdue au milieu des steppes, pour détruire la France. Il fallait en finir avec cette France de Charlotte qui avait fait de moi un étrange mutant, incapable de vivre dans le monde réel.

5 Dans mon esprit, cette destruction devait ressembler à un long cri, à un rugissement de colère qui exprimerait le mieux toute ma révolte. Ce hurlement sourdait encore sans paroles. Elles allaient venir, j'en étais sûr, dès que les yeux calmes de Charlotte se poseraient sur moi. Pour l'instant, je criais silencieusement. Seules les images déferlaient dans un flux chaotique et bariolé.

10 Je voyais le scintillement d'un pince-nez dans la pénombre calfeutrée d'une grosse voiture noire. Béria choisissait un corps féminin pour sa nuit. Et notre voisin d'en face, paisible retraité souriant, arrosait les fleurs sur son balcon, en écoutant le gazouillis d'un transistor. Et dans notre cuisine, un homme aux bras couverts de tatouages parlait d'un lac gelé rempli de cadavres nus. Et tous ces gens dans le wagon de troisième classe qui m'emportait vers Saranza semblaient ne pas remar-
15 quer ces paradoxes déchirants. Ils continuaient à vivre. Tranquillement.

Dans mon cri, je voulais déverser sur Charlotte ces images. J'attendais d'elle une réponse. Je voulais qu'elle s'explique, qu'elle se justifie. Car c'est elle qui m'avait transmis cette sensibilité française — la sienne —, me condamnant à vivre dans un pénible entre-deux-mondes.

20 Je lui parlerais de mon père avec son «trou» dans le crâne, ce petit cratère où battait sa vie. Et de ma mère dont nous avions hérité la peur de la sonnerie inattendue à la porte, les soirs de fêtes. Tous les deux morts. Inconsciemment, j'en voulais à

Charlotte d'avoir survécu à mes parents. Je lui en voulais de son calme durant l'enterrement de ma mère. Et de cette vie très européenne, dans son bon sens et
25 sa propreté, qu'elle menait à Saranza. Je trouvais en elle l'Occident personnifié, cet Occident rationnel et froid contre lequel les Russes gardent une rancune inguérissable. Cette Europe qui, de la forteresse de sa civilisation, observe avec condescendance nos misères de barbares — les guerres où nous mourions par millions, les révolutions dont elle a écrit pour nous les scénarios... Dans ma révolte juvénile, il y
30 avait une grande part de cette méfiance innée.

La greffe française que je croyais atrophiée était toujours en moi et m'empêchait de voir. Elle scindait la réalité en deux. Comme elle avait fait avec le corps de cette femme que j'espionnais à travers deux hublots différents : il y avait une femme en chemisier blanc, calme et très ordinaire, et l'autre — cette immense croupe rendant
35 presque inutile, par son efficacité charnelle, le reste du corps.

Et pourtant je savais que les deux femmes n'en faisaient qu'une. Tout comme la réalité déchirée. C'était mon illusion française qui me brouillait la vue, telle une ivresse, en doublant le monde d'un mirage trompeusement vivant...

◼ L'ŒUVRE ET SON TEMPS

LE MONDE SELON MARSHALL L'année 1947 est décisive dans l'établissement du nouvel ordre mondial qui se maintiendra pendant les quatre décennies suivantes. Cette année-là, les États-Unis instaurent la doctrine Truman (du nom du président américain d'alors), une politique visant à contrer l'influence communiste. Ils offrent en outre aux pays dévastés par la guerre un important soutien financier — appelé «plan Marshall» —, destiné à la reconstruction de l'Europe et s'adressant autant aux pays communistes qu'aux pays capitalistes.

◼ L'ŒUVRE ET LA DISSERTATION

Le texte de Makine reflète de nouvelles réalités sociales en émergence à la fin du XXe siècle : la quête identitaire, motivée par le déracinement national des individus. Montrez comment la quête prend ici la forme d'une confrontation entre deux mondes.

SAGA (1997)
TONINO BENACQUISTA

▶ BIOGRAPHIE, P. 239

■ L'ŒUVRE EN BREF

Un groupe de scénaristes a pour tâche de remplir le vide de la nuit en réalisant une émission télévisuelle, *Saga*. Celle-ci remporte un tel succès qu'on en parle bientôt comme d'un véritable phénomène de société. Prisonniers de leur création, les scénaristes verront leur vie à jamais transformée.

■ UNE LECTURE DE L'ŒUVRE

Ce roman multiplie les regards par lesquels le lecteur prend connaissance du récit, chaque chapitre racontant l'histoire telle qu'elle est vécue par chacun des quatre scénaristes. Dans cet extrait, Marco est invité à souper chez des amis. On lui demande de raconter une histoire aux enfants. Ici, les références à la culture de masse (cinéma, télévision, etc.) remplacent même les traditionnels contes de fées.

EXTRAIT

— On va bientôt passer à table, il faut coucher les petits.

— Marco, tu veux bien t'en occuper?

— Pardon?

— C'est pas tous les soirs qu'on a un scénariste à la maison. Je ne sais plus quoi leur
5 inventer pour les endormir.

— Une toute petite histoire, allez… Pour toi, c'est rien.

Tous les quatre se marrent.

— Je ne sais pas faire ça. Je n'ai pas le chic, avec les mômes.

J'ai l'air d'une andouille…

10 — Mais si, tu vas très bien t'en sortir.

D'autorité, on m'entraîne dans leur chambre. Je me retrouve assis au bord du lit, dans la pénombre, avec deux têtes blondes sur un traversin, les yeux grands ouverts.

— On t'attend pour les hors-d'œuvre, chuchote Juliette en fermant la porte.

Le piège. Je cherche dans mes souvenirs de princesses, de petits cochons et de
15 grands méchants loups. Et ne vois rien venir. Les quatre grands yeux attendent. Une forêt? Un château? Est-ce que ça parle aux gosses d'aujourd'hui? Avec leurs petites

mèches blondes, ils ont l'air d'anges qui ne demandent qu'à bâiller. En réalité ce sont de cruelles machines à éventrer les peluches, boostées à la cybernétique japonaise, prêtes à mordre dans le troisième millénaire. Les princesses n'intéressent plus ma
20 camarade Mathilde. Mais j'ai peut-être une dernière chance de les bluffer en faisant du neuf avec du vieux. Sans même me griller de précieux fusibles. Je suis à peu près sûr que ces mômes n'ont pas encore vu *Basic Instinct*.

— C'est l'histoire d'une très belle dame blonde qui vit dans un très beau château, au bord de la mer…

25 Je referme la porte avec une extraordinaire lenteur et descends les marches sans le moindre bruit. Je crois m'en être assez bien sorti. Le personnage de Sharon Stone est devenu une sorte de sorcière qui rend fous ceux qui l'approchent. Le pic à glace est un poignard magique et le flic joué par Michael Douglas, un preux chevalier qui va envoûter la sorcière. Dans le salon, ça discute fort. J'ai bien mérité mon assiette
30 de poulet au curry et mon verre de rouge. L'escalier craque, j'avance à pas feutrés, manquerait plus qu'un gosse se réveille et que je sois obligé de lui raconter *Orange mécanique*.

■ L'ŒUVRE ET SON TEMPS

LA COHABITATION DES NIVEAUX DE CULTURE Les nouvelles technologies ont ouvert les frontières aux réalités parallèles. La cohabitation de la littérature reconnue par l'institution et de la littérature de masse incite dorénavant l'une à considérer l'autre et à l'intégrer, même si l'inverse est extrêmement rare. Les médias continuent de transformer notre rapport à l'art, à la littérature et aux représentations du monde qui en émanent.

■ L'ŒUVRE ET LA DISSERTATION

Voir l'analyse qui suit.

ANALYSE

▨ L'ŒUVRE ET LA DISSERTATION

Montrez comment le cynisme du personnage permet de transposer des éléments de culture populaire adulte au domaine féérique du monde de l'enfance.

L'analyse de la vision cynique du monde de l'enfance pourrait faire l'objet d'un paragraphe de développement.

CHOIX D'EXTRAITS:

« Avec leurs petites têtes blondes, ils ont l'air d'anges qui ne demandent qu'à bâiller. En réalité ce sont de cruelles machines qui ne demandent qu'à éventrer les peluches, boostées à la cybernétique japonaise, prêtes à mordre dans le troisième millénaire. »

« Mais j'ai peut-être une dernière chance de les bluffer en faisant du neuf avec du vieux. Sans même me griller de précieux fusibles. Je suis à peu près sûr que ces mômes n'ont pas encore vu *Basic Instinct*. »

ORGANISATION DE L'ARGUMENTATION : PREMIER ARGUMENT

- **Idée principale développée :** le regard cynique porté sur l'enfance.

- **Premier élément de l'argumentation (idée secondaire) :** la vision que le narrateur se fait de l'enfance est exempte de la naïveté qu'on a l'habitude de lui attribuer.

  PREUVE TEXTUELLE

  « Avec leurs petites têtes blondes, ils ont l'air d'anges qui ne demandent qu'à bâiller. En réalité ce sont de cruelles machines qui ne demandent qu'à éventrer les peluches, boostées à la cybernétique japonaise, prêtes à mordre dans le troisième millénaire. »

  COMMENTAIRE

  Le contraste installé par la vision classique de l'enfance et la vision réelle (« En réalité ») selon le narrateur, de ces êtres faussement fragiles (« de cruelles machines ») installe le ton cynique du propos. Marco condamne ici non pas *des* enfants, mais l'enfance.

- **Deuxième élément de l'argumentation (idée secondaire) :** une fois ce constat établi, Marco se sent autorisé à tromper les deux enfants.

  PREUVE TEXTUELLE

  « Mais j'ai peut-être une dernière chance de les bluffer en faisant du neuf avec du vieux. Sans même me griller de précieux fusibles. Je suis à peu près sûr que ces mômes n'ont pas encore vu *Basic Instinct*. »

  COMMENTAIRE

  Le bluff, la tromperie dont Marco usera est en fait l'adaptation d'une œuvre cinématographique appartenant au genre thriller érotique, ce qui nous éloigne encore davantage du monde de l'enfance et lui donne ainsi une connotation passablement sordide. Le cynisme est ici accentué par le doute (« Je suis à peu près sûr ») que Marco émet dans sa réflexion.

■ **Conclusion de paragraphe**

Afin de rédiger une conclusion qui ajoute une réflexion à celle déjà contenue dans le paragraphe, il faut explorer le lien qui peut exister entre les deux idées secondaires, en mettant en commun les éléments des commentaires :

- vision peu conventionnelle de l'enfance ;
- transformation d'une œuvre pour adultes en conte pour enfants ;
- regard cynique du narrateur.

George Condo (1957-). *Le rêve impossible* (2003).
Collection privée.

La postmodernité

LE JUSTICIER D'ATHÈNES (2013)
PETROS MARKARIS

▶ BIOGRAPHIE, P. 238

■ L'ŒUVRE EN BREF

Cette œuvre est la deuxième d'une trilogie où l'on voit évoluer des Athéniens aux prises avec la crise économique actuelle, les manifestations contre la troïka et des meurtres à la facture antique (le meurtrier emploie ici la ciguë) liés aux événements contemporains (assassinat de fraudeurs de l'impôt).

■ UNE LECTURE DE L'ŒUVRE

Le commissaire Charitos tente de retrouver l'assassin, autoproclamé «percepteur national», qui élimine de riches fraudeurs des impôts et que la population regarde bien davantage en héros qu'en criminel. L'intrigue mêle symboles de l'Antiquité et événements récents.

EXTRAIT

Le corps se trouve une centaine de mètres plus loin, près d'une stèle figurant une femme assise et un jeune homme debout qui lui présente un objet. Dans le fond, quelques cyprès se balancent.

J'ai devant moi un homme entre cinquante et soixante ans, vêtu d'un costume
5 sombre sûrement cher, d'une chemise blanche et d'une cravate rayée. Il porte des lunettes à fines montures et une barbe poivre et sel opulente.

Mais ce qui frappe, c'est sa position. Allongé sur le dos, les yeux fermés, il a les mains croisées sur sa poitrine. Comme prêt pour la mise en bière. Manquent seulement le cercueil et la fosse.

10 [...]

— On a trouvé le poison! C'est de la ciguë.

— Le poison qu'a pris Socrate?

— Socrate l'a bu, c'est la seule différence.

— Et où l'assassin a-t-il trouvé de la ciguë?

15 Il rit.

— On en trouve dans toute la Grèce! La plante est répandue comme les pissenlits que cueillaient nos mères. À petites doses, elle a des vertus curatives. À forte dose, elle tue. Je t'écrirai tout en détail dans mon rapport.

— Si tu veux, mais ce que tu me dis là me suffit. Ce dont j'ai besoin, c'est l'heure de
20 la mort.

— Entre sept heures et onze heures du soir. Le poison agissant dans les deux heures, on lui a fait l'injection entre cinq et neuf.

«Tiens, tiens, me dis-je. La ciguë, un décor antique…» Je ne sais pas si Socrate est
enterré au Céramique, mais l'aspect symbolique dont parlait Mereditis devient plus
25 évident.

[…]

Monsieur,

*Vous êtes chirurgien à la clinique privée Ayia Lavra. Vous avez en votre possession une
villa avec piscine à Ekali, une maison de campagne à Paros, un hors-bord et une collec-*
30 *tion de tableaux valant des centaines de milliers d'euros. Vos deux filles suivent des
études à l'étranger.*

*Vous déclarez au fisc un revenu net imposable de 50 000 euros. D'après mes calculs, vous
êtes redevables d'une somme entre 200 000 et 250 000 euros annuels. Je vous prie de
régler à votre centre des impôts, dans les cinq jours, la somme de 200 000 euros.*

35 *Dans le cas contraire, votre vie est en danger.*

Le percepteur national

La lettre est datée du 10 mai 2011, une semaine avant le meurtre. Je l'ai déjà lue trois
fois, assis devant l'ordinateur de Koula, et je me demande encore si c'est un canular
ou si le «percepteur national» est sérieux.

40 Si j'en crois la date, le canular est à exclure. Korassidis a cinq jours pour s'exécuter.
Visiblement, il croit au canular, et le septième jour, on le détrompe.

Mais enfin, qui se fait tuer pour ne pas avoir payé ses impôts? Pendant toutes ces
années à la brigade criminelle, j'ai vu des meurtres commis pour des motifs
incroyables, mais la fraude fiscale, c'est la première fois. S'il fallait tuer tous les frau-
45 deurs, la population du pays se réduirait aux fonctionnaires, aux employés du privé,
aux chômeurs et aux ménagères. Serions-nous tombés sur un fou?

■ L'ŒUVRE ET SON TEMPS

DE LA TROÏKA AUX INSTITUTIONS Avant l'élection du parti de gauche radicale, Syriza, en janvier 2015, la Grèce devait répondre aux exigences (certains parlent de diktats, de ce qu'on impose à la Grèce) de la Troïka, constituée de la Banque centrale européenne (BCE), de la Commission européenne (CE) et du Fonds monétaire international (FMI), afin de recevoir un soutien financier pour se sortir de la crise économique. Depuis l'arrivée au pouvoir du parti d'Alexis Tsipras, on parle plutôt des institutions, ou des créanciers, que sont la BCE, la CE et le FMI.

Le 5 juillet 2015, les Grecs ont voté non à un référendum qui leur demandait d'accepter une proposition d'entente avec les créanciers.

Petros Markaris remporte le prix du polar européen en 2013 pour *Liquidation à la grecque.*

■ L'ŒUVRE ET LA DISSERTATION

Les années 2010 sont marquées par une succession de crises économiques en Occident, dont l'issue semble inexistante. La révolte, engendrée par cette dure réalité et la corruption qui l'accompagne, se répercute dans les textes littéraires. Expliquez.

Paul Cézanne (1839-1906). *Jeune homme au gilet rouge*
(1888-1890). National Gallery of Art, Washington,
États-Unis.

Un demi-siècle de tourmente
(de 1789 à 1857)

La période qui suit la prise de la Bastille (1789) est marquée par de nombreux changements de régimes politiques et des conflits multiples qui perturbent autant le climat social que la vie des individus. Il faudra attendre les années 1850 pour retrouver une certaine stabilité.

LE PRÉROMANTISME ET LE ROMANTISME

La volonté de donner prééminence aux sentiments et aux individus, en réaction au rationalisme des Lumières, marque la littérature préromantique et romantique. De là, les envolées lyriques dans les textes, le retour marqué de la poésie (à peu près inexistante à l'époque des Lumières) ainsi que la profusion d'œuvres autobiographiques sous forme de confessions, de souvenirs ou de mémoires.

Un pas dans la modernité
(de 1857 à 1900)

La seconde moitié du XIXe siècle verra se consolider définitivement le pouvoir de la bourgeoisie et s'éteindre les derniers vestiges de la classe qui aura régné sur la France pendant plusieurs siècles: la noblesse.

LE RÉALISME, LE NATURALISME ET LE FANTASTIQUE

Les œuvres en prose de cette période se distinguent par une rigoureuse observation du comportement humain. Par le ton ironique ou grave qu'ils adoptent, les auteurs présentent aux lecteurs une critique virulente de la société bourgeoise. Les avancées scientifiques, par ailleurs, teintent le propos ou la tonalité de leurs textes.

LE PARNASSE, LE DÉCADENTISME ET LE SYMBOLISME

L'une des revendications majeures des poètes de cette époque est la reconnaissance de la littérature pour elle-même. La poésie ne représente plus la réalité; elle devient *la* réalité, créée à partir des sonorités des mots, de la force évocatrice du langage, de la puissance des images qui se superposent pour former une vision de la vie au-delà de la médiocrité ambiante.

LA MODERNITÉ

Le texte moderne rompt avec la forme classique de l'œuvre littéraire. Déjà entamée dans le style du poème en prose inauguré par Baudelaire, cette rupture marque la transition entre le texte qui expose une réalité extérieure et le texte où l'auteur se penche sur sa propre réalité, parle de lui-même, s'interroge sur les rouages et les motifs de sa propre création.

Le temps des engagements
(de 1900 à 1950)

Toute la première moitié du XXᵉ siècle est marquée par les deux plus grands conflits armés que l'Occident ait connus. Déjà l'armistice signé après la Grande Guerre (1914-1918) préparait la Seconde Guerre mondiale (1939-1945), provoquant frustration, crises économiques et montée du fascisme.

LE DADAÏSME ET LE SURRÉALISME

La révolte contre le conformisme sévissant au début du siècle incite les auteurs au nihilisme violent du mouvement dada. Plus tard, ils seront portés par la volonté de réintégrer la magie dans le quotidien, grâce à une littérature prête à débusquer le réel. «Transformer la vie» (Arthur Rimbaud) et «changer le monde» (Karl Marx) sont les mots d'ordre des surréalistes.

UN NOUVEL HUMANISME

Ce qui relie les auteurs de l'entre-deux-guerres, c'est surtout la conscience qu'ils ont de la nécessité pour l'individu d'aller au bout de lui-même. La préoccupation morale, la reconnaissance d'une responsabilité individuelle et collective dans le sort du monde, la quête du héros aux qualités humaines, voilà ce qu'ils mettent en jeu dans leurs œuvres.

L'EXISTENTIALISME ET L'ABSURDE

Pour les existentialistes, l'individu – libre de ses choix – devient par conséquent entièrement responsable des orientations sociales, ce qui n'est pas anodin dans un Occident en plein conflit mondial. Privé dorénavant du Dieu qui lui promettait un monde meilleur, il devra accepter de vivre, malgré l'absurde d'une existence sans passé ni avenir au-delà d'elle-même.

Incertitudes et mouvances
(de 1950 à aujourd'hui)

Depuis la fin des années 1940, l'Occident se cherche un nouveau schème de valeurs pour survivre à la débâcle. D'une vision manichéenne à une autre, l'individu postmoderne cherche curieusement à abolir les frontières géographiques, projet qui semble dicté par des motifs économiques bien plus qu'humanitaires.

LE NOUVEAU ROMAN, LE THÉÂTRE DE L'ABSURDE ET L'OULIPO

La contestation contre le conformisme ambiant et surtout contre les débordements de la société de consommation alimente le propos des auteurs de ces courants littéraires. Les œuvres sont dépouillées de leur structure habituelle, les personnages de leur identité. On parlera pour cette raison d'antiroman, d'antithéâtre et d'antihéros.

LA DIVERSITÉ LITTÉRAIRE

Moins un courant que la reconnaissance de voix distinctes, ce regroupement de textes témoigne de l'impossibilité de dégager un mouvement homogène dans la littérature des années 1960-1970. Ce sont toutes les disparités de la réalité humaine revendiquées à cette époque de profonds changements que l'on retrouve ici et qui marquent ainsi sa spécificité.

LA POSTMODERNITÉ

La littérature postmoderne témoigne de son propre décloisonnement, en ce qui concerne les genres littéraires notamment, parce qu'elle intègre dans un même texte littérature dite «savante» et littérature populaire. Mais son éclectisme ne s'arrête pas là, car elle rend aussi compte de la mixité des mondes et insère différents types de discours et de formes artistiques.

Dans le cadre du cours *Littérature et imaginaire,* vous aurez à expliquer les représentations du monde contenues dans des textes littéraires d'époques et de genres variés et à produire une **dissertation explicative** d'au moins 800 mots.

A. QU'EST-CE QUE LA DISSERTATION EXPLICATIVE ?

La **dissertation explicative** ne demande pas une prise de position par rapport à un sujet. Elle consiste essentiellement à donner l'explication d'une affirmation initiale.

Afin de clarifier ce qu'on entend par «donner l'explication d'une affirmation initiale», arrêtons-nous sur les composantes du sujet de la dissertation, soit l'affirmation initiale, la prescription et les conditions de réalisation. Examinons pour ce faire l'exemple suivant.

Exemple

> L'extrait de l'œuvre *Les gommes* d'Alain Robbe-Grillet dévoile la non-nécessité de l'écoulement du temps dans le nouveau roman. Expliquez cette affirmation dans une dissertation explicative de 800 mots.

L'affirmation initiale

L'affirmation initiale suppose qu'une analyse préalable de l'extrait a été réalisée, sinon, il aurait fallu, dans notre exemple, poser la question comme suit : L'extrait de l'œuvre *Les gommes* d'Alain Robbe-Grillet **dévoile-t-il** la non-nécessité de l'écoulement du temps dans le nouveau roman ? La forme affirmative présume donc que la démonstration est possible.

La prescription

L'exercice de dissertation explicative donne une prescription à celle ou à celui qui doit disserter. La forme impérative du verbe en témoigne : montrez, démontrez, expliquez, prouvez, justifiez, etc. Il s'agira donc de faire l'exercice d'analyse à rebours, d'expliquer qu'il est possible de soutenir l'affirmation initiale.

Les conditions de réalisation

Souvent, les conditions de réalisation de la rédaction sont inscrites dans le sujet même de la dissertation. On précise qu'il s'agit d'une dissertation explicative, que celle-ci doit être partielle ou complète, qu'elle doit comporter 300 ou 400 mots (si elle est partielle) ou 800 mots (si elle est complète). Le nombre de paragraphes de développement peut même être prescrit, surtout s'il s'agit d'une dissertation partielle.

B. LES SUJETS DE DISSERTATION

Les sujets de la dissertation explicative sont variés. Chacun d'entre eux permet d'apprécier l'œuvre différemment et de vérifier certains éléments de compétence à développer dans le cours (voir le tableau p. 258). Certains sujets permettent donc :

1. De montrer la présence d'un élément caractéristique de l'œuvre.

   Exemple

   > Montrez que, par son exhortation aux abeilles, dans son poème «Le manteau impérial», Victor Hugo raille celui qu'il surnomme par ailleurs «Napoléon le petit».

2. De montrer l'adéquation entre l'œuvre et le courant littéraire auquel on l'associe.

   Exemple

   > À l'époque romantique, la nature sert de refuge et de confidente à l'individu qui, déçu par ses contemporains ou incompris d'eux, cherche à fuir leur compagnie. C'est là qu'il peut trouver la sérénité nécessaire à l'apaisement des transports de son cœur. Montrez comment la nature est vue, dans l'extrait des *Rêveries du promeneur solitaire* de Jean-Jacques Rousseau, comme l'asile apaisant du narrateur.

3. De montrer l'adéquation entre une affirmation théorique et le propos d'une œuvre.

   Exemple

   > «Dans le *real maravilloso*, l'écrivain tente de défaire le réel auquel il fait face afin de découvrir ce qu'il y a de mystérieux dans les choses, la vie et les actions humaines[1].» Démontrez cette affirmation dans l'extrait de Gabriel Garcia Marquez.

4. De montrer la relation entre l'œuvre et une autre œuvre (de la même époque ou d'époques différentes, de la même culture ou de cultures différentes).

   Exemple

   > Montrez que la représentation qu'Émile Nelligan fait du poète dans «Le Vaisseau d'Or» est en tout point similaire à celle qu'en fait Charles Baudelaire dans «L'albatros».

5. De montrer la relation entre l'œuvre et la réalité sociohistorique dans laquelle elle a été réalisée.

   Exemple

   > Les années 2010 sont marquées par une succession de crises économiques en Occident, dont l'issue semble inexistante. La révolte engendrée par cette dure réalité et par la corruption qui l'accompagne se répercute dans les textes littéraires. Expliquez cette affirmation à partir de l'extrait de l'œuvre intitulée *Le justicier d'Athènes*, de Petros Markaris.

---

1. *Dictionnaire mondial des littératures de Larousse.*

C. LE RÉINVESTISSEMENT DES ACQUIS

Comme l'analyse est la matière première de la dissertation explicative, il est important que vous sachiez transférer les connaissances acquises dans votre cours précédent, notamment les **tonalités** ainsi que les **procédés stylistiques et littéraires**. Vous pourrez maintenant développer des **analyses thématiques** afin de saisir les liens entre l'œuvre et son temps.

Nous reproduisons ici les trois premiers éléments de la compétence à développer dans ce cours[1] afin de mettre en évidence l'utilité des acquis.

Énoncé de la compétence Expliquer les représentations du monde contenues dans des textes littéraires d'époques et de genres variés.

Éléments de la compétence	Critères de performance
1. Reconnaître le traitement d'un **thème** dans un texte.	Relevé des **procédés stylistiques et littéraires** utilisés pour le développement du **thème**.
2. Situer le texte dans son **contexte culturel et sociohistorique**.	Mention des éléments significatifs du **contexte culturel et sociohistorique**.
3. Dégager les rapports entre le **réel, le langage et l'imaginaire**.	Liens pertinents entre le **thème**, les **procédés stylistiques et littéraires**, et les éléments significatifs du **contexte culturel et sociohistorique**.

Légende : Les **caractères gras et noirs** signalent des éléments du cours 101, réinvestis dans le 102. La rubrique «Une lecture de l'œuvre» servira à cette partie analytique de la dissertation. Les **caractères gras et rouges** signalent des éléments particuliers au cours 102. Puisque le cours Littérature et imaginaire permet d'«expliquer les représentations du monde contenues dans des textes littéraires d'époques et de genres variés», les contextes culturels et sociohistoriques exposés dans les pages de «Repères historiques» et la rubrique «L'œuvre et son temps» pourront être réinvestis dans la dissertation.

---

1. D'après le document du MELS, intitulé *Formation générale commune, propre et complémentaire aux programmes d'études conduisant au diplôme d'études collégiales*, paru en 2009.

Piet Mondrian (1872-1944). *Composition en rouge,*
jaune, noir, bleu et gris (1921).

Bibliographie

ARNAUD, Claude. *Jean Cocteau*, Paris, Gallimard, 2003, 864 p.

BARBARANT, Olivier. *Le surréalisme «Nadja» d'André Breton*, «Lire», Paris, Gallimard, 1994, 120 p.

BARTHES, Roland. «Chateaubriand: *«Vie de Rancé»*, in *Le degré zéro de l'écriture suivi de Nouveaux essais critiques*, Paris, 1972, Éditions du Seuil, coll. Points p. 119-120.

BEAUDE, Joseph. «MÉCANISME, *philosophie*», *Encyclopædia Universalis* [en ligne], consulté le 3 septembre 2015. URL: http://www.universalis.fr/encyclopedie/mecanisme-philosophie/.

BIET, Christian, Jean-Paul BRIGHELLI et Jean-Luc RISPAIL. *Malraux, la création d'un destin*, Paris, Gallimard, 1988, 176 p.

BOWMAN, Frank Paul, tiré de *Nerval. Actes du colloque de Sorbonne du 15 novembre 1997*, collectif sous la direction d'André Guyaux, Presses de l'Université Paris-Sorbonne, 1997.

BRÉE, Germaine, et Édouard MOROT-SIR. *Du surréalisme à l'empire de la critique*, «GF», Paris, Flammarion, 1996, 597 p.

CHAVOT, Pierre. *L'ABCdaire du surréalisme*, Paris, Flammarion, 2001, 119 p.

CHAVOT, Pierre, et François de VILLANDRY. *L'ABCdaire de Rimbaud*, Paris, Flammarion, 2001, 119 p.

COHEN-SOLAL, Annie. *Sartre un penseur pour le XXIᵉ siècle*, «Découvertes», Paris, Gallimard, 2005, 159 p.

DE BOISDEFFRE, Pierre. *Les écrivains français d'aujourd'hui*, «Que sais-je?», Paris, PUF, 1969, 127 p.

DE BOISDEFFRE, Pierre. *Les poètes français d'aujourd'hui*, «Que sais-je?», Paris, PUF, 1973, 127 p.

DÉCAUDIN, Michel, et Daniel LEUWERS. *De Zola à Apollinaire*, Paris, Flammarion, 1996, 368 p.

DES VALLIÈRES, Nathalie. *Saint-Exupéry: l'archange et l'écrivain*, Paris, Gallimard, 1998, 127 p.

DIZOL, Jean-Marie. *Guy de Maupassant*, «Les essentiels Milan», Paris, Milan, 1997, 63 p.

DUMAS, Marie-Claire. *Desnos œuvres*, «Quarto», Paris, Gallimard, 1999, 1394 p.

FOULQUIÉ, Paul. *L'existentialisme*, Paris, PUF, 1964.

GLEIZE, Jean-Marie. *La poésie, textes critiques, XIVᵉ-XXᵉ siècle*, Paris, Larousse, 1995, 673 p.

KOPP, Robert. *Baudelaire: le soleil noir de la modernité*, «Découvertes», Paris, Gallimard, 2004, 159 p.

LAGET, Thierry. *L'ABCdaire de Proust*, Paris, Flammarion, 1998, 119 p.

LANNES, Roger. *Jean Cocteau*, «Poètes d'aujourd'hui», Paris, Pierre Seghers, 1966, 186 p.

LENZINI, José. *Albert Camus*, «Les essentiels Milan», Paris, Milan, 1995, 63 p.

LOTTMAN, Herbert R. *Gustave Flaubert*, Paris, Fayard, 1989, 579 p.

MARSEILLE, Jacques (sous la direction de). *Les années Hugo*, Paris, Larousse, 2002, 215 p.

MAUROIS, André. *De Gide à Sartre*, Paris, Librairie académique Perrin, 1965, 308 p.

MAY, Georges. *Rousseau par lui-même*, Paris, Seuil, 1964, 189 p.

MILNER, Max, et Claude PICHOIS. *De Chateaubriand à Baudelaire*, Paris, Flammarion, 1996, 448 p.

MITTERAND, Henri (sous la direction de). *Dictionnaire des grandes œuvres de la littérature française*, «Les usuels», Paris, Le Robert, 1995, 706 p.

MOUNIER, Emmanuel. *Introduction aux existentialismes*, Paris, Gallimard, 1968, 189 p.

PERNOT, François. *De Bonaparte à Napoléon*, Paris, Fleurus, 2004, 79 p.

PICHOIS, Claude, et Jean ZIEGLER. *Baudelaire*, «Les Vivants», Paris, Julliard, 1987, 704 p.

QUENEAU, Raymond (sous la direction de). *Histoire des littératures III*, «La Pléiade», Paris, Gallimard, 1978, 2109 p.

SARTRE, Jean-Paul. *L'existentialisme est un humanisme*, Paris, Nagel, 1970, 141 p.

SIRINELLI, Jean-François (sous la direction de). *La France de 1914 à nos jours*, Paris, PUF, 1993, 498 p.

STÉPHANE, Roger. *André Malraux, entretiens et précisions*, Paris, Gallimard, 1984, 169 p.

TAILLANDIER, François. *Balzac*, Paris, Gallimard, 2005, 189 p.

TODOROV, Tzvetan. *Introduction à la littérature fantastique*, «Collection Poétique», Paris, Éditions du Seuil, 1970, 187 p.

WYCZYNSKI, Paul, *Émile Nelligan*, Montréal, 1999, Bibliothèque québécoise, 346p.

SITES INTERNET CONSULTÉS

Académie de Rouen, pour Maupassant.

Bibliothèque nationale de France (BNF) et Gallica, pour les poètes maudits.

Culture et communications Québec, pour les rebellions des patriotes du Bas-Canada.

Encyclopédie Larousse pour «Réalisme magique».

Institut français de l'éducation, pour Jean-Jacques Rousseau.

Les éditions Dargaud, pour Tonino Benacquista.

Ministère de l'Éducation, du Loisir et du Sport, pour l'annexe 2.

Ministère de la culture et de la communication, France, pour George Sand et Victor Hugo.

Université de Rouen, pour Gustave Flaubert.

Université du Québec à Chicoutimi, pour la version numérique de *La crise de l'esprit*, 1919, de Paul Valéry.

Sources des illustrations

Sources des textes

Chapitre 3

Page 142 : André Breton. *Manifeste du surréalisme.* © Pauvert, département de la Librairie Arthème Fayard 1962 et 1979. *Page 145 :* Louis Aragon. «La route de la révolte» in *Le mouvement perpétuel.* © Éditions Gallimard. *Page 149 :* André Breton. Nadja. © Éditions Gallimard. *Page 162 :* Réjean Ducharme. *Ines Pérée et Inat Tendu*, Montréal, 2012, Leméac. *Page 168 :* Georges Simenon. «Maigret chez le ministre», in *Tout Simenon* — Tome 7, Paris, 2002, éditions Omnibus. *Maigret chez le ministre* © 1955, Georges Simenon Ltd. Tous droits réservés. GEORGES SIMENON® ➥ Simenon.tm. Tous droits réservés. MAIGRET® Georges Simenon Ltd. Tous droits réservés. *Page 170 :* Marcel Pagnol. *La gloire de mon père*, Collection Fortunio, Éditions de Fallois, © Marcel Pagnol, 2004. *Page 182 :* Jean-Paul Sartre. *Huis-clos.* © Éditions Gallimard. *Page 184 :* Jacques Prévert. «Pater Noster» in *Paroles.* © Éditions Gallimard. *Page 188 :* Simone de Beauvoir. *Le deuxième sexe.* © Éditions Gallimard. *Page 190 :* André Langevin, *Poussière sur la ville.* Éditions du Boréal, 2014.

Chapitre 4

Page 204 : Raymond Queneau. «Notations», «Métaphoriquement», «Alexandrins», «Injurieux», «Géométrique» in *Exercices de style.* © Éditions Gallimard. *Page 207 :* Alain Robbe-Grillet. *Les gommes.* © Les Éditions de Minuit, 1953. *Page 208 :* Samuel Beckett. *En attendant Godot.* © Les Éditions de Minuit, 1952. *Page 212 :* Marguerite Duras. *Hiroshima mon amour.* © Éditions Gallimard. *Page 216 :* Eugène Ionesco. *Rhinocéros.* © Éditions Gallimard. *Page 218 :* Hubert Aquin. *Prochain épisode.* 1992, Leméac. *Page 224 :* Réjean Ducharme. *L'avalée des avalés.* © Éditions Gallimard. *Page 226 :* Gabriel Garcia Marquez. *Cent ans de solitude*, traduit par Claude et Carmen Durand, Paris, Points, 2014, © Éditions du Seuil, 1968, pour la traduction française. *Page 227 :* Jorge Luis Borges. *L'Aleph*, traduit par L.-F. Durand, recueilli dans *L'Aleph.* © Éditions Gallimard. *Page 228 :* Roland Barthes. «Chateaubriand : Vie de Rancé», *Nouveaux essais critiques* (1972) in *Œuvres complètes* (1966-1973), Paris, © Éditions du Seuil, 1994. *Page 230 :* Romain Gary (Emile Ajar). *La vie devant soi.* © Mercure de France, 1975. *Page 234 :* Benoîte Groult. *Ainsi soit-elle.* © Éditions Grasset & Fasquelle, 1975, 2000. *Page 240 :* Milan Kundera. *L'insoutenable légèreté de l'être*, traduit par François Kérel. © Éditions Gallimard. *Page 242 :* Michel Houellebecq. *L'extension du domaine de la lutte*, Paris, Éditions Maurice Nadeau. *Page 244 :* Andreï Makine. *Le testament français.* © Mercure de France, 1995. *Page 246 :* Tonino Benacquista. *Saga.* © Éditions Gallimard. *Page 250 :* Petros Markaris, *Le justicier d'Athènes*, traduit par Michel Volkovitch, Paris, © Éditions du Seuil, 2013, *Points policiers*, 2014.

Index des auteurs

Les folios en caractères gras renvoient à un extrait d'une œuvre de l'auteur.

Index des œuvres

Les folios en caractères gras renvoient à un extrait de l'œuvre.

Index des œuvres par genres

Les folios en caractères gras renvoient à un extrait de l'œuvre.

THÉÂTRE, SCÉNARIOS

ESSAIS, THÉORIE

Index des notions